远东国际军事法庭庭审记录·中国部分
——南京暴行罪检辩两方举证

Transcripts of the Proceedings
of the International Military Tribunal for the Far
East: The China related
——Nanking Atrocities

主编 程兆奇

杨夏鸣 译 叶艳 校

上海交通大学出版社
SHANGHAI JIAO TONG UNIVERSITY PRESS

国家图书馆出版社
National Library of China Publishing House

内容提要

本书记录了远东国际军事法庭审判中南京暴行罪检辩两方举证部分。东京审判对日本军国主义者侵略罪行的揭露中,南京暴行是日军暴行最突出的一件。就屠杀规模而言,"它的残酷程度或许仅次于纳粹德军在奥斯维辛对犹太人的大屠杀"。但在性质和方法上,南京暴行更为残酷。许多日军暴行惨绝人寰,其残忍和变态的记述简直难以卒读。

庭审记录表明,对日军南京暴行的起诉和审理、完全遵循文明审判的原则。庭审中共有11名检方证人和17名辩方证人出庭。检察官和辩护律师除了直接询问本方证人外,还分别进行了交叉询问;双方都有机会在法庭作总结陈述。最后,法庭接受了37件检方证据和23件辩方证据。远东国际军事法庭以铁的事实,将日本军国主义者的暴行永久钉在历史的耻辱柱上。

图书在版编目(CIP)数据

远东国际军事法庭庭审记录.中国部分／东京审判研究中心编译.—上海:上海交通大学出版社,2016
ISBN 978-7-313-14847-6

Ⅰ.①远… Ⅱ.①东… Ⅲ.①远东国际军事法庭—史料 Ⅳ.①D995

中国版本图书馆 CIP 数据核字(2016)第080135号

远东国际军事法庭庭审记录·中国部分
——南京暴行罪检辩两方举证

主　　编:程兆奇	译　者:杨夏鸣 等
出版发行:上海交通大学出版社	地　址:上海市番禺路951号
邮政编码:200030	电　话:021-64071208
出 版 人:韩建民	
印　　制:上海景条印刷有限公司	经　销:全国新华书店
开　　本:787mm×960mm　1/16	印　张:30.5
字　　数:389千字	
版　　次:2016年5月第1版	印　次:2016年5月第1次印刷
书　　号:ISBN 978-7-313-14847-6/D	
定　　价(共十二册):1200.00元	

版权所有　侵权必究
告读者:如发现本书有印装质量问题请与印刷厂质量科联系
联系电话:021-59815625 * 8028

前　言

东京审判对日本军国主义者侵略罪行的揭露中，南京暴行是日军暴行最突出的一件。中国法官梅汝璈曾经说过，就屠杀规模而言，"它的残酷程度或许仅次于纳粹德军在奥斯维辛对犹太人的大屠杀"。但是在性质和方法上，南京暴行更为残酷。他说："日军的屠杀是同强奸、抢劫、放火及其他暴行互相结合的，其屠杀的方法是五花八门、无奇不有的，狂虐残暴的程度是世界历史上所罕见的。"远东国际军事法庭庭审记录中，大量人证物证，佐证了梅法官的上述论断，许多日军暴行可说是惨绝人寰，其残忍和变态的记述简直难以卒读。相信任何有良知的人们，看到对这些暴行的证词，都会怒火中烧，同声谴责。

庭审记录表明，对日军南京暴行的起诉和审理，完全遵循文明审判的原则。尽管日军在实施南京暴行期间，严密封锁消息；投降前后更是大量销毁罪证，国际检察局还是搜集了大量证据，邀集了几位有力的证人。特别要指出，不仅有11名检方证人出庭，还有17名辩方证人出庭；检察官与被告方辩护律师除了直接询问本方证人外，还分别可以交叉询问对方证人；双方都有机会在法庭作总结陈述。最后，法庭不仅接受了37件检方证据，也接受了23件辩方证据。正是在大量事实的基础上，韦伯庭长宣读的《判决书》中专列一节揭露日军南京暴行，并宣判对南京暴行的首犯、日军司令官松井石根处以绞刑。

庭审记录还表明，对南京暴行的见证和审理都是国际性质的。南京暴行期间，受害人和见证人除中国居民外，还有大量外国居民和外交官员；外国人中，不仅有当时处于中立地位的美国、英国、丹麦的居民、教授、医生、牧师和外交官员，甚至还有和日本同盟的德国纳粹党人和外交官员。另一方面,不仅中国检察官团队责无旁贷参加审理,检察长和代表美国、英国、加拿大等多国的检察官也多次出庭主持交叉询问和辩论;而且被告的辩护人中不仅有日籍律师,也有美籍律师。

正是这些白纸黑字的档案,以及国际性质的审判,远东国际军事法庭以铁的事实,将日本军国主义者的暴行永久钉在历史的耻辱柱上。

本书的初译杨夏鸣先生是研究南京暴行的专家,多年前他参加了南京大学张宪文教授主编的72卷《南京大屠杀史料集》的工作,该史料就收录了不少东京审判中与南京大屠杀有关的资料。在翻译过程中,我们发现涉及南京暴行的庭审记录日期很长,从1946年5月14日中国检察官向哲濬的第一次发言,到1948年11月12日韦伯庭长宣读对被告的判决,都有涉及南京暴行的内容。而许多证人的证词和回答质询更是前后相隔,往往与日军其他暴行的审讯交错进行。为此,杨先生将"检方南京暴行的证据"与"辩方证据"分列;在每一方的证据中,又把各方"证人出庭作证与回答质询"、"法庭宣读的书面证据"、其他证据以及各方的小结分别列出。这样,将有助于读者阅读和分析研究。

为了确保译文的准确性,我们对照新近编辑出版的英文版80册庭审记录,在证人出庭时间和次序、质询问答记录等方面,尽可能保持庭审记录的风格;对一些非庭审记录的内容则予以割爱。我们还对照日文庭审记录,把一些从英文转译有误的人名予以复原。由于《判决书》的中译本另行出版,故其中有关南京暴行的内容本书不再收录,读者可参阅该书。

上海交通大学叶艳女士对初译文进行认真详细的校阅,做了大量增补和润色;石鼎先生、陈丽娜女士精心制作人名地名索引,为读者查阅提供很大的方便;东京审判研究中心主任程兆奇教授则仔细阅读全文,对本书的翻译和定稿提出了建设性的意见;硕士生孙艺对全书进行校对和资料核实,并参与编辑工作;上海交通大学出版社郁金豹、姜津津、崔霞、金迪等同志为本书的编辑出版付出了辛勤的劳动,在此一并致谢。由于时间仓促,且囿于水平,缺憾难免,敬请读者指正。

震惊世界的南京暴行,已过去78年。12月13日日军攻入南京城的日子已被中华人民共和国全国人民代表大会常务委员会定为国家公祭日。本书的出版将有助于人们了解这一段不应忘却的历史。令人不解的是,日本右翼闭眼回避史实,至今拒不认罪,甚至有南京暴行是"虚构"的荒谬之说,本书的出版也是对他们有力的回击!

向隆万

本册出庭发言者

法　官
　　威廉·弗拉德·韦伯　　　　拉达·宾诺德·帕尔
　　密朗·C.克拉默

检察官
　　大卫·尼尔森·萨顿　　　　亨利·格兰顿·诺兰
　　约瑟夫·贝瑞·季南　　　　弗兰克·S.塔夫纳
　　托马斯·H.莫洛　　　　　　亚瑟·S.柯明斯-卡尔
　　肯尼斯·N.帕金森

辩护律师
　　迈克尔·列文　　　　　　　神崎正义
　　劳伦斯·P.麦克马纳斯　　　威廉·洛根
　　阿尔弗雷德·W.布鲁克斯　　林逸郎
　　弗洛伊德·J.马蒂斯　　　　乔治·A.弗内斯
　　富兰克林·E.沃伦　　　　　罗杰·F.科尔
　　冈本尚一　　　　　　　　　萨缪尔·艾伦·罗伯茨
　　萨缪尔·J.克莱曼　　　　　佐伯千仞
　　三文字正平　　　　　　　　E.理查德·哈里斯
　　伊藤清　　　　　　　　　　乔治·山冈

证　人

罗伯特·威尔逊	吴着清
许传音	袁王氏
尚德义	王潘氏
伍长德	吴张氏
陈福宝	陈贾氏
迈勒·瑟尔·贝茨	武滕章
梁庭芳	松井石根
多田骏	青木武
桥本欣五郎	三井贞三
伊藤述史	日高信六郎
约翰·马吉	塚本浩次
斯迈思	中山宁人
菲奇	小幡实
陈瑞芳	石射猪太郎
麦卡伦	大杉浩
孙永成	中泽三夫
李涤生	饭沼守
陆沈氏	小川关治郎
吴经才	榊原主计
朱勇翁	冈田尚
张继祥	大内义秀
黄江氏	胁坂次郎
哈笃信	西岛刚
王陈氏	木户幸一

凡　例

1. 本书所译，为东京审判庭审记录内容中1947年10月至1948年1月间的中国部分。这些内容都是被告个人辩护阶段的证词、证言和证据，内容涵盖了日本从九一八事变到整个侵华战争过程中的战争罪行。

2. 本书主要根据庭审记录的英文版翻译，参照日文版进行校对，内容按照庭审记录的顺序排列，不作变更。

3. 正文前"本册出庭发言者"名单，为译者汇总整理而成。

4. 为方便读者，由译者将全书分段并加各段标题。分段主要根据庭审内容，标题仅起提示作用。

5. 译文中一些历史名词如"满洲国"、"新京"、"汪精卫政权"等，一律保留原状。

6. 脚注为译者或校者所加。

7. 原文中少量明显错误或者有疑问的地方，译文以脚注形式指出。

8. 译稿中的引文，有的地方参考了其他译本，恕不一一指出。

目 录

一、检方证据 *001*

（一）检方证人出庭作证与回答交叉询问 *001*

  1. 威尔逊（1946年7月25～26日） *001*

  2. 许传音（1946年7月26日） *014*

  3. 尚德义（1946年7月26日） *033*

  4. 伍长德（1946年7月26日） *034*

  5. 陈福宝（1946年7月26日） *037*

  6. 贝茨（1946年7月29日） *041*

  7. 梁庭芳（1946年8月7日） *066*

  8. 多田骏（1946年8月7日） *069*

  9. 桥本欣五郎（1946年8月8日） *076*

  10. 伊藤述史（1946年8月8日） *077*

  11. 马吉（1946年8月15～16日） *079*

（二）法庭上摘要宣读的书面证据 *104*

  1. 证人证词 *104*

    （1）斯迈思（1946年8月29日） *104*

    （2）菲奇（1946年8月29日） *106*

    （3）陈瑞芳（1946年8月29日） *108*

    （4）麦卡伦（1946年8月29日） *110*

    （5）孙永成（1946年8月29日） *117*

    （6）李涤生（1946年8月29日） *118*

    （7）陆沈氏（1946年8月29日） *120*

（8）吴经才（1946年8月29日）　121
　　（9）朱勇翁和张继祥（1946年8月29日）　122
　　（10）黄江氏（1946年8月29日）　123
　　（11）哈笃信（1946年8月29日）　125
　　（12）王陈氏（1946年8月29日）　126
　　（13）吴着清（1946年8月29日）　126
　　（14）袁王氏（1946年8月29日）　127
　　（15）王潘氏（1946年8月29日）　127
　　（16）吴张氏（1946年8月29日）　129
　　（17）陈贾氏（1946年8月29日）　130
　2. 安全区13件档案（1946年8月29日）　131
　3. 南京地方法院首席检察官的调查报告（1946年8月29日）　146
　4. 1938年南京美国大使馆外交函电（1946年8月29日）　154
　5. 阿利森致美国大使的信（1946年8月29～30日）　159
　6. 拉贝的一封信（1946年8月30日）　173
　7. 陶德曼致德国外交部秘密电报（1946年8月30日）　175
（三）检方的总结　179

二、辩方的辩护　198
（一）被告的辩护与回答交叉询问　198
　1. 武藤章（摘选）(1947年11月13日)　198
　2. 松井石根（1947年11月24～25日）　201
（二）辩方证人出庭作证与回答交叉询问　237
　1. 青木武（1947年5月2日）　237
　2. 三并贞三（1947年5月5日）　240
　3. 日高信六郎（1947年5月5日）　243
　4. 塚本浩次（1947年5月6日）　253
　5. 中山宁人（1947年5月12～13日）　264

6. 小幡实（1947 年 9 月 18 日） *293*

7. 石射猪太郎（1947 年 10 月 3 日） *301*

8. 大杉浩（1947 年 11 月 6 日） *315*

9. 中泽三夫（1947 年 11 月 6 日） *318*

10. 饭沼守（1947 年 11 月 6～7 日） *330*

11. 小川关治郎（1947 年 11 月 7 日） *338*

12. 榊原主计（1947 年 11 月 7 日） *340*

13. 冈田尚（1947 年 11 月 7 日） *345*

14. 大内义秀（1947 年 11 月 6 日） *356*

15. 胁坂次郎（1947 年 11 月 6 日） *360*

16. 西岛刚（1947 年 11 月 6 日） *364*

17. 木户幸一（1947 年 10 月 21～22 日） *367*

（三）辩方出示的其他证据 *390*

1. 辩方律师宣读检方文件的摘录（1947 年 5 月 5 日） *390*

2. 原件及副本丢失证明（1947 年 10 月 3 日） *394*

3. 外务省采取行动的证明（1947 年 10 月 3 日） *394*

4. 松井石根的声明（1947 年 11 月 6 日） *396*

5. 松井石根的陈述（1947 年 11 月 7 日） *397*

6. 照片（1947 年 11 月 7 日） *400*

（四）辩方的总结 *401*

1. 松井将军大亚洲主义的主旨 *401*

2. 上海和南京战役 *412*

3. 松井将军在中国事件中的责任 *427*

4. 指控松井将军发动了对苏联的侵略战争 *447*

5. 论所有的指控 *449*

6. 结论 *451*

索引 *453*

一、检方证据

(一)检方证人出庭作证与回答交叉询问

1. 威尔逊(1946年7月25~26日)

(1946年7月25~26日,星期四~五,出庭)

韦伯庭长:传证人。

(罗伯特·威尔逊作为检方证人首先庄严宣誓,然后作证如下。)

(萨顿检察官提问)

问:你是加利福尼亚州阿卡迪亚的罗伯特·威尔逊吗?

答:是的。

问:你给国际检察局编号为2246的文件,是你亲自签名并为此写下宣誓证词的吗?

答:这是我的宣誓证词,是我在上面签的名。

萨顿检察官:我们要求将其作为证据提交。

法庭书记官:检方文件第2246号,作为法庭证据被编为第204号。

(上述文件被标以检方证据第204号。)

列文辩护律师:法官先生,我们反对在本案中把宣誓证词作为证据,或者作为该证人的证词。我们认为法庭所规定的允许将经陈述者宣誓的书面陈述,作为法庭证据的理由不适用于该证人。该证人是普林斯顿和哈佛的毕业生,他受过良好的教育,英语说得和在座的一样好。当本法庭宣布——庭长宣布法庭决定允许将宣誓证词作为证据时,法庭强调在做出这个决定时法庭也是疑虑重重。其他的证人只会说中文或是日文,所以可以将宣誓证词作为法庭证据,而这一情况完全不适用于该证人。

韦伯庭长：你没有必要再说了。萨顿先生，我们将听听你的看法。我们看不出有什么理由使得此人的证词不按惯例采纳。除了你准备了一份宣誓证词这一事实外，我们想不出用什么来证明不这样做是有道理的。你可以把它当作证据，并就此对他进行提问。反对无效。

萨顿检察官：我们原来认为，如果法庭允许，为了缩短审理的时间，在每一个案例中都提供证人的宣誓证词，然后对证人反诘。

韦伯庭长：它作为证词提交，是没有异议的，法庭不能拒绝它。但是证人现在应该被询问，且把他的宣誓证词当做是一种需要甄别的证据。

列文辩护律师：庭长，我对宣誓证词的反对——我反对将宣誓证词作为证据。我认为，在宣誓证词作为证据被提交时，提出反对是及时的。

韦伯庭长：当你提出反对时，它已经是证据并登记过了。但是我们也可能会裁定反对有效，拒绝使用宣誓证词。我们是可以这样做的。

列文辩护律师：如果法庭允许，我的反对是基于我所熟悉的惯例。我们通常的做法是在宣誓证词提出时，它是不作为证据加以考虑的。在该宣誓证词被提出时，我认为我及时提出了反对。我现在仍反对。我认为我过去已经提出过反对了，我请求法庭裁定我对使用宣誓证词的反对有效。

韦伯庭长：我们把你的反对意见作为追溯既往（nunc pro tunc）来处理，支持你的意见。我们将拒绝使用宣誓证词。请收走法官那里的宣誓证词。

萨顿检察官：如果法庭允许，我们可以开始提问了吗？

韦伯庭长：可以。

（萨顿检察官提问）

问：威尔逊医生，你出生在何时何地？

答：我1906年10月5日出生在中国南京。

问：你的职业是什么？在哪里接受教育的？

答：我是外科医生，曾在普林斯顿大学和哈佛大学医学院就读。

问：医学院毕业后，你就回到了中国？如果是，你是哪一段时间内在中国行医？

答：1936年1月我回到中国，从那时到1940年8月一直在南京的金陵大学医院行医。

问：你和大学医院有密切联系吗？如果是的，是以什么身份？

答：当时我是南京的金陵大学医院的外科医生。

问：1937年南京陷落后，医院的中国医生和护士都离开医院了吗？如果是，何时离开的？

麦克马纳斯辩护律师：如果阁下允许，我反对这样问话的形式。因为这种问话导向性太强。我请求庭长指示检方律师不要问一些具有导向性的问题，而应该用恰当的方式来进行提问。

韦伯庭长：这只是介绍性的问题，他有权在此基础上引导问题。

答：1937年11月末上海陷落后，日军向南京挺进。医院的医护人员到我们这里，并要求在日军占领南京时，他们就离开南京。他们这样做的理由是他们听说了很多在上海和南京之间的城市里所发生的事情。这些城市中有苏州、无锡、镇江、丹阳等。我们医院的职工担心生命受到威胁，纷纷希望离开南京去长江上游地区。我们努力安慰他们，告诉他们在戒严的情况下，陷落后的南京也没什么危险。然而我们无法说服他们，很多人还是离开，去了长江上游地区，医院里只剩下特里默医生——另一个美国医生、我和5名护士，以及一些选择留下来陪伴我们的清扫工。他们是12月1日离开南京的，一共有20位中国医生、约40~50个护士和实习护士离开。

问：南京陷落前，医院里病人的数目减到了多少呢？

答：在我们的职员离开时，我们不得不把病人的数目减到不能再减的地步，把所有可能回家的病人都送回家了，医院里只留下大约 50 个无处可去或病情严重无法移动的病人。

问：1937 年 12 月 13 日之后情况有没有什么变化？如果有，以何种形式？

答：日军于 12 月 13 日清晨进了城，12 日晚上所有的抵抗就停止了。就在几天之内，医院里挤满了各个年龄段的男女老少，伤势不一。

布鲁克斯辩护律师：如果法庭允许，我反对这种提问。我认为法庭……

韦伯庭长：我听不见你说的话，用扩音器再说一遍。

布鲁克斯辩护律师：如果法庭允许，我认为这种提问不可取。这样会影响法庭法官的判断力，我认为法庭会公正地注意到，辩方也会同意，战争中必然会有平民的伤亡——妇女、儿童和其他人的伤亡。如果这一点没有表明的话，我提议不要把这些问题记录下来。

韦伯庭长：反对无效，继续进行。

布鲁克斯辩护律师：我再次提出反对，因为这与我们试图展示的问题——即是谁发动战争的——毫无关系。假如这个问题与此有关的话，我看不出体现在何处。

韦伯庭长：反对无效。

问：医生，你能不能讲一下你的医院里病人的伤情呢？

答：我只能讲一下南京刚陷落后我救治的一些病人伤情，但除了在座的一两个证人外，我记不起其他人的名字了。我记忆犹新的一件事是一位 40 多岁的妇女，送到医院来的时候，她脖子后有个巨大的伤口，切断了脖子周围所有的肌肉。从病人的叙述中，从送她到医院来的人的讲述中，没有——

马蒂斯辩护律师：我想打断证人的陈述。首先，证人讲的是道听途说；其次，这和被问及的内容没有关系。他被要求描述所见的伤情，而他现在说的是那位妇女告诉他的话。

韦伯庭长：反对无效。再次宣布你对所谓"道听途说"提出的反对意见无效。

答：（继续）通过对病人的询问，以及对送她到医院来的人询问，我们毫无疑问知道这是日本士兵所造成的。

韦伯庭长：他应该讲述那位妇女告诉他的内容。

答：（继续）一个8岁的小男孩被带到了医院，肚子上有一条深深的伤口，胃部被刺穿。

沃伦辩护律师：如果允许的话，我要提出反对。应该提请证人注意：他应该陈述病人告诉他的内容，而不是他的结论，结论该由法庭做出。我们恳请法庭要求证人陈述，尽可能准确地陈述他同病人的谈话回忆。

韦伯庭长：反对有效。

（对萨顿检察官说）：我认为你没听到我所说的，戴上耳机。我也说过证人必须陈述他和伤员的谈话。

答：（继续）医院收容了一个病人，右肩有伤，显然是子弹造成的伤害，而且——

证人：如果法庭允许，我将把他告诉我的内容讲给大家听。

答：（继续）他是一大群人中的唯一幸存者——这些人被带到长江边，被日本士兵开枪一个个打死，尸体被扔入江里，因此实际伤亡的人数不能确定。他假装已死，趁着夜色逃到医院。他姓梁。另一人是中国警察，送到医院时背部中间有一道深深的伤口。一大群人被带出城，日军先对他们用机枪扫射，后用刺刀捅刺那些受伤但尚未死掉的，以确保不留活口，这个人是其中唯一的幸存者。他的名字叫伍长德。有一天中午，我正在家中吃午饭，突然邻居们跑进来，在餐桌边告诉我们几名日本士兵在他们家里强奸妇女。

沃伦辩护律师：假如法庭允许，我想提醒，很明显证人在答非所问。

我们要求法庭向他指出。毫无疑问,检方在进一步的提问中,会提出这些问题的。

韦伯庭长:证人应该回答所提的问题,但我认为他跑题不是太远,这些都是相关的问题,反对无效。

答:(继续)我们立刻冲出去,在这些人的带领下来到他们家。院子里的人指着紧闭着的房门。此时,3个日本士兵持枪站在院子里。我们冲进了房间,发现两名日本士兵正在强奸两名妇女。我们立即救下她们,并把她们送到了金陵大学的难民营——校园里挤满了大批的难民,这些难民在这里受到国际安全委员会的保护。

另一个人被送进医院时,下巴被子弹击穿,几乎说不出话,而他三分之二的身体都被严重烧伤。他讲述了他的遭遇——我费了很大力气才明白他的意思——他被日本士兵抓住,并被浇上汽油放火点着。两天后,他就死了。

还有一个人被送入医院,整个头上、肩上都是严重烧伤。所幸他还能讲话,告诉我们他是一大批人中的唯一的幸存者,这些人被捆在一起,浇上汽油,然后被放火烧死。

上述提到的案例我们还有照片。

医院收治的还有一位60岁的老人,他胸部有刺刀留下的伤口。他告诉我们从难民营出来后,到南京城的另一个地方去找一个亲戚。半路上碰到了日本士兵,被刺刀刺伤后被当成死人扔进了排水沟里。6个小时后,他才恢复知觉,来医院就诊。

自1937年12月13日南京陷落后,这样的事实就层出不穷。医院的床位是180张,在这段时期,床位天天爆满。

问:医生,在这段时期有没有孩子被送进医院呢?

答:我提到过一个8岁的男孩,我还记得另外两个孩子。其中一个是个7~8岁的小姑娘,肘部严重受伤,肘关节的骨头都清晰可见。她告诉我们日本士兵当着她的面杀死了她的父母亲,并将她砍伤。另一个是被约翰·马吉牧师带到医院的15岁的姑娘,她说自己被强奸了,检查之后证实了她所说的。两个月之后,这个姑娘又被送回医院,被诊断出得了二期梅毒。

问: 这些病人有没有告诉你,是谁使他们受伤的呢?

答: 他们只说——他们无一例外地说他们是被日军所伤。

问: 医生,这两个病人——梁上尉和伍长德在东京吗?

答: 你称为梁上尉的这个人我认识,当时他是中国军队的担架员[1],现在他在东京。伍长德——我前面提到的那位警察也在东京。

韦伯庭长: 莫洛上校,很显然,他没有听到证人已结束了回答。

问: 医生,1937年12月南京陷落后,在鸦片买卖方面有什么变化呢?

沃伦辩护律师: 假如许可,我想提请法官注意——显然,这是一个与本案无关的问题。我们要求不允许证人回答这个问题。而且提议这个话题的直接询问到此结束。

韦伯庭长: 一个导向性很强的重要问题当然会引起反对,但是对于这个相关性很强的问题呢?我想听听你的见解。这个问题是导向性的,并且在一个重要问题上导向性很强,辩护律师也以它与本案无关而提出反对,我想听听你的意见。

(对沃伦辩护律师说):沃伦辩护人,我想听听萨顿检察官的观点。

萨顿检察官: 如果法庭允许,佐证的目的就是想弄清南京陷落后鸦片或其他麻醉品的销售有没有明显的增长。如果是,增长速度如何?

韦伯庭长: 起诉书中有一项关于麻醉品的罪状,但我忘了确切的用词。

萨顿检察官: 正是起诉书的这个罪状才导向此方面的证据。

韦伯庭长: 那好,把罪状宣读一下。

---

[1] 应是军医——编者注。

萨顿检察官：请原谅我要花点时间找一下它究竟在起诉书的什么地方。

韦伯庭长：那么，让我们暂时休庭到明天 9∶30。

（16∶00 休庭，直到 1946 年 7 月 26 日）

1946 年 7 月 26 日，星期五
日本东京都旧陆军省大楼内远东国际军事法庭

（根据休庭规则，9∶30 开庭）

出席法官照旧。

检察部照旧。

辩护部照旧。

（语言部准备好了英日互译，英中互译）

法庭执行官：远东国际军事法庭现在开庭。

韦伯庭长：除了大川由其辩护律师代理外，所有被告均已到场。沃伦辩护人，你有什么要说吗？

沃伦辩护律师：如果法庭允许，昨天我未能有时间把我的观点表达清楚。证人出庭作证时，当时我说没有通知辩方。现在我注意到辩方实际上是得到通知了，正如检方告诉法庭的那样，但由于人手不够，这一信息未到我们手中。我想就发表了一个不实的言论向检方和法庭道歉。

韦伯庭长：萨顿检察官。

萨顿检察官：如果法庭允许，就昨天休庭前，法庭提出的关于鸦片和麻醉品是否是相关证据的询问，我想提请法庭注意这样一个事实：起诉书的罪状 1、3、4、5、6、27 和 38 是对日军发动侵华战争的指控。在这些罪状中，都有参阅附录"B"的内容——对不起，是第 4 部分的附录"A"。附录 4 的 A 部分[1]，内容如下："在中国和其他地区的腐败手段

---

〔1〕 原文如此。

和高压政策。在起诉书所包含的整个时期,历届日本政府,通过其在中国或其他已占领或打算占领的国家的军事长官或民事代理,来推进系统的侵略计划——即通过暴行、武力、武力威胁、贿赂、腐败、地方政客的阴谋,通过直接或间接的鼓励鸦片和其他麻醉品的生产销售,通过促进毒品在这些人中的普及,来逐步削弱当地民众的意志。"

麦克马纳斯辩护律师:如果法庭允许,我认为法庭知道,我们也知道起诉书及附录的内容。我认为没有必要读它们——它们就在那儿,法官也知道。检方律师为什么不只是提及而是要把它读出来呢?我们对此都很清楚。

韦伯庭长:辩护律师已经提出反对,该由你说明理由了。你可以继续读完,而不是仅仅提及该起诉书。就我个人来讲,我很高兴你能把它读出来。

萨顿检察官:今天辩方所采取的立场和昨天很不一致。

韦伯庭长:我想你已经宣读得够多了,现在你最好把耳机戴上,否则我又要重复一遍。

萨顿检察官:假如法庭允许,我想提一个事实,这个事实出现在检察长的开庭词里。我来朗读一下此文件的第35页的一句话:"证据揭示鸦片是作为军事武器用来消磨国民的士气和摧毁他们的战斗意志,同时也作为增加税收以支持战争的一种手段。"对这个问题,这就是我们想要说的一切。

韦伯庭长:反对无效。

沃伦辩护律师:阁下,在我被驳回前能不能陈述一下我的观点呢?

韦伯庭长:哦,不。沃伦辩护人,很明显,这是一个可以接受各种证据的问题,我们已经讨论得够多了。

沃伦辩护律师:在另一点上,我要提出反对,理由正如你所指出的那样,他的问题都是导向性很强的。

韦伯庭长:我怀疑在这一点上我自己是否正确。我看一下记录。

很遗憾，律师有时讲话没有对着麦克风，所以有些话我没听到。

沃伦辩护律师： 另外，阁下，它假设了一个无证据的事实，先前我也提出同样的反对。

韦伯庭长： 毫无疑问，你可以假定这样的事实——麻醉品曾在南京使用过。

（罗伯特·威尔逊作为检方证人被传唤，坐进证人席后作证如下）

（萨顿检察官继续进行直接询问）

萨顿检察官： 请向证人重复休庭前的问题。

（庭长从1946年7月25日的官方庭审记录中把最后一个问题宣读了一遍，内容如下）

问：1937年12月日军占领南京后鸦片的买卖有什么变化吗？

答：日本占领南京前，我从未见过挂牌出售鸦片的商店。出售鸦片是一项重罪。南京陷落后的一年间，大约在1939年春天，我骑着车穿越南京的主干道，突然发现在距离神州路1英里的地方——在江塘街卫理公会教堂和唱经楼之间有21处公开开业的鸦片商店。这些地方都写有汉字"黄土"，且标志明显。

问：医生，这些汉字"黄土"的意思是什么？

答：这是鸦片术语，意思是鸦片。

萨顿检察官： 辩方可以对证人进行反诘。

韦伯庭长： 沃伦辩护人。

沃伦辩护律师： 显然不进行反诘了，阁下。

韦伯庭长： 不进行反诘吗？

萨顿检察官： 我们希望传下一个证人许传音。

韦伯庭长： 我看出一位日本辩护律师有话要讲。

（证人离开了证人席）

麦克马纳斯辩护律师： 假如庭长同意，此时我们理解，至少，我们认为我们将不对该证人进行反诘。我们从清濑辩护人那儿了解到有一个日本律师可能有个问题要问。

韦伯庭长：我们允许对证人进行反诘，带回证人——把医生带回来。医生可能已经走了。你们最好召下一个证人过来。

季南检察长：如果法官允许——

韦伯庭长：检察长。

季南检察长：据我了解，昨天法庭做出裁决，当证人说英语时，允许提供宣誓证词的做法将得不到法庭的支持。

韦伯庭长：这样说吧：假如他是个欧洲人、生在美国、受过大学教育的……

季南检察长：我想向尊敬的阁下提两个建议：首先，远东国际军事法庭宪章在规定经陈述者宣誓、在法律上可作证据的书面陈述是否被法庭接受时，没有对语言提出具体的规定，无论是在提交的原始宣誓证词，还是证人对相关问题作证时所用的语言。其次，据检察官最乐观的估计，这一裁决将会使得审判的时间延长四到五个星期。怀着尊敬的心情，我们想向法庭提出我们的看法和对时间的估计，这样，如果有充足的理由要区别语言的话，我们不想继续纠缠这个问题。但是假如它和有序的审判是一致的话，我们强烈要求法官重新考虑这项裁决，以确定以宣誓证词的形式提供证据是否符合法庭宪章的规定，据我的理解本法庭在审理中曾这样做过。我认为为了表示对法庭的公正，我们应该向法庭告知我们的看法，这样，在时间因素方面，本法庭才能给予必要的考虑。

韦伯庭长：显然，法庭宪章并没有剥夺我们在昨天审判中的判断力，即坚持对证人的询问用口头表述而不是用宣誓证词的形式。这种方式不会花更多的时间。口头询问能够和朗读宣誓证词一样迅速。在接受宣誓证词方面，我们已经比纽伦堡法庭要宽松得多了。法庭将在个案中继续行使自己的判断。

（威尔逊医生返回到证人席）

冈本辩护律师： 我是冈本尚一，是被告武藤章的辩护律师。

韦伯庭长： 医生，你先前的宣誓对你仍然有效。

冈本辩护律师： 我也这样认为。为了符合法庭程序，我希望宣誓程序重新进行。

韦伯庭长： 没有必要那样做。请提问，要不就放弃反诘。

（冈本辩护律师发问）

问：你作证时说，在南京陷落之前，你医院里的医护人员就离开了。附近地区的居民也是这种情况吗？

答：战前南京的人口大约是100多万。当日军占领南京时，大多数的居民都离开了，人口锐减到不到50万。

问：我没听到具体的时间，什么时候人口减到那个数字的？

答：在11月底和12月初的两个星期里。

问：那么你意识到南京陷落前就有很多人离开了，是吗？

答：是的。

问：当时你的医院里有170张床位，是吗？

答：床位通常是180张。

问：你曾说就在南京陷落后不久这些床位立刻爆满。具体是在什么时候？

答：南京陷落后的一个星期。由于病床不足，我们不得不让许多病人出院。

问：你们让大概多少病人出院呢？你还记得大概的数字吗？

答：我的工作主要是在手术室里，自日军占领南京后就一直日夜忙个不停，究竟有多少人也不得而知。其他医护人员负责门诊病人，并且由于病床不够而让病人出院。

问：你说你收容的病人很多都有伤口。由于翻译有误，我想举出一个例子。例如，你提到一位40多岁的妇女，脖子上有伤，肌肉被砍，以至于松松地耷拉下来。是什么原因呢？

答：被日军的军刀所伤。

问：是不是也被弹片所伤呢？

答：那时没有。在那年秋天即9月和10月，我们遭到了空袭，就收容了很多遭受弹片伤害的病人。但在那时候，我指的是南京陷落时，未发生战斗。

冈本辩护律师：我要说的就这些。

克莱曼辩护律师：我可以提问吗？

韦伯庭长：刚刚提问的日方辩护律师是被误解了，但你不会，我们不允许你进行反诘。

克莱曼辩护律师：如果法庭允许，我坐在法庭的后排，阁下并没有问我是否希望反诘。

韦伯庭长：你有嘴，可以在那说话。

克莱曼辩护律师：我有两个小问题，都非常短。

韦伯庭长：克莱曼上尉，他被重新召回不是来接受你的反诘，而是接受日方辩护律师反诘的。

伊藤辩护律师：我是伊藤清，是被告松井石根的辩护律师。

交叉询问（继续）

（伊藤辩护律师提问）

问：由于我昨天未听清楚你的证词——我不懂英语，我才问你这个问题。你说一个中国妇女被日本士兵强奸，两个月后出现了二期梅毒的症状，是不是这样？

答：是的。

问：谢谢你。根据我的观察——当然我是个外行，可能说的不对——梅毒二期症状要在感染后3个多月才会出现，是吗？

答：那是三期症状。

问：从理论上来说有区别吗？我看到的书上说的是3个月。

答：我不知道你说的是哪一本书。据我观察感染后6个星期到3

个月都是发病期。

问：无论如何,根据我看的书,我只能得出结论——既然要花3个月的时间才能出现症状,那么,这位妇女就不可能是由两个月前日本士兵的强奸所传染的。

答：你有坚持你的观点的权利,我也一样。

韦伯庭长：我们必须接受证人的观点。如果你愿意,你可以日后用证据再反驳他。

伊藤辩护律师：以后我会的。

韦伯庭长：那么,行了,医生。

（证人离开法庭）

萨顿检察官：下一个证人——中国的许传音入庭。

2. 许传音（1946年7月26日）

（1946年7月26日,星期五）

（许传音作为检方证人出庭,首先宣誓,然后作证如下。）

直 接 询 问

萨顿检察官：如果允许,我们想提交国际检察局第1734号文件。

韦伯庭长：萨顿辩护人,请讲出证据号。

法庭副书记官：文件第1734号被编为证据第205号。

（上述文件被标明为检方证据第205号,用于识别。）

麦克马纳斯辩护律师：如果阁下允许,我想提出异议,这也是列文辩护人昨天提出的：这位证人受过大学教育,说一口流利的英语,显然他学识渊博。毫无疑问,我们反对用他的宣誓证词,法庭应该从证人那直接获取证词。

韦伯庭长：麦克马纳斯辩护人,我想多了解一下此人。我们还未听他做出充分陈述。萨顿先生,你最好开始发问,这样我们才可以做出判断。

麦克马纳斯辩护律师：阁下同意接受这份文件吗？

韦伯庭长：还没有，我还没有说"采纳"呢。

麦克马纳斯辩护律师：那好，如果法庭允许，书记官已经宣布本文件标明用作证据。

韦伯庭长：不，是用来识别的。

（萨顿检察官提问）

问：你出生于何时何地？

答：我 62 年前出生于南京。

问：你一生中曾在哪些地方居住过？

答：自 1928 年我就住在南京。

韦伯庭长：他接受过大学教育吗？

萨顿检察官：是的。

证人：我曾在金陵大学获得学士学位，并且在伊利诺伊州州立大学获得博士学位。

韦伯庭长：我认为你最好对他进行口头反诘，假如你遇到任何困难，我们可以在那时提供他的宣誓证词。

问：许博士，你是在哪里接受教育的？

韦伯庭长：他刚刚讲过了。

答：我是在南京和伊利诺伊州州立大学接受教育的。

问：毕业后，你从事过什么职业？

答：我从金陵大学毕业后，教了大约 10 年书，之后，我到美国进行深造。

问：当你回到中国后又从事什么职业的呢？

答：我在铁路上工作。起初我在津浦线工作，之后我在铁道部的不同岗位上工作过。后来，一直从事与铁路有关的工作，或在基层单位，或在铁道部里工作。

问：你是什么时候居住在南京的？

答：1928年国民政府迁到南京，我正在铁道部工作。因此我就在南京安了家，在那里置了些房产。

问：你是不是自从1928年就一直住在南京呢？

答：是的。

问：南京是什么时候被日军占领的呢？

答：1937年12月13日。

问：那时中国军队有没有任何形式的抵抗呢？

答：在1937年12月13日那一天，没有任何抵抗行动。那之前，城外还有抵抗，就在那一天，所有的士兵都撤走了。

问：1937年12月13日之后中国军队或其他组织有没有任何形式的抵抗呢？

答：没有，绝对没有。

问：你和南京安全区国际委员会有关系吗？

答：我是南京安全区国际委员会住房委员会的主要负责人。

问：在你的管辖下，有多少个难民营？

答：我的职责是照顾在安全区里有房户和无房户的膳宿。那时，有很多人的亲戚或朋友（住）在安全区内，他们有住房，于是这些人也到了那里。不仅是他们自己到了那里，而且把随身的物品也带过去了。对于那些没有亲戚朋友的人，我们的任务就是帮助他们找到房子并安顿下来。这些人为数众多。最后，我们为他们建了25个难民营，都在我的直接管辖下。我安排的这些房子，有民房，也有公共建筑。

问：安全区有多少中国公民呢？

答：一般说来——当然，我们也未进行过官方统计，大约有20万吧，20万到30万。

问：在1937年12月，你与红卍字会有什么关系？以什么身份呢？

答：红卍字会是受国际委员会的邀请与其进行合作的，由于他们没有人懂英语，于是邀请我代表他们和国际委员会合作。当时我是红卍字会的副会长。

问：日军是由南京城的哪个方向进城的呢？

答：城南。

问：日军进城后对老百姓做了些什么呢？

麦克马纳斯辩护律师：如果阁下允许，这次我不得不反对。我认为不应允许提这样的问题，对方问题的导向性一直太强，而且答案也与问题无关。我希望阁下这次能支持我的观点。

韦伯庭长：假定我们在此严格地执行这一规则的话，并没有出现严重地逾越禁止导向的规则，我看不出对证人的询问方法有什么不对。请继续，萨顿先生。

萨顿检察官：书记官能不能向证人再陈述一下那个问题呢？

（法庭书记官又把最后一个问题宣读了一遍）

问题是：日军进城后对老百姓做了些什么？

答：日军进城后，非常粗暴和野蛮。他们疯狂射击所见到的任何人，不管是那些见到日本士兵就跑开的、还是在街上遇到的、或是在附近闲逛的、还是从门缝中偷看的，都遭到直接开枪射击——当场毙命。

问：你曾目睹日军的谋杀行径吗？假如有的话，能不能给我们描述一下呢？

布鲁克斯辩护律师：我反对这个问题，它只是假设发生了谋杀。他是在问日本士兵的情况。该由法庭决定这究竟是不是谋杀。

韦伯庭长：反对无效。

问：（继续）请证人回答。

答：南京陷落的第三天，我才获得日本军官的许可，在南京城四处走了一下，由一个日本人在车上陪着我。此行的目的是估计在街头和房屋里的尸体数量。我可以看到尸体遍布，有些尸体遭到严重损毁；有些像刚死去前一样躺着，有的屈膝、有的身子蜷缩着、有的侧卧、有的仰面躺着、四肢张开，他们是遭到射击或遭到谋杀的。种种迹象表明这是日军的所作所为。就在那时,我还看到一些日军正在做同样的事。我开始数主干道两侧的尸体,很快就数到了500多具,我没有必要再数了,我再也数不下去了。那时同车的还有一个在日本受过教育的中国人,会说日语。我们一起到了他的家,却发现他的弟弟就在家里被打死了,就在台阶上,还没有被拖走。在城南、城北、城东、城西都可以发现相同的情况。无数人死了,仍然躺在那儿。没有一个日本士兵对任何人表现出礼貌。我还算是幸运的,同车有一个日本人和一个会讲日语的中国人陪伴。有无数次,我们的车被拦住,我险些被拉下车来,这个日本人帮了我,因为在此之前我们已得到日本方面的许可。我发现这些尸体没有一具是穿制服的,没有一具是士兵。他们都是老百姓,老老少少,妇女儿童,遍及全城,我未发现一具军人的尸体。

问:日军有没有进入安全区,从那里抓走中国老百姓了么?

答:安全区委员会——国际委员会已做出规定,任何持械的士兵、军事人员都不得进入安全区。他们不允许任何穿制服的人入内。

南京陷落的第二天,也就是12月14日早上,一个日本士兵闯入了国际委员会总部。我碰巧在那里,大约在8:00。他的目的是获得搜查安全区许可,或是讨论这件事。他指控我们说,这里(安全区)窝藏有中国兵。我们都矢口否认,说这些中国人中没有武装士兵。拉贝先生这样说了,菲奇先生也这样说。但日军坚持要搜查,他们并未得到我们的同意。之后,这些日本士兵经常随意闯入安全区,在房屋里抓人,并指控他们是中国兵。

韦伯庭长:休庭15分钟。

(10:45休庭,直到11:00审判继续进行)

法庭执行官:远东国际军事法庭开始审判。

韦伯庭长:萨顿先生。

(萨顿检察官提问)

问：你可以继续回答。

答：日军闯入安全区，从各个难民营里带走了大批中国老百姓。有一天，我正在房子里向难民分发馒头和糕点，就要发完时，日本士兵来了。其中两个守在门口，另外几个闯进来，用绳子把难民们捆了起来——全都是老百姓，手被捆在一起，每10个、15个地捆在一起，然后把他们拖走了。我站在那里，惊愕得不知发生了什么事。在那座大楼里，1500多名老百姓就这样被日军带走了。他们甚至想带走我们红卍字会的成员，在我们的解释下才释放他们。我当时要人立刻向国际委员会报告，即向拉贝先生报告。结果，拉贝先生和菲奇先生都来了，但这些人已被日军带走了。商量一会儿后，拉贝先生、菲奇先生、我和另外一个会说日语的中国人一起到了特务总部，也就是日本特务总部。拉贝先生提出抗议，他首先问他们为什么闯入安全区，并把老百姓——难民带走。然后他质问他们把难民带到哪儿去了，以及难民们现在哪里，同时要求他们立刻释放难民。日本特务机关长说他们也不知道。我们等了一个多小时，希望他们了解这些人被带到哪里去了，谁把他们带走的。可是没有任何结果，他们未给我们任何令人满意的答复，尽管他们承诺天亮前给予答复，却未做到。第二天，大约七八点钟，我们听到机枪声，就在国际委员会总部附近，也就在红卍字会附近。我们立刻派人赶到那里，直到那时，我们才知道那些难民已经被机枪打死了，而尸体被抛入了池塘。之后，我们将这些尸体打捞上来，认出了其中许多都是难民。至此，我们每一个难民营里的人都岌岌可危。每天，日军都要闯入不同的难民营，寻找中国士兵，并带走他们，有时是几个人、有时是几百人，都是中国平民。之后我们确信这些人无一逃生。日军这样做的借口是，他们都是中国士兵。有时日军的理由竟是，他们是听别人这样说的。而事实上，这些士兵都是普通老百姓，没有一个是士兵，也没有一个穿军装。

问：谁是拉贝？他与南京安全区国际委员会有什么关系？

答：拉贝先生是德国人，他是西门子公司驻南京的负责人，他也是国际委员会的主席。

问：进城后，日军是如何对待南京的妇女的？

答：日军对中国妇女的行为更为恶劣，我们简直难以想象这是在文明世界发生的事。日本士兵是如此热衷于强奸、如此迷恋妇女，令人难以相信。

韦伯庭长：证人，你只要告诉我们日军如何对待南京妇女就可以了。

答：我知道很多这样的例子，任何日本士兵都可以闯入难民营，带走任何一位女性，然后强奸她们。我知道这种事，因为她们总会来告诉我们。所以很多次，我都是和施佩林先生或和另一位外国人一起去捉日本士兵。有一天，日本士兵开着大卡车闯入一个难民营，目的是带走所有的女孩，并找个地方强奸。我试图阻止他们的行为，却没有任何办法。于是这些女孩和妇女——最小的13岁、最大的40多岁，都被日军带走了。我亲眼目睹一个日本士兵在浴室强奸妇女。他的衣服丢在浴室外，事后，我们打开浴室门，发现浴室里有一个赤身裸体的妇女在哭泣，显得痛不欲生。又有一次，我和福田一起出去，他是日本大使馆的副领事，后来是日本内阁的秘书。当时我们去难民营捉两个日本士兵，据说他们竟住在了难民营。当我们赶到那里的时候，发现一个日本士兵仍在那里，一个女人靠在墙角哭泣。我告诉福田，"这就是强奸她的人"，而那个人仍然坐在那里，低着头。福田问他："你为什么这样做？你在这做了些什么？"

麦克马纳斯辩护律师：如果法庭允许，基于相关性的考虑我想提出反对。证人陈述的内容和被告有什么关系呢？我反对的理由是与被告无关。

韦伯庭长：毫无疑问，这些都是有关系的。这表明了日本军人的暴力行为，假如属实的话，这些显然与本案有关。反对无效。

（麦克马纳斯辩护律师走近了讲台）

我已经讨论了你所提的问题,你无须再说了。

答:福田先生斥责他,因为很显然日本士兵就在里面。福田先生试图将他推走,这个日本兵就离开了,随后福田先生的脸上露出了一些笑容。当时,我突然想到一个主意,我请他用汉语写了几行字。我对他说:"你现在把他赶走是没有用的,他还会再来,你可以在门上贴一个通告禁止他们来这儿搜寻妇女。"他果真这样写了。我们把它贴到了难民营的门口,但是仍然不起作用,像这样的事数不胜数。这以后,傀儡政府成立。就在安全区,我碰巧与一个警察局的局长很熟悉。每次我向他报告,他都帮助我。有一次,我们抓到了一个强奸妇女的日本士兵,当时该士兵赤裸着,正呼呼大睡,我们立刻把他五花大绑送到了警察局。我们听到的有关这些强奸妇女的日本士兵中,只有这名士兵被送到了日军司令部。

问:遭到日本士兵蹂躏后,有没有受害者死亡呢?

韦伯庭长:你指的是这些被蹂躏的妇女?是说这些被日本士兵蹂躏的妇女有死去的吗?

萨顿检察官:是的。

答:在南门的新开路7号有这样一家,我曾和马吉先生到过那里。就在那里,11个人被害,3个被强奸,其中两个少女,一个14岁、一个17岁。强奸后,日军把异物塞到她们的阴道里。后来,她们的祖母把异物拿给我看。年轻姑娘都是被按在桌子上强奸的,我到那儿去的时候,血迹未干。然后我发现了尸体——这些尸体没有被拖走,就在离房子几码远的地方。所有的尸体都在那里。我和马吉先生把尸体的惨状拍了下来,作为控诉日军罪行的证据。我还知道另外一件事:有一个船夫恰好是红卍字会的成员,他告诉了我发生在船上的这样一件事。

韦伯庭长:本法庭要认真考虑一下在多大程度上接受这种道听途说的二手资料。

萨顿检察官:让他继续下去吗?

韦伯庭长：继续。

答：有一户体面人家乘船过河，刚到河中央的时候，日本士兵出现了。他们已发现了——他们想上船去搜查，在那里，他们发现了两名年轻妇女。日本士兵就当着她们父母和丈夫的面强奸了她们。之后，日本士兵竟问那家的老人："这不好吗？"老人的儿子、其中一名妇女的丈夫怒不可遏，冲过去打日本士兵。老人再也受不了这个奇耻大辱了，他深知他们一家的灾难来了，于是愤而跳河。他的妻子，那位年轻人的母亲也跟着跳了下去。我忘了说当日本士兵问老人好还是不好的时候，他的意思是让老人也强奸这些妇女，结果所有的妇女都跳下了河。一家人就这样跳河淹死了。这不是传言，而是真实的事情。这个船夫和我们认识很多年了。

问：红卍字会是不是也参与南京死难人员的掩埋呢？

答：红卍字会已把掩埋无主尸体作为慈善工作的一部分。当时街上尸体遍布，无人管理。这时，日军来请我们帮助，他们说："你们一直做这种工作的，这次为什么不做呢？"得到他们的许可和通行证以及在城里往返的交通工具后，我们开始在城里寻找尸体，然后掩埋。我们通常有200人从事这份工作，掩埋了4.3万多具尸体，这个数目实际上小得多，我们不被允许把真实的数目报上去。起初，我们不敢把数字记录下来，之后我们偷偷记下了一些数字。这些数字只代表了我们掩埋的人数。他们全都是平民，没有一个士兵。

问：有没有其他组织也参与掩埋活动呢？

答：有，这些组织主要是慈善机构。红卍字会只是其中之一。

问：由红卍字会掩埋的尸体是怎样发现的？

答：有些尸体是我们自己发现的，有的是接到附近居民报告才知道的，很多时候日军就在附近走动，由于尸体太多，日军也会向我们报告，因为他们担心太多腐烂的尸体会导致传染病蔓延，尤其是在1至3月间。首先，我们要把尸体从最初的地方挪位，假如是在池塘里，我们要把它们打捞上来；假如是在建筑物里，我们要把它们拖出来。我们发现大多数尸体都是捆在一起的，有的用绳子缠着，有的用电线拴着。我们还要将其一个个解开——我们不想让尸体被绑着下葬。但电线、绳索的捆绑很难一一解开。在很多情况下，尸体已高度腐烂，几乎难以一个个下葬了，只能集体安葬。

韦伯庭长：你不须讲细节了，处理尸体的方法对于案件的审理几乎没有什么帮助。

答：（继续）在很多情况下，我们发现尸体都被烧焦了。

问：你提到的红卍字会于一、二、三月在南京进行尸体的掩埋工作，那是在哪一年？

答：1938年。

问：日军占领南京后是如何对待私人财物的？

答：日军根本不尊重财物的所有权。他们任意闯入民宅，肆意抢劫，并点火烧房屋。

麦克马纳斯辩护律师：庭长，关于后面的这部分证词，我能不能问一个问题？证人是基于他自己的亲身体验还是基于他的推论来提供证据的呢，假如是后者的话，我希望法庭告诫他要把他的陈述局限在事实和他所知道的情况内。

韦伯庭长：我认为他是从回顾历史的角度说的——用的是现在时。他的大多证据都是这样的，是问题本身导致了这种情况。我想他是用他所理解的事实在向我们陈述，但用了现在时态。

证人：我家就被日军闯进过很多次，一架钢琴和一辆旧摩托车被抢走了，其他所有值钱和有用的东西都被劫走。

问：南京被占领后你有没有看到其他建筑物遭到破坏呢？

答：日军焚烧了俄国公使馆，我亲眼看到他们在那里浇煤油，然后点火，那是在1938年1月1日，12：00。其他的机构如基督教男青年会的建筑和一些名人官邸也遭到纵火。

问：日军占领南京后，这些建筑物都被付之一炬吗？

答：是的，这些肆意的焚烧都出自日军之手。

问：老百姓见到日军时，被要求如何向他们表示敬意呢？

答：日本士兵，尤其是卫兵要求老百姓在他们站岗时向他们鞠躬，每个人都要这样做，我也不例外。无论是在房屋门口，或在城门口，还是在其他任何地方看到日本士兵，都要向他们鞠躬。1940年我的侄子第一次来南京看我。他下火车时戴着帽子，忘了向日军鞠躬，结果被日军打了一巴掌。这时他还未意识到必须向日本士兵鞠躬，仍继续往前走，日本士兵把他追了回来，又猛踢了他一脚。这一踢，他的帽子掉了。他弯下腰去捡帽子，准备再戴上帽子，身后的路人提醒他摘下帽子向日军鞠躬，否则麻烦可大了。

韦伯庭长：或许你可以省略被日军打巴掌这个细节。

问：南京陷落后，像你所描述的日军对平民的行为持续了多长时间呢？

答：我没听清你的问题。

萨顿检察官：请书记官重复一下这个问题。

（书记官把最后一个问题又念了一遍。）

答：这种行为一直持续到战争结束。

问：你知道日军是如何对待南京周围地区的居民的？对不起，你知道日军是如何对待南京周边城市的居民的？

答：在我所去过的任何地方情况都是一样，也就是说，远到离南京200里安徽的城市，所有被占领区都是这样。我想解释一下：这里我用的是"里"，因为在中国，里和英里是一回事。

韦伯庭长：让我们暂时休庭到13:30。

（12:00 开始休庭）

（下午开庭）

（休庭之后，审判继续开始）

法庭执行官：远东国际军事法庭开庭。

（许传音作为检方证人，在证人席就座，并作证如下。）

直接询问（继续）

（萨顿检察官询问）

问：你到过哪些城市呢？

答：我1939年去过芜湖，1942年还去了南京。我也在1942年去了我的故乡贵池。

问：这些城市是不是你在上午的审判中提到的城市呢？

答：在这些城市里，日军对平民的态度是一样的，像我家乡那样的小城市情况更糟。

问：在私人商业方面，日军对中国平民也加以限制吗？

答：我没听懂你的问题。

问：书记官能不能把问题再重复一遍呢？

（这个问题又由书记官念了一遍）

答：限制非常严重。我本人曾想把800多斤木炭用中国的船运往南京。日方的特务，为日本干活的中国特务，他们与日方的关系很好，为我办了通行证，因为我提出和他们合伙做生意。

韦伯庭长：考虑到这些事情的数量和重要程度，有必要花时间讨论对商业的限制吗？

萨顿检察官：这一证据和起诉书中的1到6，以及18和19的指控有关系，起诉书提到附录A的细节，指控包括在附录A的第3部分。这只是和那一指控有一点关系的证据。

韦伯庭长：那么，它有可能引导出某些重要的问题，但它本身微不足道。我们相信你只把重要的问题提交给我们。

问：1937年12月日军占领南京前，鸦片公开出售吗？

答：在1937年前，鸦片是不允许公开出售的，当时，在这方面已多少取得了成功。1937年前,鸦片已被铲除了。

问:日军占领南京后鸦片是不是公开出售呢?

韦伯庭长:你忘了他已经回答过了。他说在主干道上有20家出售鸦片的商店。

萨顿检察官:如果阁下允许,那是威尔逊医生的证词。

韦伯庭长:对不起,我弄错了,你说的完全正确。

答:1937年12月之后鸦片开始公开出售,城里有很多鸦片店。每天散步时我都会看到正在出售鸦片的商店,甚至没有警察的干预。除此之外,海洛因也很容易得到,我就看见不少人比以前更公开地吸食海洛因。而且,含海洛因的香烟也不少,我自己就有两条。我自己多次获得毒品香烟,而这种香烟也被称为"苦力"的劳动者吸食。有些人甚至10来岁,有的30多岁,都吸食毒品。在这些人中传播吸烟的方法是这些香烟通常在苦力干完活之后分发。香烟由日本人出售,他们竭力卖出更多的烟。对于普通百姓来说,获得日常生活用品都不如得到香烟容易。在南京和安徽的芜湖、安庆等地,日本人开办特别商店和特别的设施来出售这些香烟。

萨顿检察官:辩方可以对证人进行反诘了。

神崎辩护律师:我是神崎正义,被告畑俊六的辩护律师。

(神崎辩护人提问)

问:对于检方提出的问题,你回答说日军的暴行一直持续到战争结束,是这样吗?

答:不完全正确。假如我记得不错的话。我当时的陈述是这样的:在最初的几个月,特别是最初的3个月,情况是这样的,之后有所缓解。这不是因为日军有所收敛,而是双方共同努力消除暴行的结果。你知道,当时开办了许多妓院和歌妓院,有很多妇女从事妓女这一行,那里为日本士兵提供了机会。

问:我是不是可以理解为日军的暴行只持续了几个月?

答：不。不是只持续几个月，而是由于覆盖面更广，反而不那么显著了。例如，1942年末，我自己家族的一名成员就被强奸而死。我还知道1943年天王寺的一个案例。两三个日本士兵进了村子，想去偷鸡摸狗，碰巧在一户人家里，他们发现了一个漂亮女子并强奸了她。这个女子的丈夫恰好赶到，杀了三个鬼子中的两个。日军大怒，第二天，让我说完，就赶来了——

问：不用说了，够了。

萨顿检察官：如果法庭允许——

韦伯庭长：他不理解，继续回答。

答：第二天，日军来到这个村庄，谎称他们要找一些村民干活。这样，他们把大多数男人都带走，用机枪把他们全部射死了，然后放火焚烧了整个村子。

问：证人，你作证时曾说日军放火烧了俄国公使馆，这次事件发生在什么时候？

答：1942年。

问：几月几日？

答：在——，我记不得具体日期了。

问：你曾说你目睹了日军放火，是用何种方法放火的呢？

答：火一点着就开始烧起来了——所有的仓库都很容易起火。

问：证人，你先前说过火势是由煤油引起的，你也说过亲眼目睹了火情，你是不是真的见过此事呢？

答：你这是在歪曲事实。我早上说的是用煤油，那是指的焚烧俄国公使馆。公使馆离我住的房子很近，就在南京附近。而这是在距离南京20里的天王寺。

问：我们问的是俄国公使馆。

答：好吧，关于俄国公使馆你们想知道些什么？

问：我提的是俄国公使馆。你能不能描述一下公使馆着火的情形呢？

答：好的。公使馆离我住的地方有几个街区远,也可以说有几百码远。当时它就在那个地方,我每天有在僻静处散步的习惯。那天,大约在中午吧,我恰好在那里散步。突然发现不少日本士兵也在那里。开始时我不知道他们在干什么,过了一会儿,我看到许多人,我不想看得太多,而没有走到离他们很近的地方,但仍能看到他们在干什么。他们正在朝某个地方浇煤油。过了不久,浓烟起来了。

问：你说你是在散步,在什么时间,早上、中午还是晚上？

答：大约在中午 12:00。

问：那个建筑物被完全烧毁了吗？

答：从最终的结果来看是完全被烧毁了,但在当时我只想离开那里,我甚至没有想到看看烧的程度如何,这不关我的事。

问：你有没有必要去观察,这不是我们讨论的重点。你能不能告诉我们日本人都干了些什么？

语言监督官：你能不能告诉我们,你看到了些什么？

答：我看到日本士兵在朝那里浇汽油,火已点燃。烧着后,当然,我不想,我甚至不想去扑灭火或者做任何事。

问：我不是问你对此的兴趣,而是问你究竟看到了些什么？

答：我已告诉你我所看见的情况了,这还不清楚吗？怎么样才算清楚呢？

问：今天早上你说房子被彻底烧毁,而现在你又说你也不知道是否烧毁。你刚刚又说看到了烟,究竟哪个是真的？

答：你又误会我的意思了。我以为你在问我是否看到起火以及火势如何。现在你问我的是这个问题。今天早上我说的是整个事件。我没有看见整个燃烧的过程,但我能看见因为它离我家太近了,它被完全烧毁。

问：但是,证人先生,这个公使馆没有被烧毁,你是不是在做梦呢？

还是在撒谎呢?

答：我不知道你的意思是什么,南京的俄国公使馆没有被烧毁?

韦伯庭长：辩护律师必须接受证人的证词。

神崎辩护律师：我知道。

问：日军进城后,你知道那个公使馆是被日军参谋人员使用的吗?你知道这一事实吗?

答：不。我想知道我们谈的是不是同一件事。我指的是1938年1月1日的纵火,那个俄国公使馆就在湖的后面,紧靠着湖,但是在南京城里。

韦伯庭长：我们不要把时间花在这上面了,继续讨论点别的事情。

神崎辩护律师：我问完了。

伊藤辩护律师：我是伊藤,被告松井石根的辩护律师。

交叉询问(继续)

(伊藤辩护律师提问)

问：证人,你知道南京陷落前,也就是在1937年的12月8日前,有没有飞机投下传单,劝导中国兵和平投降呢?你知道这件事吗?

语言监督官：修正:日期是9日而不是8日。

答：对此我一无所知。我当时就住在南京,我的两处房子就占地两英里,但是却没有任何传单落在房子上面。我可能用词不当,我指的是两英亩。

韦伯庭长：我想这个问题是减轻罪行而不是免罪。

问：那么,证人先生,南京官兵收到劝降书,上面写道他们只要到具体地点去谈判就可以和平交出南京,但他们没有接受,于是几天后冲突开始了,你听说过这个事情吗?

语言监督官：修正:由于中国军队未听从日军的劝告,所以几天后的战争就爆发了。

答：即使这是真的,我不了解实情。但这和暴行没有关系。南京被占领时没有任何抵抗,而这些罪行无处不在。我也知道在安全区日中两方进行了谈判,在城里以及在安全区内也有各种暴行发生。

问:安全区是什么时候建立的?

答:安全区建立在——我不是最初的成员,确切日期我也不知道。我只是在1937年12月4日被邀请作为其成员的。

问:至于建立安全区的原因,是否是因为外国人惧怕中国军队撤退时会进行抢劫、破坏呢?

语言监督官:修正:安全区的建立难道不是为外国人建立的,外国人惧怕日军占领南京之前,我再改正一下,它难道不是为外国人建立的吗,基于在日军进城之前,外国人对撤退的中国军队可能进行的抢劫和各种暴力行动的恐惧而建立的?

答:不,根本不是,和那没有任何关系,你在指责这些善良的外国人,这样想太不好了。你知道他们出于人道主义精神才建立了安全区。中国人关注这个问题、日本人也关注这个问题,这个词——人道——虽然我知道你们从未发表公开声明和认可(安全区)。仅仅因为如果你们想在安全区外战斗而不是在安全区内,这就是外国人所希望的一切。当然这是出于人道主义的行为,你一定要理解这点:12月南京城里并没有很多的外国人、外国友人。还有一件事,安全区的面积非常小。当时他们不是防止中国人的暴行,因为他们深知南京是个大城市,他们可以离开南京,也可以到城市的其他部分而不进安全区。

问:你知道当中国军队占领一个城市或撤离一个地方时他们经常烧杀抢劫吗?

语言监督官:修正:你知道中国军队逃离某地、占领某地、溃败逃散时会纵火、强奸和抢劫吗?

答:我不知道任何中国士兵在没有抵抗的和平时期做这种事。日军占领南京前,南京由中国军队驻守,我们都过着安宁的生活,而没有大规模的暴行发生。我早上告诉你的是日军占领南京之后,没有遇到任何的抵抗运动,城市和居住其中的老百姓在他们的控制之下,只是在那时,才有暴行的发生。

问:你的陈述和问题无关。例如,在昭和二年,即1927年所谓的南京事件——中国军队袭击了属于英国、美国和日本的建筑物,并袭击了外国人,他们还抢劫和强奸。你难道不知道占领或逃离一个城市时中国军队经常烧杀抢掠吗?

答:你所说的和当时南京的实际情况不符。我承认确实在动荡的时候可能会有一些这样的事件,但我要说的是,你是说当中国军队在南京时,他们也实施了暴行。日军进南京前,中国军队驻守南京,这是一回事。而当时确实没有那样的暴行。然后,日军进了城,干尽了丧尽天良的事,而在南京沦陷几天、几个星期之后日本当局仍没有试图制止这种行为的发生。没有一张告示,没有一份公开声明贴在街上制止暴行的出现。而中国人不断地向你们大使馆请求,向特务机关请求。而后,我们的当地自治政府成立,也是无数次地通过自治政府向日本大使馆和司令部请求,但是仍然没有丝毫作用,你们没有发表任何声明来禁止日军烧杀抢掠和强奸的罪行,他们仍逍遥法外。1937年——我还没说完——1937年,然后是1938年、1939年,日本方面派了很多人到中国调查这些事件是否属实。迄今为止,我已经向一位大主教、基督教男青年会的全国领导人、一位国会议员,还有几个牧师数次讲过同样的请求了。

韦伯庭长:请快点把灯打开。请你不要说得这么慢。

答:(继续)没有任何有效的措施来解决这个问题。

韦伯庭长:请律师密切关注证人,也请证人克制自己不要过分激动,并且要回答问题。

伊藤辩护律师:庭长先生,我问证人的是中国军队的行为,而他只回答日军的所作所为。

韦伯庭长:请翻译一下。

译员:庭长先生。我问证人的是关于中国军队的行为,而他回答的是日军的所作所为。

韦伯庭长： 我要提醒你强奸和谋杀妇女不可能仅仅是报复行为。你认为假如日军做了证人所说的事情只是为了报复。强奸和谋杀妇女以及诸如此类的事不可能只是报复行为，你按照这样一个思路反诘毫无意义。

问： 证人，你今天早上说难民营里没有中国士兵，是吗？

答： 是的，没有武装的士兵。我也说过国际委员会的准则是不允许持械的军人进入难民区，除非交出武器之后。

问： 你知道溃败的中国兵逃亡时经常假装成普通老百姓吗？只要有机会，他们就会乔装成便衣士兵。

语言监督官： 修正：中国士兵在溃败时会逃跑，在无路可逃时会把武器藏起来。你知道这种情况吗？

韦伯庭长： 应该这样提问：这是事实吗？然而，这是个小问题。

问： 有没有这样的事实呢？

答： 可能有。在他们积聚力量进行公开抵抗前，我们会把他们当成普通老百姓。假如不是，那他们就是像我们一样，是普通平民。

答： 至于你管辖的难民营，里面有没有便衣士兵呢？

问： 没有，不可能。他们只要放下武器，就不再是士兵了。

伊藤辩护律师： 就我的能力而言，我无法从此证人身上获得事实，我很遗憾我现在要结束反诘。

韦伯庭长： 你不要责怪证人，如果这样，我们会处理你的。有没有进一步的问题呢？

沃伦辩护律师： 没有了，阁下。

（证人退下）

韦伯庭长： 休息一下，休庭15分钟。

（14:45休庭，直到15:00，审判继续进行）

3. 尚德义(1946年7月26日)

(1946年7月26日,星期五)

法庭执行官：审判开始。

韦伯庭长：萨顿先生。

萨顿检察官：假如许可,检方想传唤下一个证人——尚德义,中华民国公民,不懂英语。

法庭执行官：庭长,证人已到本庭将开始宣誓。

(尚德义作为检方证人首先正式宣誓,然后作证如下。)

萨顿检察官：如果法庭允许,我们想提供国际检察局的第1735号文件作为证词,并请求标以证据号。

法庭书记官：检方文件第1735号,证据号为206。

韦伯庭长：采纳。

(检方证据206号作为证据被接受)

直 接 询 问

(萨顿检察官提问)

问：你叫什么名字？

答：尚德义。

问：家庭住址？

答：南京升州路彩霞街6号。

问：你面前这份证据号为206的文件,是你亲自签名的吗？

答：是的。

问：上面的陈述属实吗？

答：是的。

萨顿检察官：我恳请得到许可向法庭宣读该宣誓证词。

(宣读)

名字：尚德义

地址：南京西城升州路彩霞街6号

年龄：32岁

出生地：南京

职业：零售贸易

事实描述：1937年我住在南京上海路华新巷1号（在难民营内）。就在那一年的12月16日11:00我被日军（可能是中岛部队）抓住了。同时被捕的还有我的哥哥，当时他是嘉兴机场的秘书，还有我的侄子，在丝绸厂工作，以及一些我不知姓名的邻居。我们每两个人被绳子捆绑在一起，被押往长江边的下关。那时，那里已有1000多个男性平民，都坐在地上，我们前面，40～50码外架着10多挺机枪，对着我们。坐了1个多小时，大约16:00左右，来了一个骑摩托的日军军官，他下令日军向我们扫射。在射击前他们命令我们全体站起来，就在机关枪发射前，我一个跟跄栽到地上，紧接着，许多尸体压在我身上。我昏迷过去。大概21:00左右，我从死人堆里爬出回到家里。

（签名）尚德义

1946年4月7日

萨顿检察官：如果法庭允许，请对证人进行反诘。

布鲁克斯辩护律师：辩方不进行反诘。

4. 伍长德（1946年7月26日）

（1946年7月26日，星期五）

萨顿检察官：传下一个证人，伍长德，中华民国公民，不懂英语。

韦伯庭长：证人席里的证人可以走了。

（证人退庭）

（伍长德作为检方证人首先宣誓，然后作证如下）

（萨顿辩护人提问）

萨顿检察官：我出示国际检察局文件第2119号作为证据，要求把它作为证据编号。

法庭书记官：检方文件第2119号作为证据被采纳，证据号为207。

韦伯庭长：采纳。

（检方证据第207号作为证据被接受）

直 接 询 问

（萨顿检察官提问）

问：你叫什么名字？

答：伍长德。

问：家庭住址？

答：南京塘坊桥98号。

萨顿检察官：如果法庭允许，我忘了记录了——证据号是不是2119？

法庭书记官：是207。

萨顿检察官：谢谢。

问：你面前有一张编号为207的文件。你能不能肯定这是你的签名呢？

答：可以，那是我的签名。

问：你在此文件中陈述的是否属实呢？

答：属实。

萨顿检察官：我请求得到允许在法庭上宣读该文件。

韦伯庭长：可以。

萨顿检察官：（宣读）

我是伍长德，现作证如下。

我38岁，是南京城的一个食品商。1937年12月以及1937年前的数年里我在南京当警察,但从未当过兵。南京陷落后,我和几百个其他警察都待在司法院。那时我们都把武器交到南京安全区国际委员会了。司法院本身也是一个难民营,除了警察之外还有很多平民百姓。1937年12月15日,日军闯进了司法院,命令所有的人跟他们走。国际委员会的两个成员告诉他们我们不是士兵,但他们把这两个人支走了,强迫我们朝西城门走。

到那里之后,他们要我们就在城门里坐着,机枪就架在城门外以及城门两侧。城门外是护城河和通往河床的一条斜坡,河上有座桥,但不在城门正对面。

日本士兵用刺刀一次将100多人押出城门,他们一出城门就被机枪扫射,尸体沿着斜坡滚落到河里。未被机枪打死的人也死于刺刀之下。在我之前,有16批人(每批有100多人)在出城后被打死。

轮到我这一组时,我拼命在机枪响前朝前跑,并摔倒在地。我未被机枪射中,但一个日本兵过来,用刺刀刺中我的后背。我倒地装死,日军在死尸上浇上汽油,放火之后才离开。天渐渐黑了,河岸四处尸体横陈,所幸我身上未被浇上汽油。日军离开后,我从死人堆里爬出来,躲进一间空房子里,并在里面待了10天。附近的人每天给我送点稀粥。然后,我进了城到了大学医院。威尔逊医生收容了我。在医院住了50天之后,我回到苏北老家。那时大约2 000多警察和老百姓死于那场惨祸。

上述的陈述都属实,我于1946年18日宣誓作证并签名。

签名:伍长德

问: 我想问问证人:你能不能把你背部的伤疤在法庭上展示一下呢?据你在宣誓证词中说这是日本士兵用刺刀刺的。

洛根辩护律师: 辩方反对这种展示。

韦伯庭长：这和辩方无关,除非辩方质疑它的存在,我们也不想看此伤疤。

萨顿检察官：请辩护律师对证人进行反诘。

布鲁克斯辩护律师：没有问题,阁下。

韦伯庭长：证人,对你的提问结束了。

（证人退席）

5. 陈福宝（1946年7月26日）

（1946年7月26日,星期五）

萨顿检察官：由莫洛上校代表检方传唤下一个证人入席。

韦伯庭长：莫洛上校。

莫洛检察官：证人宣誓了吗？

法庭执行官：先生,还没有。莫洛上校,你正式传唤他入庭了吗？

莫洛检察官：请陈福宝入庭。

（陈福宝作为检方证人首先宣誓,然后作证如下）

莫洛检察官：我请求提交文件第1742号。

法庭书记官：检方文件第1742号作为证据被接受,证据号为208。

韦伯庭长：采纳。

（检方证据第208号作为证据被接受）

直 接 询 问

（莫洛检察官提问）

问：我想请证人告诉我们你的名字？

答：陈福宝。

问：你住在哪里？

答：南京白下路22号。

问：我想给证人看一份中文写的证据,是一份陈述,请看一遍,并问证人——

答：这是我的陈述。

问：这个陈述是真实的吗？

答：是的。

莫洛检察官：如果法庭允许，我想请求用英语宣读这份文件。

韦伯庭长：可以。

莫洛检察官：（宣读）

陈福宝的证词：

12月14日，即日军占领南京的第二天，日军从难民营抓走了39个人，都是平民百姓。日本士兵对这些人加以检查，只要前额有戴帽子痕迹和手上有持枪后留下老茧的人都被带到一小水塘的对面，我和另一个人被带到水塘这一边，那边的人全被日军用机枪扫射毙命。我亲眼看到此事，被害者大多都是平民。我就是南京本地人，认识其中好几位确实是南京的平民，其中有一名是警察。当时我18岁，看到这些尸体被投入水塘里，日本士兵曾命令我将尸体抛入水塘里。4个月之后，这些尸体被红卍字会掩埋，而那时，它们仍在当初死去的地方，这就发生在美国大使馆附近的地方，就在大白天。

本文件由中国军队的涂[1]上校翻译并告诉我，且完全属实。就在同一天下午，我又亲眼看见3个日军在校园里强奸一名哑女。

12月16日，我又被日军拘捕，同时还被带走了一大批年轻人。日本士兵将他们排成一排，然后和他们角斗，斗不过的就用刺刀刺死。我看到他们为此把一个人杀死。同一天下午，我被带到太平路，看到3名日本士兵正在放火烧两幢楼，其中一幢是旅馆，另一幢是商店或是家具店。纵火的日本士兵的名字是：向井部队桑田

---

[1] 日文版为"朱"。

联队的马屋原伍长和村上伍长。

我还目睹另一日本士兵强奸妇女的罪行。这位妇女的丈夫是摄影师,当时是日军进城后的第三天。那时,我就和这位妇女住在同一所房屋内。突然日军闯进来,赶走所有男人,当时有4个男人,包括那位妇女的丈夫。我看到日军将这位妇女拖进了房间,关上了门。我就在隔壁的房间,因而看到了这一幕,当时这位妇女还怀有身孕。10分钟之后,日本士兵出来了,我看到这位妇女也出来了,仍在哭泣。

本文件已签名。

如果法庭允许,我想问有没有反诘。

伊藤辩护律师: 我是伊藤清,被告松井石根的辩护律师。

交 叉 询 问

(伊藤辩护律师提问)

问:在证词日文译文的第3行,你说日军拖出去39个人并说他们都是平民。在本文的第10行你又说大多数人是平民,而在第11行,你说"我知道其中很多是平民"。在英文译文中,它们在第2、第10和第11行。在之后的几行中,你提到:"我认识其中一个人是警察。"这样,关于这些人是否平民就有4种说法,究竟哪一个是正确的呢?

答:我所提到的警察,他在南京被占领前从事的是警察工作,之后,他就是个老百姓了。

问:不,这不是重点。你首先说39个人被带出难民营,他们都是平民;然后你又说大多数是平民,之后又解释一些人是老百姓,最后你说其中之一是个警察,究竟哪种说法是对的呢?

答:他们都是难民营里的老百姓。

问:我听不懂你的回答,你听明白我的问题吗?

韦伯庭长: 这个回答很简单:他认为他们都是老百姓。你可以接受他的回答。

问：那么你说"大多数"和"一些"，这两个词有误吗？

答：我要不要再把经过重复一遍呢？

韦伯庭长：不需要。我认为你最好就问到这里，你可以让我们来比较他的证词和陈述。

问：在证词的第3页，你说日军放火烧了一些建筑物，甚至你还说出了日军士兵的名字。你知道他们这样做的原因是他们害怕传染病，放火是为了防止传染病的蔓延吗？

答：我不知道。

问：你在证词的最后一部分提到日本士兵的强奸罪行，这个妇女的丈夫是个摄影师，日本士兵和这位妇女进了房间，而她是个孕妇。

韦伯庭长：你能不能简明扼要地提问题，没有冗长的介绍性陈述呢？

问：你怎么知道她是孕妇呢？

答：我们住在同一所房屋里。而且日军离开后，这个妇女不停地哭泣，邻居们都去劝慰她。

问：既然有丈夫的女人怀孕是正常的，我就不再就这个问题进行讨论了。下一个问题：在你的证词中，你说："这是由中国军队的朱上校为我翻译的，完全属实。"这个涂〔1〕上校，你是不是指涂莹光〔2〕上校呢？

答：不是。当我把这个事情告诉莫洛上校时，是这位涂上校，他是第7——是战地服务团的吗？

韦伯庭长：我们没有时间浪费在这个问题上。

答：当我把这个事情告诉莫洛上校时，涂〔3〕上校是我们的翻译。

问：既然这样，根据日文证词，我们可以这样来进行解释：涂上校

---

〔1〕 日文版为"朱"。
〔2〕 日文版作"朱尸完"。
〔3〕 日文版为"杜"。

对你解释该情况,因此,你是从涂上校那里得知此事的?

答:不是这样的。我刚刚告诉你了:我把这个事情向莫洛上校报告,而这个涂上校给我们翻译。这份4月7日的证词在办公室里,你可以详细调查一下。我已经告诉你日本中队以及对此事负责的日军军官的名字。

韦伯庭长:我们得到的情况够多了。

伊藤辩护律师:我结束反诘。

布鲁克斯辩护律师:没有问题了。

萨顿检察官:如果法庭允许,我们现在没有证人了。下午还有4名证人,已派人去请证人了,但还没到证人室。

韦伯庭长:既然这样,我们暂时休庭,星期一9:00继续审判。

(15:48休庭,直到1946年7月29日的上午9:30开庭)

6. 贝茨(1946年7月29日)

(1946年7月29日,星期一)

(贝茨作为检方证人被传到庭,首先宣誓,然后作证如下。)

(萨顿检察官提问)

问:贝茨博士,请你告知你的全名。

答:迈勒·瑟尔·贝茨。

问:你的出生日期与地点?

答:俄亥俄州,纽瓦克,1897年5月28日出生。

问:你在哪里受的教育?

答:俄亥俄州海勒姆的海勒姆大学;英国牛津大学;后来又在耶鲁大学和哈佛大学从事历史专业的研究生学习。

问:你的居住地?

答:中国南京。

问:你在中国居住了多长时间?

答：从 1920 年开始。

问：你在中国从事什么工作？

答：金陵大学历史系教授。

问：你与 1937 年南京陷落后成立的委员会有关系吗？

答：有。我是南京安全区国际委员会的成员，而且是创始成员。

问：你能告诉我们这个委员会是什么时候成立的，其作用是什么吗？

答：这个委员会成立于 1937 年 11 月下旬，我们预计到日本军队会对南京发起进攻。我们模仿了上海的法国牧师饶神父的做法，他建立的国际委员会对保护那里的大量中国平民起到了重大的帮助作用，我们试图在南京，在非常不同的条件下做一些相同的事情。

这个委员会成立之初是由一位丹麦人任主席，和来自德国、英国和美国的成员组成的。但是由于外国政府把几乎所有的本国侨民都撤出了这个城市，当日本进攻时，只有德国和美国的成员还留在这个委员会里。

委员会主席是一位杰出的德国商人约翰·拉贝先生。该委员会通过美国、德国和英国大使馆的通信、调停等帮助，得以与中国和日本的指挥官们取得联系。我们的目的是在一个小的非战斗区建立一个难民营，使平民们在这里可以躲开战斗与进攻的威胁。

问：该委员会的秘书是谁？

答：刘易斯·斯迈思教授，他是金陵大学社会学教授。

问：该委员会经常起草一些报告吗？

答：该委员会期望其主要责任是在南京城处于包围的状态下，以及当南京的行政当局消失而日本的军事当局尚未成立期间，在几天或可能是几星期的时间内提供住房，如果需要的话提供一些食品。

但是实际情况却远非如此，因为日本军队对南京的进攻与占领非常迅速，问题也随之而来。他们对待平民非常恶劣，以至于委员会的主席和秘书要定期去找他们能够找得到的日本军官,并且每天准备报告、通报在安全区内发生的对平民的严重伤害事件。在几周内,总共以书面或口头形式向日本军官通报了数百起此类事件,其中有很多报告涉及多起事件,涉及大量人员。这些文件后来由金陵大学的徐淑希教授编辑,通过上海的英国凯利-沃尔什出版公司在1939或1940年出版。

问:这些书面报告中的大部分是由谁撰写的?换一个问题,请不要考虑刚才那个问题,我要换一个问题。由南京安全区国际委员会向日本当局提出的书面报告中,大部分报告上出现的是谁的签名?

答:大部分是由斯迈思教授以委员会秘书的身份签署的,还有部分是由拉贝先生作为主席签署的。

问:1937年12月13日之后,中国军队或中国人有没有抵抗日本军队的行为呢?

答:令中国人极其失望、也令一小部分外国人感到吃惊的是,在南京城里没有任何形式的抵抗。在拉贝先生、斯迈思教授以及我本人与日本军官就暴行问题进行的多次会谈中,我们发现日本军官从来没有提到过中国方面有任何抵抗行动,或以此为借口来解释他们对平民的攻击。唯一的抵抗事件是在他们进入南京大约10天后,一名水手在河上进行了抵抗。

问:你能得出你的答案吗?

答:针对这个问题的答案吗?

麦克马纳斯辩护律师:庭长,法庭的各位法官,现在我希望能够对该作证提出反对,并请求法庭注意共谋罪尚未能确立,到目前为止被告还没有被证明与共谋罪的指控有联系。考虑到这一点,如果阁下允许,我要问这些暴行如何影响到被告?请求阁下,我认为这类作证直到这些被告中的一名被确认有这种罪行,至少,初步证据确认了案件能够成立时才应该被允许。

韦伯庭长:我们一致同意在这次审判中的任何一个阶段,这种联系是能够建立的。当然，如果这种关联无法建立，也就不存在共谋罪，但是在提供证据的顺序时，并不一定要首先提供共谋罪的证据。

如果我没记错的话，我们已经就此问题做出了决定。

麦克马纳斯辩护律师：谢谢，庭长阁下。

问：在日本人控制南京城后，日本士兵是如何对待平民的？

答：这个问题太大了，我都不知道从何开始说。我只能说我本人观察到一系列的对单个平民的射击事件，而在射击之前没有任何的警告或任何明显的原因，有一个中国人被从我自己的住处带走后惨遭杀害。我邻居家有两个男人，当他们的妻子被日本士兵抓住强奸时，他们挺身而出，却被带到我家附近的水塘边被杀害，尸体被扔进了水塘。日本人进城后的几天时间里，我家附近的胡同和街道上到处是平民的尸体。这种屠杀的规模极大，没有谁能够加以完整地描述。我们只能说我们对安全区内和邻近地区进行了仔细的核查，竭尽所能地了解事实真相。

斯迈思教授和我进行了调查，观察并检查了埋葬地，我们得出结论：我们可以有把握地说有1.2万名平民被杀，其中包括男人、女人和儿童。在城里还有我们所不知道的屠杀，而这些数据是我们无从核对的，在南京城附近还有大量的平民惨遭杀害。这还不包括对数万中国士兵或曾经当过兵的中国人的屠杀。

问：这些曾经当过兵，或被认为是士兵的人是在什么情况下被杀的呢？

答：大量中国士兵放下武器，投降了，在最初的72小时内，他们很快被押到南京城墙外，被机枪射杀，大部分的屠杀事件发生在长江边。

我们国际委员会雇用劳力埋葬了3万多具中国士兵的尸体。这些救援工作由我们进行指导和监督。对于那些被扔进长江和以其他方式被处理的尸体，我就没有办法进行统计了。

在安全区内，有一个非常严重的问题，日本军官们希望在城内找到大量的中国士兵,当他们无法找到这些士兵时,他们就坚持认为这些士兵藏在安全区内,而我们应当对此负责。根据这一理论,日本军官和士兵被派到安全区的难民营,在3个星期的时间里,他们每天都这样做,试图找到并且抓获曾经当过兵的中国人。他们通常要求安全区内某一个地区或某一个难民营里身体强壮的中国人列队,对他们进行检查,如果这些中国人手上有老茧或前额上有戴帽子的痕迹,他们就要把这些中国人抓走。

我曾经全程观看了几次这样的检查,毫无疑问,难民中有一些士兵——曾经当过兵的,他们丢弃了他们的武器和军装,穿上了平民的服装。但是同样确定无疑的是,那些被指控是中国士兵,并因此被带走的中国人中,大部分是挑夫和劳工,他们手上当然会有老茧。这些被控曾经当过兵的中国人被抓走了,而且其中大部分人很快就在城市附近被枪杀了。

有些时候,日本人还利用一种欺骗方式来诱惑这些人承认他们曾经当过兵。在日本军队占领南京之前,松井将军签署了一项公告,并通过飞机广为散发,这一公告宣称日本军队对中国的和平居民充满善意,不会伤害那些不抵抗皇军的中国人,日本军官利用这一公告试图劝说许多中国人作为志愿者参加为军队工作的劳工团。有时日本军官劝说中国人站出来,他们说:"如果你以前曾经当过兵,或如果你曾经在中国军队当过挑夫或苦力,我们将会忘掉这一点,并且原谅你们,只要你们能参加这种劳工团。"就这样,在一个下午就有200人受骗,从金陵大学校园中带走,当天傍晚就被枪决了,与他们一起被杀害的还有那些被从安全区其他地方骗来的人。

问:日本士兵是如何对待南京城里的女性的?

答:这是整个事件中最野蛮、最令人痛心的部分。在我家附近的3户人家里,妇女们遭到强奸,其中包括一位大学教师的妻子。在5个不同的地方,我遇到了正在强奸女性的日本士兵并把他们从这些女性身上拉开，如果你们希望的话，我可以详细地陈述这件事。

根据安全区的案例报告，我们刚刚提到过这些报告，和我自己的一些记录，我搜集了住在金陵大学多个集中地和楼房内3万人中所发生的事情，总共发生了数千起强奸案件，我们当时把这些案件的详细情况提供给了日本当局。在日本占领南京后的一个月，国际委员会主席拉贝先生向德国当局报告说他和他的同事们相信至少发生了2万起强奸事件。稍早时候，单单根据安全区的报告，我就非常保守地估计发生了大约8 000起强奸事件。

每天从早到晚，都有大批成群结队的日本士兵，大约15到20人一队，在城内到处搜寻，主要是在安全区内搜寻，因为大部分人都躲到了安全区，他们挨家挨户地搜寻女性。有两次，日本军官也来到大学参与了绑架与强奸，这两次我记得非常清楚，因为在这两次事件中，我差点丢掉我自己的性命。在很多情况下，强奸事件就发生在路边，发生在光天化日之下。

在南京神学院的操场上，我的一个朋友亲眼看到7个日本士兵轮奸了一位中国妇女。我不愿重复那些偶然出现的与这些强奸有关的虐待狂和变态行为，但是我必须告诉大家，光在金陵大学的操场上，就有一个9岁的女孩和一位76岁的老奶奶被强奸了。

问：日本人是如何对待南京城里中国人的私有财产的？

答：从日本士兵进城的那一刻开始，无论何时何地，他们把所有的东西抢劫一空。

韦伯庭长：证人不能因为他自己觉得有些事情过于恐怖，而在陈诉中有所保留。

答：我几乎不知道该如何对此要求做出回应，但是除非有人要求我必须回答，否则我想我还是宁愿忘掉这些事情，因为我的记忆包容不下这么多令人伤心的事情。在占领初期，我们粗略估计大约有5万名士兵从难民手中抢劫了大量的被褥、炊具和食品。事实上，在日军占领的前6到7个星期的时间里,这座城市里每一个建筑都被四处游荡、成群结队的士兵无数次地劫掠过。有时,这种抢劫是经过精密组织、系统地进行的,在军官的指挥下使用了大量的军用车辆。银行的金库,包括德国官员和公民的私人保险箱被用乙炔焊枪切开。有一次,我看到一支长达2/3英里运输车队,所装载的大部分是高级红木和檀木家具。

几个月后,一些外国居民有机会找回被从他们自己家抢走的钢琴,他们被带到一个地方,仅在一个大厅里就有200多架钢琴。

他们还闯入外国大使馆进行抢劫,其中包括德国大使馆和大使的私人财产。事实上,所有值钱的物品都被抢劫一空。

问: 在日本军队完全控制南京城后,日本士兵是如何对待城里的不动产和建筑物的呢?

答: 日本军队进城的当晚,他们在中山陵、政府机构和国民党机构部署了充足的兵力,加以保护。除了偶尔一两次明显是醉酒的士兵引发的火灾外,在日本军队进城的5到6天内没有其他的火灾。我想是从12月19日或20日开始,就有人不断地放火,这种情况持续了6个星期。有时,在一排商店被抢劫后,便发生了大火,但是在大部分情况下,我们看不出失火的原因。从来没有发生过大的火灾,只是每天在一些建筑群里发生有限的火灾。有时他们使用汽油,但在大部分情况下是使用化学物品,我采集了一些化学物品的样品。

在不动产方面的另外一个主要问题是抢劫私人财产,以提供给即将来到南京的日本居民。姑且不谈出于军事目的和官方用途而进行的这类强占,我只想陈述这样一个事实:在1938年及1939年的部分时间里,每一个来到南京的日本商人都会得到商务用房和居住用房,而这些房屋都是宪兵队和情报机关从中国人那里抢劫来的。我多次在街道上发现,一个中国家庭在接到通知后仅仅12小时,就要从他们自己的房屋中搬出去,这其中有十几个人是我自己多年的好友。

问: 俄国大使馆的建筑是日本士兵烧毁的吗?

答：是的。这些建筑是在1938年初被烧毁的。同时，基督教男青年会的建筑物、两座重要的教会建筑、悬挂着纳粹党旗的两处主要的德国商务机构都被烧毁了，这些足以证明被烧毁的建筑物的范围之广。

问：你本人每天都向日本当局通报日本士兵在南京城里的所作所为吗？

答：是的。我曾经四五次陪同拉贝先生和斯迈思博士去与日本大使馆的官员进行会谈，这些官员们是日本外务省派来的，目的是为了缓冲为数不多的外国人与日本军事当局之间的关系。而且，由于金陵大学毗邻日本大使馆，金陵大学本身也是一个重要的大检验场，飘扬的美国国旗表明这是美国的财产。在金陵大学内有大量的难民，拉贝先生和我同意，我代表金陵大学进行补充报告。在最初的三个星期里，我几乎每天都要带着打印好的书面报告或信件去日本大使馆，经常和负责此事的官员进行会谈。这些官员包括领事福井先生、副领事田中先生、现任吉田首相秘书的福田先生。在恶劣的环境下，这些官员确实尽了他们的微薄之力，但是他们自己也对军方势力感到恐惧，他们能做的只是将这些情况通过上海汇报给东京方面。

韦伯庭长：我们现在休庭15分钟。

（10:45休庭到11:12，之后，继续进行）

法庭执行官：军事法庭继续庭审。

韦伯庭长：萨顿检察官。

问：我相信你还没有回答完最后一个问题。

答：我想读几段话，这几段话是从我提交给日本大使馆官员的书面报告中摘录出来的。我上个月从原稿的副本中摘录了一些内容，这些副本现在存档于南京的美国大使馆，而原稿现在则和我的行李一起被装载在行驶于美国与中国之间的船上。

麦克马纳斯辩护律师：庭长先生，我想证人自己有能力作证而不用出示任何笔记，尤其是笔记的副本。他说他有原件，而这些原件又不在这里，他完全能够作证。我觉得他没有必要出示任何的记录。

韦伯庭长： 嗯，如果按照严格的证据规则，如果他要增强他记忆的话，他就需要根据当时所记录的东西来进行回忆。但是这些原则在这里不适用，因此你的立场没有受到任何的影响，如果他需要强化他记忆的话，我们没有理由阻止他参考他的笔记原件的副本。反对无效。

麦克马纳斯辩护律师： 庭长先生，如果证人使用这些笔记的话，我们是否可以对这些笔记加以检验呢？

韦伯庭长： 如果你对这些记录有任何怀疑的话，法庭将允许你仔细阅读这些记录。

证人： 如果法庭允许的话，我的目的只是想更加准确地陈述我向日本大使馆官员通报的内容。

答：（继续）我对发生在金陵大学校园内的诱拐女性事件以及前一天晚上30位妇女在金陵大学的建筑物内被强奸一事提出了控诉。

在12月17日的信件中，我除了详细地、逐个地陈述了一些个案外，还讲到了恐怖和残暴行为依然在继续着，而这一切就在你们的眼皮下、在你们（大使馆）的毗邻地区发生着。

在12月18日的信件中，我通报了在前一夜，在金陵大学的6所建筑中都发生了强奸事件。我们大学里成千上万的女性三天三夜无法入睡，她们陷入了歇斯底里般的恐惧中，因为暴力事件随时可能发生。我向他们提到了在中国人中非常普遍的一种看法：只要有日本军队，就没有哪间房屋、哪个人是安全的。

在12月21日的信件中，我控诉说有数百名难民被带走去做苦力。我自己的住所第四次被日本士兵抢劫，而且他们经常性地闯入金陵大学的每一间房屋。我还通报说美国国旗第二次被日本士兵从美国学校的旗杆上扯下来，遭到践踏，而且这些士兵还威胁说如果有谁敢把国旗升上去的话，他们就会杀死他。

我顺带提一下，美国国旗先后6次被从金陵大学撕扯下来，我们又先后6次把它升上，这一情况没有写在该信中。

韦伯庭长： 这不能作为任何战争罪行的证据。

答： （继续）在圣诞节，我通报说在金陵大学的建筑物里，每天都会发生大约10起强奸或诱拐女性的事件，而且这种情况还在继续。

12月27日，在罗列了大量的个案后，我写道："无耻的暴行仍在持续，而且我们看不到日本当局采取任何严肃认真的措施来终止这种暴行。日本士兵们每天都在极其严重地伤害着数以百计的平民。难道日本军队就不在乎他们的名誉吗？"

韦伯庭长： 证人不是在通过他的记录增强他的记忆，而只是在宣读这些记录。

证人： 这些足以证明报告的性质以及我是如何清楚而且强烈地表达这些内容的。

韦伯庭长： 这些只会激怒辩护律师，而我为了节省时间，已经预见到了这些。

问： 在1937年12月13日南京城陷落后，你所详细描述的日本士兵的所作所为持续了多久呢？

答： 最恐怖、最严重的阶段持续了2周半到3周的时间，而整个这种恐怖气氛持续了6到7周。

问： 日本军事当局采取了什么样的措施来控制它的军队呢？

答： 日本的使馆官员们告诉我们东京多次发出严厉的命令要求在南京恢复秩序。但是在2月5日或6日，一个高级军事代表团来南京之前，我们没有看到这些命令起到了任何显著的作用。当时，通过少量的新闻报道和外国外交官以及陪同这一代表团的一位日本朋友，我听说一位高级军事官员把大批低级军官和军士召集在一起，严厉地告诉他们，为了日本军队的名声，他们必须改变自己的所作所为。

在此之前，我们从没有看到、也没有听说过任何屠杀或强奸中国人的士兵在被日本高级军官当场发现后受到过任何的惩罚。有三四次，拉贝先生与国际委员会的其他成员和日本高级军官一起目睹了日本士兵对平民进行射击、用刺刀刺杀和强奸的事件。每一次，士兵们都被要求向军官敬一个礼，并受到口头斥责，但是他们并不记录士兵的名字，也没有任何迹象表明将会采取惩罚措施。我们这些中立观察者们不可能报告每个罪犯的姓名，因为他们军装的外面没有姓名，在占领的最初几个星期里，日本士兵甚至没有标记表明其属于哪个部队。

大使馆的多个官员宣称造成这种困难的主要原因是宪兵太少，他们说在日军占领南京时只有17名宪兵。后来，在日本军队进城3天后，使馆官员从宪兵队的高级军官那里得到一些通告，张贴在外国财产的入口，禁止日本士兵入内。但是日本士兵们没有哪一天会理会宪兵队的这些通告，不仅如此，他们还经常撕毁这些通告。我带着几张被撕毁的通告去日本大使馆，请他们转交给宪兵队。2月6日或7日后，虽然从那时到夏天，还发生了一些严重的案件，但是形势还是有了显著的改善，这些案件已经不再是大规模的了。

问：在日本军队占领南京后，从1937年12月13日之后到1938年1月，日本军队的指挥官是谁？

答：我们不知道在南京是不是有这样一个指挥官，因为每一支分队和部队似乎都是独立的。而且，官方的声明和报纸上的一般报道，包括日本报纸都说是松井石根将军负责管理沪宁地区。

问：在占领南京后，日本士兵允许中国人从事个人商业行为吗？

答：并没有禁令禁止中国人从事个人商业活动，但是事实上，大量的商人由于日军的抢劫和纵火而失去了他们的商业财产，同时由于他们的仓库都被没收，以便供日本商人使用，这些行为和措施从一开始就对中国商人们造成了沉重打击。之后，在交通业、银行业、稻米、棉花、金属和建筑材料的批发方面，都形成了对日本人有利的垄断和专营销售。

麦克马纳斯辩护律师：庭长先生，我现在能不能就这些证词的相关性提出反对，同时也就这些证词的重复性提出反对，我希望法庭能够同意我的反对。

韦伯庭长：我认为这些证据与《海牙条约》的规定有关，这些规定要求交战国尊重财产权。当然，控诉方应该在这些证词所讲述的行为与被告之间建立联系。我没有发现证人的证据有任何的重复。反对无效。

证人：一个更大的困难在于中国商人受到了压力，要求他们接受日本贸易伙伴。在很多情况下，日本宪兵队和特务机构直接向中国商人们发出指示。有时，中国商人受到威胁：如果他们没有一个日本商人作担保的话，他们就得不到贸易许可或无法自由地进行贸易。在我的朋友中间，有许多商人被勒令承认日本商业伙伴，这些日本伙伴不进行任何的资本投资，却得到了控制权和盈利的分红，以回报他们所带来的军事当局的贸易许可。这种控制是极其有害的，不仅仅是对中国商人的控制，也是对中国生产者和消费者的控制。例如，有3个月，我代表国际救济委员会试图在南京城外购买大米供该委员会使用，当时，城内大米的价格被垄断控制在每担18美元到22美元之间。在长江以西40英里出产稻米的地方，价格是每担8到9美元，与此同时，上海的价格为35美元一担，山东的价格为45美元一担。我们委员会向市政府的食品控制机构提出申请，希望能够在产粮区采购大米，这样可以节省一半的花销，我们得到了在那些年里最常见的回答"这些事情只能通过特务机关的官员进行"，之后，我们得设法通过日本大使馆与他取得联系。民事当局批准了我们的计划，打算支持我们的救济项目，但是，他们无法说服军事当局放弃其利润，即使我们的项目是出于救助的目的。我提到这件事情，只是因为这是我本人的亲历，这件事情说明当时日本对商业进行控制的一般情况。

问：你有机会把这些情况向日本当局通报吗？

答：在我争取他们许可我在城外采购大米的3个月中，我通过会谈和信件详细地向他们通报了这些情况。在对我刚才所提及的那些商品和行业的垄断方面，还有一个更为普遍的现象，在我代表国际救济委员会所作的经济报告中提到了这种情况。我把这个报告提交给日本总领事，之后在占领区发表了这一报告。

问：贝茨博士，你有没有就占领区内的鸦片和麻醉药问题进行专门研究呢？

答：我进行了研究。1938年夏季到秋季，在我进行一些救济项目时，我的注意力集中在鸦片和海洛因的消耗量令人震惊地增长上。我们发现有一些小贩劝说那些贫穷的难民吸食鸦片，他们说："如果你吃了这些东西，你就不会受到胃疼的折磨了。"稍后，海洛因也以同样的方式被推销给难民，他们也说"只要你吃一些这些东西，你就不会觉得疲劳，你会觉得你可以跳过一座高山"。在很短的时间里，这种迅速膨胀的毒品贸易成为自治政府公开建立的行业。当公开的（毒品）商店，也就是官方的商店开张时，当南京唯一的报纸———一份官方报纸上刊登鸦片广告时，我认为必须调查这件事情。

问：你是代表自己进行调查的呢，还是代表美国政府进行调查的呢？

答：美国政府与这些事情毫无瓜葛，在这些报告被公开前，美国政府对此也一无所知。

问：在1937年12月日本占领南京之前，南京的鸦片和毒品销售情况如何呢？

答：在1937年事件前的大约10年里，都没有公开的、声名狼藉的鸦片交易和吸食。鸦片主要是上了年纪的贵族和商人们在密室中吸食，但是没有人在年轻人面前公开吸食鸦片，从1920年到1937年，我在我居住的地方从来没有见过鸦片，也不知道鸦片的味道和样子。

韦伯庭长：我们休庭到13:30。

（从12:00开始休庭）

（下午开庭）

法庭副执行官：远东国际军事法庭现在继续开庭。

（贝茨作为检方证人被传到庭，继续作证）

（检方律师继续对己方证人作直接询问）

韦伯庭长：布鲁克斯辩护律师。

布鲁克斯辩护律师：如果法庭允许，我认为在鸦片问题上进行的直接询问、证人所提供的这些证据只是累积性的证据，因此很可能遭到反对。如果法庭能够注意到鸦片在中国是一种古老而影响巨大的恶魔，注意到中国人与其他主要的民族相比，更容易陷入吸食鸦片的恶习，那么我们在鸦片问题上可以忽略很多问题。

韦伯庭长：嗯，你不是在暗示说法庭应注意日本人使鸦片贸易急剧膨胀，并公开地销售鸦片？我并不是说这些是事实，我只是说这是证据。

布鲁克斯辩护律师：我认为法庭可以更进一步，在中国，对鸦片的潜在需求是巨大的，而在过去几百年的时间里，由于各种个人的和官方的因素，中国人和外国人多次提供并发展了毒品贸易。如果法庭能够注意到这些，而且先前的许多证人都曾在这个方面作过证，我想任何进一步的证言都有可能被反对，因为这些证据只是积累性的。

韦伯庭长：如果众多证人都必然会对同一件事情作证的话，这些证据才会成为积累性的证据。反对无效。

（萨顿检察官提问）

问：贝茨博士，你可以继续回答问题。

答：关于毒品贸易的调查进行得很不容易，因为尽管毒品销售是公开的，关于其管理与财政情况的信息却是非常保密的，自然也没有任何清晰、诚实的官方报告。

在1938年秋天，确切地是1938年11月份，通过我的几个老朋友的帮助，我参观了几个鸦片商店和众多的吸食鸦片的场所，我们还得到了一份文件的副本，该文件是官方的垄断机构为下属经销商们制定的规章，还得到了一些税单和税务报告，这些都是他们呈交给垄断机构的。当时，正常的销售体系为175家得到许可的鸦片吸食场所和30家鸦片商店，这30家商店向那些鸦片吸食场所供应鸦片，并通过这些场所消费鸦片。官方的销售量被定在每天6 000盎司，而销售商们都报告说实际销售量超过了这一数字，因为南京城外的农村地区对鸦片的需求量非常巨大。销售价格是每盎司11元，如果以每天销售6 000盎司计算的话，每个月的销售额就可以达到200万元。

一个在特务机关工作的中国特务告诉我们，在这一时期，由特务机关负责的海洛因的销售额每月也达到了300万元，而由南京市警方控制的毒品销售数额更为巨大。我们非常保守地估计有5万人吸食海洛因，占当时南京人口的1/8。吸食海洛因上瘾的那些人越来越多地进行抢劫，这已经成为所有人都要面临的严重问题，其中包括金陵大学。

垄断鸦片销售的那些官员们试图迫使那些吸食海洛因的人改为吸食鸦片，他们的手段是逮捕并起诉那些吸食海洛因的人。

我把这份报告全文递交给了日本总领事，请他做出评论，或就一些事实进行纠正，10天后我在上海发表了这份报告，在当时和后来，都没有受到当局的反对或抗议。

到第二年秋天，这一销售体系已经发展得非常成熟了，我们再次进行了调查。这一次，我们得以在很短的时间内阅读了负责175家得到许可的鸦片吸食场所的主要负责人的报告，我们还得到了一个女子的报告，这个女子负责分配南京城内每天3 000盎司鸦片的销售。我们通过这种途径得到了毒品消费量和收入的数字，这些数字与当时叫做维新政府的财政部报告中的数字非常接近。这份没有发表的油印报告显示，在1939年秋季，每月的收入达到了300万元，这些收入来自每月销售的100万盎司鸦片的税收（每盎司收取3元的税）。这些财政官员们不断地抱怨说在官方渠道外，还有大量的鸦片销售，这100万盎司的鸦片按比例分配给当时维新政府所管辖的3个省。

1939年夏天，我访问了东京，在那里，一位朋友带我去拜访了一位外务省的鸦片专家芳贺先生，他刚刚对华中进行了为期两个月的视察。他告诉我，他在汉口和长江流域其他城市所看到的吸食毒品上瘾的情况令他非常悲伤。我问他，情况有没有改善的希望，他难过地摇了摇头，说："没有希望。那些将军们告诉我只要战争继续，就没有任何改善这种情况的希望，因为维新政府没有其他的税收来源。"

在提交给日本官员并且随后发表的一份报告中，我写道："来自鸦片的300万元的收入是维新政府的主要支柱，日本官员和中国官员都声称在目前的情况下，这笔收入是不可或缺的。"当时鸦片的零售价格是每盎司22元，包括在大连购买时的8元基本价，向日本人支付的运输费用2元，所谓的税费3元和9元的利润，这些利润是由特务机关和宪兵队瓜分的。

宪兵队对我的这种指责提出抱怨，并要求我删除这一点，同时要求我告诉他们我是从什么人那里得到这些信息的，我告诉他们我将非常高兴地就一些事实上的错误进行纠正，并予以发表，但我不会作其他的修改，他们就不再理会此事了。

几十年的时间里，在中国的传教士积极从事教育、必要时还从事政治活动抵制鸦片。在日本发动战争前的10年里，这些努力已经变得不再重要、不再必要。但是在1940年夏季，形势变得极为严重，《中国基督教年鉴》的编辑们让我就整个中国的毒品问题准备一个报告，《中国基督教年鉴》是中国基督教总会的出版物。我把我在南京准备的报告和一系列的问题寄给我在中国各地的朋友们，我希望他们能够通过在当地进行毒品问题的调查来回答这些问题。尽管当时实施的审查制度以及由此而产生的焦虑不安，但多半的朋友都认真地回答了这些问题。

例如，燕京大学社会学系主任赛勒教授报告说，在北京，1940年的春天有600多家得到许可的鸦片店，而吸食海洛因的人要超过吸食鸦片的人。汉口的吉尔曼主教发现在汉口有340家合法的鸦片吸食点，还有120家饭店得到许可供应鸦片，而当时汉口的人口只有40万人。

布鲁克斯辩护律师：鉴于证人只是在宣读证词——他一直坐在那里，低着头，宣读证词，我想提出反对。他并不是在进行回忆，他只是在读一些记录下来的句子。我们不知道这些证词是不是事前为他准备好的，也不知道他是如何得到这些证词的。但是，如果他想对所提的问题作证的话，那么他应该直接回答问题；如果他想通过这些材料帮助自己回忆的话，那么他应该先这样做，然后再作证。

韦伯庭长：我们不能反对证人在有限程度内宣读自己的记录，只要他的记录所包含的是事实。今天早上，他读的一些东西不是关于事实的陈述，而是诸如对他自己提的一些问题。反对无效。

答：（继续）澄清一下事实，我要说的是，我并没有宣读任何事前准备好的材料，我只是记录了一些数字，这些数字我很乐意出示给法庭。如果这样做会引起反对的话，我当然会接受法庭的规则。

吉尔曼主教特别强调了战前战后的强烈对比：在战前，鸦片贸易受到严厉镇压，而到1940年，鸦片贸易已经成为明目张胆、大肆刊登广告的行业。我不必再用其他各省省会和主要城市的数字来打扰各位，这些数字大致相同，但是我想提一下广州市，广州医院的主管汤姆逊博士的发现，当时这个城市里只有50万人，却有852家登记在册的吸食点和大约300家未经登记的吸食点。

在占领区，整体的形势就是官方商店和得到许可证的商店公开地销售鸦片，同时海洛因的销售也日益增长。有时鸦片的广告非常诱人，有时日本士兵用鸦片来支付妓女和在军用物资供应站干活的劳工。经销商和官员们都说鸦片几乎全部来自大连，但是在1939年，从伊朗运来了大量的鸦片。

海洛因的销售商说他们的货主要来自天津，其次来自大连。在整个占领区，没有任何真正取缔这些交易的努力。唯一明显的限制或控制就是迫使那些不经常购买的人到需要向政府交税的渠道进行采购。

这份1940年的综合报告发表在《中国基督教年鉴（1938～1939年）》上，同时刊登在上海出版的月刊《中国记录》上。

问：在日本军队占领南京后，你是何时离开中国的？

答：1941年5月。

问：你何时又回到中国？

答：我是1945年10月返回的南京，在此之前，我先去了成都，当时金陵大学迁到了那里。

萨顿检察官：辩护律师可以反诘证人了。

交叉询问

（洛根辩护律师提问）

问：贝茨先生，你今天早上作证时说你把报告和抗议信提交给了3位驻南京的日本领事，当时他们感到恐惧，除了把这些报告和抗议信递交给东京方面外什么事也做不了。现在，如果可能的话，请你用"是"或"不是"来回答我的问题：你本人知道这些报告和抗议信被日本领事馆递交给了东京吗？

答：是的。

问：日本领事馆的哪个人递交的这些报告和抗议信的？

答：我不知道我刚才所提到过的3个人中哪一个负责此事，福井先生是负责的领事。

问：你看到过这些信件吗？

答：没有。如果你想知道原因的话……

问：不，我不想知道。

答：好吧。

萨顿检察官：如果法庭允许的话，我谨提出证人有权完整地回答问题。虽然辩护律师不愿听取完整的回答，这并不能剥夺证人的这一权利。

洛根辩护律师：如果法庭允许的话，我确信如果任何问题没有得到完整回答的话，可以由检方引导完成回答，只要检方觉得合适。

韦伯庭长：我们同意你的意见，洛根先生。继续。

问：那么，贝茨先生，鉴于你没有看到过那些信件，我想你本人并不知道这些信件是发给东京的哪个人的，是吗？

答：我曾经看到过美国驻东京大使格鲁先生发出的电报，电报是发给南京的美国大使馆的，在电报里，大使详细地引用了我的报告中的内容，还提到了格鲁先生与包括广田先生在内的外务省官员之间就这些内容进行的讨论。

洛根辩护律师：我要求证人直截了当地回答我的问题，并请书记官宣读我的问题。

证人：我将乐于提供其他来自日本方面的更多证据。

洛根辩护律师：如果法官阁下允许的话，我希望这位证人不要主动进行陈述。

韦伯庭长：他的回答是可取的。当然，他必须仅仅针对问题进行回答，但是他可以加上一些解释。

洛根辩护律师：法官阁下，我要求把刚才的问题宣读一遍，我认为他并没有回答这个问题。他只是又进行了一次解释。

韦伯庭长：为了节省时间，我们得这样做。

（法庭书记官宣读了上一个问题）

问：那么，贝茨先生，鉴于你没有看到过信件，我想你本人并不知道这些信件是发给东京的哪个人的，是吗？

答：我知道这些信件是发往了东京的外务省，除了我刚才提到过的我从格鲁先生那里看到的报告外，我不知道这些信的具体收信人。我有其他的证据来说明这些信件被发给了外务省。

问：让我们来看看我是否理解了你的意思，贝茨博士，你并没有亲眼看到这些信件，你在这方面所作的证词只是从别人那里听说来的，是吗？

答：是的。

洛根辩护律师：我的问题问完了。

交叉询问（继续）

（克莱曼辩护律师提问）

问：博士，你从格鲁先生那里看到的报告里有没有提到枢密院？

答：我所见到的信件，完全是关于1938年1月和2月发生在南京的事情，信中提到了格鲁先生和广田先生之间的谈话，我相信还提到了格鲁先生和外务省的吉泽先生之间的谈话，我记不起信中提到的其他人了。

问：博士，你听懂我的问题了吗？

答：我想我听懂了。

韦伯庭长：他怎么能知道有没有提到枢密院呢？

问：博士，你在中国住了多少年？

答：我在中国住了多少年？除了休假、在美国的正常休假外，我从1920年到1941年，再从1945年到几个星期前一直住在中国。

问：在中国的大学里，你教的是历史吗？

答：是的。

问：你了解日本政府内的不同政治派别吗，博士？

韦伯庭长：你的反诘必须围绕相关问题进行。他是一位历史学家这一简单的事实与你所指的事情没有任何关系。

克莱曼辩护律师：如果法庭允许的话，我只是在提出一些初步问题，从而证明证人不愿讲出事情的全部真相。我们希望得到完整的事实，不管这些事实是否会造成伤害，我们希望知道全部的事实真相。

韦伯庭长：不要以这种方式和我争辩。我说过他没有就日本政治派别的问题作过任何的证言。他是一位历史教授，我称呼他是一位历史学家。或许这个称呼不对，但是你所提出的问题与这次反诘的主要问题无关。

克莱曼辩护律师：庭长先生，我想知道我们是否可以继续讨论有关将这次作证，限制在一个范围之内的问题？我知道为了作证，这位证人已经在这里等了一段时间了，而他可能掌握一些对被告有利的证据。要不然，为了能找到这位证人，我得前往中国，花费巨大的代价把他带到这里，然后……

韦伯庭长：你翻译一下这些话，请翻译一下。

我告诉过你法庭的决定是什么，也告诉了你是如何没有遵守这一决定的，而你的问题显示你还是没有遵守这一决定。

你必须遵守法庭的决定。我们不会为了个别案件而改变这个决定。

克莱曼辩护律师：我们将会遵守法庭的决定。法官大人，我唯一的要求是想在辩方的证人作证时节省时间。现在提两个问题，如果能够得到答案的话，到辩方的证人作证时就可以节省两天的时间。

韦伯庭长：我已经告诉你法庭的决定。我也告诉过你根据这一决定，你的这些问题是不能提出的，我还告诉过你为什么要这样做。你没能提出任何答复来证明法庭的这一决定是错误的。你必须遵守法庭的决定。

克莱曼辩护律师：法庭决定是说除了反诘的问题外，不能提出任何其他对证人的可靠性提出质疑的问题吗？我并不是说要对该证人的可靠性提出质疑，我只是想知道规则，这样我们今后就可以遵守这些规则了。

韦伯庭长：你似乎是唯一的一位误解法庭决定的律师。这一决定的确禁止你在反诘问题范围以外进行提问。

克莱曼辩护律师：对不起，法官阁下。这种做法与我们在美国的做法太不相同了，我刚才在理解这一规则时有些困难。对不起，阁下。

韦伯庭长：这正是美国法院的做法，是美国最高法院的做法。

克莱曼辩护律师：如果法庭许可的话，我们在美国是可以对证人提出一些在检方对己方证人作的直接询问中没有涉及到的问题的,但是我们都受到证人回答的限制。他可以成为我们的证人。我们不能怀疑他。这就是我想对这位证人做的事。

韦伯庭长: 法庭的耐心是有限的,克莱曼上尉。

克莱曼辩护律师: 好的。我没有进一步的问题了。

三文字辩护律师: 我是三文字正平,被告小矶的辩护律师。如果您允许的话,我想提出一些问题。

交叉询问(继续)

(三文字辩护律师提问)

问:证人似乎对中国的经济形势十分熟悉。你知道从 1930 年到 1939 年中国的物价情况吗?

答:很抱歉我没有听懂这个词,你说我知道什么?

问:我的问题是:在南京,1937 年 12 月以前的物价高呢,还是 1937 年之后即 1938 年和 1939 年的物价高呢?

答:我不知道如何回答这一问题。我并没有声称自己是个经济方面的专家。1937 年到 1941 年,在我从事南京国际救济委员会的工作过程中,我报告过我认为影响了人们生活的情况。

问:如果你曾经调查过普通民众的生活水平的话,我有理由相信你应该对价格问题非常感兴趣。

答:问题是什么?

韦伯庭长: 没有问题,只有陈述。

问:你似乎是个鸦片方面的专家。你调查过世界上生产鸦片的地区吗?

答:很抱歉,我没有机会进行这样的旅行。我读过一些这方面的一般著作。

韦伯庭长: 这个问题超出了这次反诘的范围。

问:你有没有调查过,在南京,是 1937 年 12 月之前的鸦片和海洛因的消耗量大呢，还是在1937年12月之后的消耗量大？

答：在1937年之前，没有我们可以评估的鸦片和海洛因消费的相关资料。正如我前面所说，当时只是在密室里才有少量的吸食，而且没有公开的销售。

问：但是你有没有调查过在1937年之前，在中国的各个地方——在整个中国，中国人所吸食的鸦片和海洛因的总量是多少呢？

答：没有，我没有调查过。因为之前没有一个地方，对这一问题已发展到了十分显著的程度。直到1938年的春季和夏季，我才开始忧伤地注意到鸦片问题。

问：但是在你的证词里，你说过鸦片是从大连和天津输入的，在1937年12月之前，人们只是偷偷地吸食，这说明你非常广泛地进行了调查，那么你知道——如果你知道这些鸦片来自何方的话——你知道这些鸦片是哪里生产的吗？

答：我不是很理解这个问题。

韦伯庭长：他问这些鸦片来自何方？

证人：在1937年之前还是之后？

问：我要问的是在1937年和1937年之后，这些鸦片是从哪来的，以及这些鸦片是在哪里生产的？

答：在1937年之后，我刚才在证词中已经说过了，根据我的调查——按照经销商的说法——除了在1939年从伊朗运来一批鸦片外，大部分来自大连。在1937年之前，我了解的并不是非常得清楚，因为我没有进行过调查。我只知道当时的一般说法——鸦片来自不同的渠道，也有中国生产的鸦片，主要是靠近西藏边界的西部省份生产的。我从中国东部不同地方的传教士朋友那里听说，过去生产鸦片的地方现在已经停止了鸦片生产。我还要补充一点，在日本占领时期，在多个省份，例如安徽北部、河南、山西等各省鸦片种植在当地又死灰复燃，而在此前很多年，这已经被取缔了。在当地种植的鸦片通常都是通过非官方的渠道销售的。

问：你是否意识到中国是世界上鸦片和海洛因消费最大的国家？

答：我想这种说法或许是正确的。但是我认为这要看不同的时期，我个人并没有这方面的可比资料。

问：从鸦片战争直到现在。

答：从鸦片战争直到现在？

问：是的。

答：是的，我想这可能是真的。

问：那么，正如你所说的，在中国，吸食的鸦片数量非常巨大。你知不知道中国本身也种植鸦片，但就来自于国外的鸦片而言，你知不知道来自哪个国家的鸦片最多？鸦片是从哪些国家进口的？哪些国家出产鸦片，哪些国家进口的鸦片数量最多？

答：在什么时期？

问：从鸦片战争到现在。

答：这还需要划分为几个不同的时期，而且只有具备相当水平的专家才能研究这一课题；我能说出个大概，但是我没有这方面的具体知识。

韦伯庭长：我们现在休庭 15 分钟。

（从 14:45 休庭到 15:06，之后继续反诘如下）

法庭执行官：远东国际军事法庭继续开庭。

问：证人先生，就上一个问题，请你继续用一般术语回答。

证人：庭长先生，我想知道其范围。我并没有就世界不同国家的情况做过证，也没有就鸦片战争之后的事情做过证。我愿意讲述我所知道的一些情况，但我绝不是一个关于世界范围内鸦片问题的历史学家。

韦伯庭长：证人只就南京城内和关于南京的事情作证。这并不是说此次反诘可以就世界其他地区的鸦片问题作证，我认为就鸦片战争之后的鸦片交易的提问也是不恰当的。

三文字辩护律师：那么，我来问另外一个问题。

问：证人先生，你早些时候说过在日本军队1937年进入南京城后，日本人公开地出售鸦片。这种公开的鸦片销售难道不是管制非法的鸦片交易，并治疗吸食鸦片成瘾者的一种办法吗？

语言监督官：纠正：不是"日本人公开销售鸦片"，而是"鸦片在公开市场上销售"，"日本人"一词应该被去掉。

答：在日本人进入南京后，就南京的公共体系而言，医院里没有任何的补救措施，我也没看到过针对吸食鸦片成瘾者的任何治疗措施。不仅是在1937年之前的几年里，即使在日本人进入南京的前几个星期、前几个月里，南京没有公开的鸦片交易，也没有大量的鸦片消费。之后，在几个月的时间里，一个庞大的公开供应和销售鸦片的系统就建立了起来。

问：证人先生，就非法的鸦片交易和在公开市场上的鸦片买卖而言，你觉得对那些吸食鸦片成瘾的人来说，非法的鸦片买卖是不是远比合法的交易更有吸引力呢？

答：我不知道该如何回答这个问题。我想之所以有非法交易、之所以许多人——许多吸食鸦片成瘾的人通过非法交易购买鸦片，主要是因为价格，非法交易的价格要比官方渠道的价格低许多。就我所看到的情况以及我对这些情况的分析而言，公开的销售要比非法的销售量大，但是非法交易从来就没有停止过。官方鸦片贸易的庞大规模，使大规模的非法交易没有了发展空间。

问：你难道不知道在所有中国的中产阶级以上的家庭中，他们都有针对吸食鸦片的治疗诊所吗？你难道不知道在所有中国的中产阶级以上的家庭中，他们都有一间适于吸食鸦片的房子？

语言监督官："供吸食鸦片的房子"。

答：我不知道这些。这和我在南京25年的经历与所了解的情况相反。

问：那么我来问另外一个问题。你知不知道在一个人第一次吸食鸦片时,他并不会马上上瘾,而是要过很长时间才会上瘾——大概一年左右的时间。他会感到心理上的不适。

答：嗯,这种看法很有趣。问题是什么？

韦伯庭长：这种反诘毫无疑义。

布鲁克斯辩护律师：没有其他问题了。

韦伯庭长：就到这里了,教授。除非你想再问一些问题,萨顿先生,你想吗？

萨顿检察官：我没有其他问题了。

（证人退庭）

7. 梁庭芳（1946年8月7日）

（1946年8月7日,星期三）

（梁庭芳,作为检方证人,宣誓后作证如下）

直 接 询 问

（莫洛检察官提问）

问：你的姓名和住处？

答：梁庭芳,住在南京公家房9号。

问：我给你看一份中文写的文件,你能识别其内容吗？

答：这是手书的宣誓书。

问：是你所写并签名的吗？

答：是的。

韦伯庭长：内容确实吗？

证人：确实。

莫洛检察官：如果法庭允许,我请求将这份1743号文件作为证据。我也希望书记官确认其翻译文本。

韦伯庭长：接受。

法庭书记官： 检方文件1743号被标上证据号250。

（检方证据250号作为证据被采纳）

莫洛检察官： 我可以开始宣读该证据了吗？

韦伯庭长： 可以

莫洛检察官： （宣读）

梁庭芳上尉的证词

我服务于医疗队，在中国军队从上海撤退到南京后，我们驻扎在南京。情况表明南京将被占领，上级命令我们在南京被占领后仍留在南京照顾中国伤员。我们发现红十字会并不能给我们提供保护，因此，穿上了平民服装。当日军占领南京时我们在一个难民营里。12月16日，日本士兵把我们押到下关的长江江边。我们4人一排，队伍大约有四分之三英里长，我估计有5 000人。当我们到江边时，日本士兵命令我们排成一排，前面是机关枪，日本士兵将机关枪对着队伍。两辆卡车运来了绳子，人们被5个一组反捆着手腕。我看见第一个人被步枪打死，然后尸体被日本人扔到江里。大约有800名日本士兵在场，包括军官，其中一些在轿车里。我们在江边排着队，在我们的手腕被捆之前，我的朋友说他宁愿跳江淹死也不愿这样死。

我们大约是在17时离开难民营，大约在19:00到江边，捆俘虏和开枪屠杀一直持续到凌晨2点。当时天上有月亮，我看到所发生的事情，我带着手表。在屠杀持续了4个小时后我和我的朋友决定逃跑。我们冲到江边，并跳了下去。机关枪向我们开火，但没有被打中。江边有一陡坡，我们发现水只有齐腰深，我们躲在陡坡下。阴影使得日本兵看不到我们，但他们用机关枪向我们扫射，并打中了我的肩膀。上面的屠杀一直持续到凌晨2时。由于失血，我昏了过去，当我在早上醒来时，我的朋友已走了，他后来告诉我他以为我死了。然后我爬上江堤,躲在附近的一个草棚里,时间大约在2点,天还没亮。我在小草棚里待了3天,没有食物和水,后来,来了一个日本士兵,放火烧那个草棚。当草棚被点燃后,我爬了出来,那个日本士兵发现了我。一名军官审问我,我告诉他我是一个平民,是日本士兵雇来挑东西的苦力。这个军官没有问我受伤的问题。该军官给了我回家的通行证,我就回来了。

当日本人在难民营把人抓出来排队时,几名美国人(我不知道他们的姓名)试图阻止他们把我们带到江边去,但日本人命令他们走开。他们没能阻止屠杀。当时也有其他人跳入江中,日本士兵立刻击中他们,我不知道是否有人逃脱。就我所知,我和我的朋友是唯一逃脱的两个人。在射击的过程中,我听到一个年轻人高呼"中国万岁",但除了枪声外没有其他声音了。

在1938年6月我最终我返回到自由中国,在此之前我又一次被俘,但设法逃脱。

杜上校将我的证词翻译给我听,内容正确。

现在我要求交叉询问。

交 叉 询 问

伊藤辩护律师:证人先生,在你的宣誓书中,你说在南京陷落时,你脱下军装,换上便服而留在南京。除你之外,还有多少人脱下军装换便服?

语言监督官:指中国军人。

答:我没有看到任何其他人换服装。

问:我听说当时南京城里堆着大量军服,果真有其事吗?

答:我躲在难民中心,没有见到军服。

问:那你从哪里得到你换的便服呢?

答:我自己有。

莫洛检察官:如果法庭允许,我提一个实质性问题。

韦伯庭长：可以。

问：平时你是否有便服以便在战败或躲避时更换？

答：我不是战斗员，我属于医护部队，我们的职责是照顾伤员。

问：那么你不是兵士——战斗员。

莫洛检察官：法庭，这是实质性要点。

韦伯庭长：证人不必答复。

8. 多田骏（1946年8月7日）

（1946年8月7日，星期三）

（多田骏作为检方证人宣誓后作证如下）

直 接 询 问

（莫洛检察官询问）

问：我想让证人说明他的姓名和现在的住址。

答：我的名字叫多田骏。我现在的住址在千叶县馆山市川野路567号。我现在务农。

问：我将把2213号证词递交给证人，请他辨认一下这是否他的证词。

答：这是我的。

问：是真的吗？

答：是的。

莫洛检察官：如果法庭允许，我想提供这份文件的日文版，上面标记证据号是2213。

韦伯庭长：这份文件已经被列为证据。检方文件的编号为2213。

莫洛检察官：我明白了，这是我的错误。

韦伯庭长：你将向法庭出示该证据，是吗？

答：是的，先生。

韦伯庭长：按惯例采纳。

法庭书记官：检方文件第2213号，编为法庭证据，证据号为251。
（检方的第251号证据作为证据被接受）

莫洛检察官：我可以继续了吗？

韦伯庭长：可以。

莫洛检察官：（宣读）

宣誓证词

日本军队的多田骏将军宣誓并陈述如下：

从1937年8月到1938年12月，我是日本陆军的一名将军，在东京担任参谋副长。因此，我制订了日本武装力量的占领计划……

韦伯庭长："战役"。

莫洛检察官：我说的是"战役"吗？

（继续宣读）

包括1937年11月12日占领上海，最终导致1937年12月13日占领南京的那场战役，和1938年10月27日占领汉口的那场战役。占领上海的计划是在上海事件发生时制订的；在上海战役进行过程中又制订了占领南京的计划，占领汉口的计划是在1938年6月或7月制订的。

如果法庭允许的话，被告律师可以进行反诘。

韦伯庭长：清濑辩护人。

交 叉 询 问

（清濑辩护律师反诘）

问：在宣誓证词的第二段，你说你制订了日本军队占领上海、南京和汉口的计划。我是否可以这样理解：并不存在一个涵盖这三个战役的统一计划？

答：不存在一个涵盖这三个战役的统一计划。每一个计划都是根据最新出现的情况制订的。

问：发生在华北的事件是不是也这样的呢——这些事件发生在你担任参谋副长之前不久？

莫洛检察官：反对，这与本案无关。

韦伯庭长：我并不认为这与本案无关。反对无效。

答：中国事件的爆发出乎我们的意料，因此事前没有计划。

莫洛检察官：如果法庭允许的话，我要再次提出反对。我认为反诘应该局限在宣誓证词的问题上。

韦伯庭长：很明显，这个问题正是来自于宣誓证词中的。按照要求提问。

问：在宣誓证词中，你说你制订了占领上海的计划，但这在当时并没有成为事实，因为军事运输的不足，需要用军舰运送大量的部队，是吗？

答：在上海事件发生时，由于那里的海军登陆部队数量不足，难以应付那里的局势，要求陆军增援，而这又要求陆军在极短的时间内做好准备，因此，他们是在没有做好充分准备的情况下完成那次军事行动的。

问：在你的宣誓证词里，有这样的字句："占领上海"，或是"占领南京"。你的意图是在这一事件得以解决后仍然占领这两座城市吗？还是在这一事件解决后就撤出部队呢？

答：当然，如果军队达到了其目的，自然应该撤出，但这并不是一个短期占领还是永久占领的问题，我们并没有考虑这些。如果目标达到了，部队就应该撤出，因此南京就成了占领的目标，根据计划占领这座城市后就开始和平谈判的阶段。

问：你是在哪一年参军的，哪一年退役的，你现在多大？

韦伯庭长：这对证词没有多少帮助，但是还是让他回答吧。

答：我是 1904 年服役，1941 年 9 月被列入退休名单。

语言监督官："退休"应该是"预备役名单"。

问：我的最后一个问题是：你的证词非常简短，他们审问你时有没有问过其他事情呢？

答：是的。他们也向我询问过其他事情。

清濑辩护律师：我没有其他问题了。

神崎辩护律师：我是神崎正义，是被告畑俊六的辩护律师。

交叉询问（继续）

（神崎辩护律师交叉询问）

问：华中方面军是什么时候组建的？这肯定是在你担任参谋副长的任期内组建的。

语言监督官：在你担任参谋副长期间，华中方面军组建了，是在什么时候组建的？

答：华中方面军的组建是在上海战争结束后。

问：华中方面军的任务是保持上海、南京和汉口这一三角地区的和平吗？

答：是的。

问：如果华中方面军的组建是为了保持和平的话，他们在开始新的军事行动前有没有必要得到大本营的命令？

韦伯庭长：我认为这个问题与证人的证词无关，但是没有人反对。

莫洛检察官：如果法庭允许的话，我的确想提出反对。

韦伯庭长：辩护律师如何证明这一问题与证人宣誓证词有关呢？

神崎辩护律师：在证词中，证人提到了这样一个事实：他制订了日军行动的计划。我想关于军事行动、战略计划的问题都可以包含在这个范围内。

译员：证人的回答是：在占领区以外的行动，必须先得到大本营的命令。

问：大本营是何时决定展开汉口战役的？

答：我记得是在 6 月或 7 月。

问：这件事是何时传达给华中方面军的？

答：我记得是在同一时间。

问：请你简要地说一下传达给华中方面军进行汉口战役的命令内容是什么。

答：我想命令的内容是要求华中方面军的司令官指挥其麾下的部队进行汉口战役。因此这一命令主要是说明他在战役中可以使用哪些部队。

问：汉口战役的进行符合大本营的意图吗？

答：由于当时严酷的天气形势，战役并没有按计划实施，但是总体而言和我们的预期相差不远。

问：延误了多长日期？

答：我记得不太清楚，我想大概延误了一个月左右。

问：华南方面军的组成是在你担任参谋副长的任期内吗？

莫洛检察官：如果法庭允许的话，我提出反对。

韦伯庭长：这与证词无关，反对有效。

问：从 1937 年到 1938 年夏季，在你担任参谋副长、制订这些战役计划时，日本轰炸机有能力轰炸中国内陆地区吗？

韦伯庭长：不用回答这个问题。你可以问证人鉴于他的这些计划依赖轰炸机的行动，日本的轰炸机能够执行他所制订的计划吗？

问：请回答这个问题。

答：我记得不太清楚了。但是由于中国事件是出乎意料突然爆发的，我们既没有行动计划也没有战争资源。但是我仍然相信我们的轰炸机能够轰炸中国内陆地区。

语言监督官： 或多或少。

问： 我曾经听说海军的轰炸机能够轰炸南昌和汉口,陆军的轰炸机则不能。你能告诉我们一些这方面的情况吗?

语言监督官： 细微纠正:南昌、汉口和南京。

莫洛检察官： 如果法庭允许的话,我提出反对,这与本案无关。

韦伯庭长： 在汉口和南京问题上,反对无效,因为他在这两个地区部署了飞机。我觉得他的宣誓证词中没有提到刚才所说的第三个地区。就他的具体计划而言,证人可以陈述日本轰炸机能够做到什么。

答： 在这个问题上,我不记得什么了。

韦伯庭长： 按照我的判断,这对我们没有多大的帮助。

问： 在1938年7月或8月,大本营有没有向华中方面军发出命令,要求他们的部队移动到张鼓峰?

答： 我不记得调动部队的命令了。

神崎辩护律师： 我的问题问完了。

林辩护律师： 我是林逸郎,被告桥本欣五郎的辩护律师。

交叉询问(继续)

(林辩护律师提问)

问： 大东亚战争是你在担任参谋副长时策划的吗?

莫洛检察官： 如果法庭允许的话,我提出反对,这与本案无关。

韦伯庭长： 我还没有把握。我想证人最好回答这个问题。这些事情可能以某种方式联系在一起,而我们或许不能立刻理解这种方式。

答： 不是。

问： 在你担任参谋副长之前,大本营有没有预备方案?

韦伯庭长： 什么是大东亚战争？这难道不是证人为之作证的那些事情的起源吗?

莫洛检察官： 如果法庭允许的话,我想我们在这里主要关注的是针对上海和南京的计划，证人的证词仅仅是针对这三场战役的。

韦伯庭长：是的，莫洛上校。我想听听你在这件事情上完整的想法。我希望你能向我证明这些计划的制订与大东亚战争的任何战役没有关系，或者是那些战役的一部分。你可以在中午休庭后再回答。

（12：00 休庭）

（下午的庭审）

（13：30，法庭继续开庭）

法庭副执行官：远东国际军事法庭现在继续开庭。

（多田骏作为检方证人被传唤上庭，继续作证）

韦伯庭长：莫洛上校。

莫洛检察官：如果法庭允许，为了回答在休庭前法庭提出的问题，我可以说根据我的回忆，上述问题实质上已经在反诘的最初阶段询问过证人了："这些计划与大东亚战争的计划有关吗？"或者其他实质相同的问题。

我理解这个问题本质上等同于下列问题："在你成为参谋副长之前有没有关于大东亚战争的计划呢？"证人已经说过他的计划仅涉及上海、南京和汉口，与所谓的大东亚战争没有任何关系，因此，任何关于大东亚战争的问题都是与本案无关的问题。

韦伯庭长：如果你所引用的问题和回答都是正确的话，你所说的似乎是对的。

莫洛检察官：我记得如此，阁下。

韦伯庭长：那么，日本律师有什么可说的吗？

林辩护律师：鉴于检方的莫洛上校已经解释了休庭前的问题和回答，说明关于上海、南京和汉口的战役计划与大东亚战争的计划没有关系，因此我收回我的问题，或者说终止我的反诘。

韦伯庭长：列文辩护人。

列文辩护律师：辩方不再继续进行质证了。

韦伯庭长：好。那么，这位证人的作证到此结束。莫洛上校。

莫洛检察官：如果法庭允许，我没有进一步的问题了。

（证人退庭）

9. 桥本欣五郎（1946 年 8 月 8 日）

（1946 年 8 月 8 日，星期四）

莫洛检察官：如果法庭允许，我还有一份审讯档案，号码是第 1949 号文件，名称为"对桥本欣五郎大佐的审讯，卷号 6-343，第 4 页"。我希望提出这份证据，如果法庭允许的话。

韦伯庭长：按惯例接受。

法庭书记官：检方文件第 1949 号文件作为证据被采纳，证据号为 258。

（检方第 258 号证据被采纳）

莫洛检察官：（宣读）

对桥本欣五郎大佐的审讯，卷号 6-343，第 4 页。在英国炮艇"瓢虫"号通过芜湖前，我对"帕奈"号事件一无所知。我炮轰了"瓢虫"号炮艇，并将其扣留，当时，"瓢虫"号的指挥官告诉我说他是去援助"帕奈"号的，因为他听说"帕奈"号陷入了麻烦。这是我第一次听说这一事件。

这是柳川中将的命令，命令的内容是："南京正处于攻城阶段，似乎敌人的部队正在溯江而上逃跑，桥本大佐要击沉驶离南京的任何船只，不论其国籍。"我相信这些命令是在南京陷落前 2 天签署的。

如果法庭允许，据我所知翻译部的负责人卡尔正在就第一次的审讯记录的翻译进行审核，如果法庭允许的话，他将在休庭结束后向法庭提供报告。

如果法庭允许的话,101号证据由各种不同的地图组成,这些地图现在审判大厅的另一边,我想这些地图在此案的审理过程中应该已经向法庭展示过了。我想请示法庭是否现在再次展示这些地图,如果不需要的话,我只想提醒各位注意这些物证也是本案现阶段的部分证据。我希望提醒法庭注意这些从1937年到1944年的地图,因为这些地图暗示……

韦伯庭长:你有没有这些地图的复制件提供给法官?

莫洛检察官:先生,我没有。

韦伯庭长:那边那面墙上的地图作用有限。鲍曼先生说我们有复制件。

10. 伊藤述史(1946年8月8日)

(1946年8月8日,星期四)

(伊藤述史再次作为检方证人被传唤上庭,继续作证如下)

直 接 询 问

(帕金森检察官提问)

问:伊藤先生,从1937年9月到1938年2月,你在哪里?

答:我当时在上海。

问:你在上海的职务是什么?

答:我是驻中国的无任所公使,负责与上海的外交使团和新闻界人士谈判,并负责情报事务。

问:在当时从事这些工作时,外国外交官们有没有告诉过你日本军队在南京的所作所为?

答:外交官们或新闻界人士向我通报过日本军队当时在南京犯下了各种各样的暴行。

问:你有没有尝试向日本军队证实这些报告。

答：我没有尝试。

问：你有没有把你所听到的事情向你的政府汇报？

答：我的确汇报过，我把我从外交官和新闻界人士那里听说的事情简要地进行了汇报。

问：你向谁递交这些汇报的？

答：我恐怕记不得向谁提交的报告。我记得我确实做过某种形式的汇报，但是我现在想不起是什么形式的报告以及我向谁递交报告。

问：你是否能记得你是向外相做的汇报？

洛根辩护律师：反对，法官阁下。我认为证人应该受到他先前陈述的制约，他不记得向谁做的汇报。

韦伯庭长：如此重要的汇报，他应该记得是向谁递交的。我认为可以督促他回答。

答：我的所有报告都是递交给外务省的，在形式上所有的报告都是递交给外相的，但是我刚才说过我记不清我把这些报告递交给谁了。

韦伯庭长：这应该足够了。

帕金森检察官：你可以进行交叉询问了。

韦伯庭长：克莱曼上尉。

交　叉　询　问

（克莱曼辩护律师询问）

问：伊藤辩护人，你知道枢密院的职能，是吗？

韦伯庭长：克莱曼上尉，到目前为止，这位证人的证词中还没有涉及枢密院。问这样一个没有必要的问题，涉嫌你在暗示这个问题。

克莱曼辩护律师：这正是……

韦伯庭长：他不可能知道。

克莱曼辩护律师：如果法官阁下允许的话，这正是我希望引起法庭注意的：我在质证证人时在冒险提出问题，只是因为我并不惧怕证人的答案，因为我觉得这位证人或许知道我很愿意利用这次机会向他提出问题。

韦伯庭长：我再告诉你一遍：在证人的所有证词中都没有涉及枢密院，他也不知道枢密院在具体事件中所起到的作用。

克莱曼辩护律师：法官阁下的话令我满意。如果法庭允许的话，我不再向这位证人提问了。

伊藤辩护律师：我是伊藤清，是被告松井石根的辩护律师。

交叉询问（继续）

问：证人先生，在先前的陈述中你告诉我们，你说在南京被占领时，你正在南京，是吗？

答：不，我从没有说过这种话。我说的是我在上海。

问：（问题没有翻译）

语言监督官：如果法庭允许，我们希望律师能够重新组织一下他的问题。

韦伯庭长：请重新组织你的问题。这个问题太长了。

问：证人先生，你报告说——你作证说……（剩下的部分没有翻译）

伊藤辩护律师：我将再重新组织我的问题。

韦伯庭长：我们知道日本律师很擅长提出简短、清楚的问题，我们在这里已经看到了这一点。

伊藤辩护律师：因为事情有些复杂，我很难用简单的语言提问，所以，我想终止我的反诘。

韦伯庭长：这是一种没有意义的态度。

洛根辩护律师：不再进行进一步的反诘了。

帕金森检察官：证人可以退庭了。

（证人退庭）

11. 马吉（1946 年 8 月 15～16 日）

（1946 年 8 月 15～16 日，星期四～五）

韦伯庭长：萨顿检察官。

萨顿检察官：如果法庭允许的话，检方希望传唤下一位证人：约翰·马吉先生。

（约翰·马吉先生作为检方证人被传唤到庭，宣誓后作证如下）

直 接 询 问

（萨顿检察官提问）

问：请你告诉我们你的全名。

答：约翰·马吉。

问：你是何时何地出生的？

答：我 1884 年 10 月 10 日出生在宾夕法尼亚州匹兹堡。

问：你在那里接受教育的？

答：1906 年我毕业于耶鲁大学，之后在马萨诸塞州剑桥郡的新教圣公会神学院学习，这所学院是哈佛大学的附属学院。

问：你在中国居住过吗？如果居住过的话，是在什么时候？

答：1912 年到 1940 年，我是南京新教圣公会教堂的一名牧师。

问：从 1937 年 12 月到 1938 年 2 月，你一直在南京吗？

答：是的。

问：在 1937 年 12 月 13 日之后，日本军队和日本人有没有进行过任何的反抗呢——非常抱歉——是南京城内的中国军队和中国人有没有进行过任何的抵抗呢？

答：据我所知，没有。

问：1937 年 12 月 13 日日本士兵在占领南京后，是如何对待中国平民的呢？

答：令人难以置信的恐怖。在几天内就迅速开始了屠杀，通常是单个的日本士兵，有时是 30 多个日本士兵一起四处游荡，每个人似乎都掌握着生杀大权，接着就开始了有组织的大规模屠杀。不久南京便陈尸遍地，我曾经碰到过成队的中国平民被押走杀害。这些人主要是被用步枪和机关枪杀害的。另外，我们也知道有数以百计的人被刺刀刺死。一位妇女告诉我,她丈夫的双手在她的面前被绑了起来,然后她的丈夫被扔进一个池塘,而她就在现场亲眼目睹了这一切,日本人不许她救她的丈夫,她的丈夫就在她的面前淹死了。

麦克马纳斯辩护律师:如果法官阁下允许,我认为如果在这里可以提供这类证词的话,那么法庭给予检方的言论自由似乎太多了,尤其是我以前曾经吁请法庭注意,检方用了3个多月的时间来证明共谋罪的存在,而这种作证被允许,却没有任何一个被告可以同任何共谋罪联系在一起。我知道这在……

韦伯庭长:你我都知道在目前阶段,这种联系可以通过检方的证词来建立。

麦克马纳斯辩护律师:我知道,庭长先生。

韦伯庭长:我还没有说完。我曾经至少说过两次而且你也听到过我所说的话。这种原因相同的重复反对是对法庭的不敬。

麦克马纳斯辩护律师:嗯,如果我给您留下这种印象的话,我很抱歉,阁下,但我只是在努力尽我的职责而已。我所代理的这位绅士的生命受到了威胁,我要尽力保护,我要为他竭尽所能。

韦伯庭长:你应该遵守法庭的规则,以一种有序的方式来尽你自己的职责。

布鲁克斯辩护律师:如果法官阁下允许的话,我想利用这个空隙提醒法庭,我相信各位法官已经注意到这位证人在通过阅读某种笔记来帮助他的记忆,那么我想一直到现在他都不能根据他的记忆来作证,他不应该阅读笔记或准备好的纪录。我希望法庭能规范这一点。

韦伯庭长:当你站在证人席时,你就没有了阅读笔记的自由——除非你得到了法庭的许可,只有当你需要用来帮助你回忆,而且这些笔记是在这些事情发生时记录的,你才能阅读。这一警告对你是有效的。

证人:我能和你说几句话吗?

韦伯庭长:可以。

证人：我想告诉阁下，我的本子上写的内容，上面只有日期。我每天都给我的妻子写一封日记信，现在就在我手里。这上面全是"12月14日"之类的日期。我这里的这个"助手"提醒我一件事情，我记了很多事情，我想按顺序把这些事情向法庭陈述，这些笔记就是用来帮助我做到这一点的。

韦伯庭长：那么，除非你得到法庭的允许，请你不要使用这些记录。萨顿检察官？

（萨顿检察官继续提问）

问：你可以继续你的回答。

答：在12月14日，我们学校做饭的小男孩同其他100多个人一起被带走了，带到城墙外的铁路边。他告诉我说他们被分成两组，每组大约50人，他们的手被绑着，他——一个15岁的男孩站在后面，他拼命地用牙咬绑在手腕上的绳子，终于挣脱了绳子，他钻进了铁路下的一个洞里，大约38个小时后他逃出来，对我们讲述了他的经历。这是第一个证据，让我们了解最初被抓走的那些男人到底出了什么事。

在同一天的傍晚或者是第二天的傍晚，我记不清哪一天了，我碰到了两大队中国人，他们每4个人的手被绑在一起。应该说这两队人至少有1 000多人，或接近2 000人。在人群中没有一个中国士兵，至少，他们都穿着平民的服装。受伤的人开始回到教会医院。一个人常常是被射中或被刺中后会昏迷，然后假装死亡，并设法逃到我们这里来，这样我们得到了可靠的消息，这些不停被带走的人遭遇到了什么样的事情。

12月16日，他们（日本士兵）来到一个难民营，我对这个难民营非常熟悉，因为这是我的基督教教会成员聚集的地方，他们从这里抓走了14个人，其中包括一个中国牧师的15岁儿子。4天后，这14人中的一个人——他是个苦力——回来向我们叙说了其他人的命运，他们被和其他1 000多人集中在一起,押往长江边,在那里,他们被用机关枪像割草一样从队伍两头射杀了。在子弹飞来之前,这个苦力猛地倒在地上,没有中弹。周围其他人的尸体盖住了他,他就一直躺在那里直到天黑,得以逃脱。

在这14个人被带走的同一天,我的司机找到我说他们带走了他的两个兄弟。他不敢上街,他的妻子和我一起去这些人集中的地方,在一片空地上,我看到有500多人坐在地上。我们站在人群边,司机的妻子找到了她的两个小叔子,我们走向一名看上去是负责这里的事务的日本士兵,当我们走向他的时候,他暴怒地把我们赶走,我只能说"没有希望了",我们不得不走开。

第二天,我看到——当时我和其他3名外国人,两个白俄人以及我的美国同事福斯特在一起——我们当时站在房子的阳台上,看到了一名中国人遭到杀害。一个穿着长丝袍的中国人从房子前的街道上通过,有两个日本士兵喊他,这使他非常恐惧,试图跑开,他加快了步伐,想从一个篱笆墙边上绕过去,希望那里能有个缺口,但是那里没有缺口,日本士兵走到他面前,在距离他不到5码的地方一起开枪向他射击,杀了他。他们都是边说边笑,似乎什么都没有发生,他们一直吸着烟、聊着天,他们杀死这个中国人的感觉就像杀死一只野鸭一样,之后他们继续走他们的路。

12月18日,日本大使馆的田中副领事邀请我和他一起去南京城北的下关,辨认一处外国人的财产,他要在这处财产上贴出告示加以保护。除了坐他的车外,我无法出城。我们走近路,穿过一条小巷子,但是很快就碰到了许多的尸体,我们只得把车倒回来,因为我们根本无法从这条小巷子通过,除非从这些尸体上压过去。

后来我们去了码头,在太古洋行附近,他和一名日本警察走进去张贴告示,我则走到码头靠近江边的地方,在这里,我可以向下看。我不知道那里有多少尸体,但是估计应该有300到500具。这个数字可能还嫌太小。尸体上的衣服都被烧过，很多尸体也被烧焦了。很明显，这些尸体曾经被焚烧过。

12月21日，我再次和日本大使馆的警察一起去了下关，这些警察是田中派来的。我想田中是真心地希望能够帮助我找到那个男孩，我们听说这个男孩逃脱了。这次我告诉司机从城门直接去码头，但是警察提出了反对，而我则坚持我的意见。我们一直开到扬子饭店，这家饭店离码头只有几百码，这时警察坚决要求我不能再向前走，否则日本士兵会杀了我。他命令汽车拐进一个小街道，我们马上就看到了中国人的死尸。我记得那天并没有看到一具中国士兵的尸体。他又把车拐回来，我们沿着察哈尔路向前走，这条大路通往火车站，很快，我们又看到路两侧有很多尸体，他停下车，不愿再往前开，说下关已经没有中国人了。我说"那里有很多死去的中国人"。

12月22日，我给一群大约60到70名中国人录了像，当时这些人被集中在一条路上，是上海路，在这些图像上，女人们在街上跪在日本人面前，恳求他们放了她们的丈夫，还有一位老人也跪在地上，但当时这些日本人还是把他们都带走了。

韦伯庭长： 我们现在休庭15分钟。

（14：47休庭至15：05，之后继续开庭）

法庭执行官： 法庭现在继续开庭。

韦伯庭长： 萨顿检察官。

（萨顿检察官继续提问）

问：马吉先生，请你继续你的回答。

答：12月21日，田中副领事告诉我当时日军在南京的一个表现比较糟糕的师团，将被一个比较好的师团替换，他认为12月24日前一切就可以解决了，但是12月24日之后并没有明显的改善迹象。

问：在占领南京后，日本士兵是如何对待妇女和儿童的呢？

答：事情同样令人难以置信的恐怖。每天都有强奸事件发生。很多妇女甚至儿童惨遭杀害。如果一名妇女拒绝或反抗的话，她就会被枪杀或刺死。我照了一些相片，拍了一些录像，记录了这些妇女所受的伤，有些妇女的脖子裂开了，全身都是伤口。

如果这些妇女的丈夫想要用任何方式帮助她们的话，就会被杀死。一天傍晚，我被叫到了一所房子，一名日本士兵16:30就到了这所房子，他试图强奸这所房子主人的妻子，而这个房子的主人，帮助妻子从房子后面的一个门逃跑了，这个日本士兵第一次来时没有带武器，他出去了一下，带着武器又回来，杀死了这位丈夫。这位妇女带我来到房子的后面，她丈夫的尸体就在这里。

我亲眼见到的第一起强奸事件就发生在日本人进城最初的几个晚上。一位妇女在街上拦住了我和我的同事福斯特，请求我们救救她。当时天很黑，这位妇女讲述了她的遭遇。她18:00就被从丈夫身边带走，一辆摩托车带着她来到3～4英里外的地方，在那里日本士兵们强奸了她。他们把她送到离她家大约1英里的地方，她跳下车到了我们正在去的地方。正当日本士兵叫她的时候，她可能是看到了我们，也可能是听到了我们的声音，就冲过来求我们救救她。我们救了她。

12月18日，我和我们委员会的德国成员施佩林先生一起去城市的居民区。我们觉得似乎每一间房子里都有日本士兵在追逐妇女。在一楼，一位女性正在哭泣，那里的中国人告诉我们她被强奸了。他们告诉我们还有一个日本人还在4楼。我上了楼试图进入那间屋子，门被锁着，我猛烈地敲着门，施佩林先生很快也上来了，和我一起敲门。大约10分钟后，一个日本士兵从屋里走出来，屋里还有一名妇女。12月20日，我被叫到一户人家，那里的人们告诉我一个10岁到11岁的女孩被强奸了。我把她送到医院，但是我到达那户人家时，正好碰到3个日本士兵往里走。我把他们挡住。当我从医院回来后，又被叫到另一户人家,把这3个日本士兵从二楼的女子住的地方赶走。之后,那里的中国人向我指了指一间屋子,我冲了进去,看到一名日本士兵正在强奸妇女。我把他从屋子里赶了出去。

还有很多此类事件。我们面临一个最严重的问题——所有外国人都面临着这个问题。我们无法阻止他们把男人带走,但是我们可以阻止他们强奸女性。

在日本军队占领南京几天后,我和我的同事福斯特都意识到我们不能在同一时间离开我们的住处,在我们的住处收留了许多基督徒难民。我们两个都和中国基督徒住在一起,以便保护他们。我们与其他外国人就离开了一段距离,但是其他美国人总是邀请我们参加新年晚宴和元旦宴会。我们的习惯是整天站在街上,每人负责3处房屋,一旦有日本士兵停留在这些房屋外,我们就立刻冲过去把他们赶走。在新年那天,一位美国人开车来邀请我们去他们那里。我并不想去,但是他说在一个小时的时间里是不会出什么事的,一小时候后,他会让我们回来的。这样我们就去了。我们的住处收留了许多年轻的姑娘。我们还没吃晚饭,两个中国人就跑来说日本士兵到我们那里去抢姑娘。我们立即回去,但是还是有2位女孩被强奸了。一位我认识了30年的女士,她也是个基督徒,告诉我说,她和一个女孩待在一个房间里,当日本士兵闯进来时,她跪在这名士兵前求他放过这个女孩,士兵用刺刀的刀背猛击她的头部,并强奸了那个女孩。

如果有任何真正的措施来制止这种行为的话,这种行为是可以被制止的。当时这种事情完全没有被当回事。一天,安全区委员会的主席拉贝和一名日本军官一起去拉贝的家,拉贝先生收留了许多的中国女性,在他的院子里大约有二三百人,她们在院子里搭起了帐篷,那天当他和那个日本军官一起到家时,他们看到一名日本士兵正在一个帐篷里强奸妇女,那名军官所做的只是打了那名士兵几个耳光,拉贝对此感到极其恶心,把这件事情告诉了其他国际委员会的成员。

在1月30日，我们要处理一个新的危机，因为日本人试图——他们找到我们试图强迫我们把这些女性从安全区遣送回家。

问：那是哪一年的1月30日？

答：他们不希望我们——他们不希望这些女性受我们保护。我们决定做出一些顺从的表示，因为我们担心整个安全区会被解散，因此我们建议年纪较大的女性回家，但我们仍然把年轻的女性置于我们的保护之下。我们很快就听说这些妇女从安全区回家后，强奸事件又开始了，而这些女性中的一些人，我们在安全区内是认识的。

我和金陵女子文理学院的副院长、美国人魏特琳小姐一起去调查这些案件中的一起。在形势最困难的时候，金陵女子文理学院里收留了1.2万～1.3万女孩——我应该说是1.2万～1.3万名妇女和女孩。我们去了城南的一所房子，当我们走进前排房屋时，一位妇女正在哭泣。她告诉我们说日本士兵杀害了她的丈夫。我们又来到了后排的房子，那里住着这所房子的主人，一名40多岁的寡妇、她12岁的女儿和她77岁的老母亲。她们向我们讲述了她们的遭遇。

在日本士兵刚进城时，这名寡妇就遭到了多次的强奸。之后她们决定逃往安全区。在她们逃往安全区的路上，因为当时街道上很黑，这个女人和她的老母亲走散了。这位老母亲对我们说她被带到一所房子里，被强奸了两次。她已经77岁高龄了！那个寡妇告诉我们在她们从安全区回来后，她已经遭到了很多次的强奸。我想她总共被强奸了17次到18次。

一名信仰基督教的女福音传道者告诉我她当时和一名80岁高龄的中国老奶奶住在一起——在通常情况下，这意味着这位老人的实际年龄是78或79周岁。一名日本士兵来到她们的住处，把老人叫到门边，做手势让她把衣服脱了，老人说："我太老了"。这个日本士兵就把她杀了。

在 1 月底,我去城南调查发生在新开路 6 号的系列案件。

问:马吉先生,这些事情发生在哪一年?

答:是在 1938 年。我们到达南门内的新开路时,很多回来的人告诉我们仅在那条小路上,就有 500 多人被杀。

我来到新开路 6 号,一位祖母带着我四处察看,这位祖母的许多孩子都被杀害了。在这所房子里的 13 个人中,只有两个孩子得以逃生。一个八九岁的小女孩告诉了我所发生的事情,这个女孩经历了整个事件,背部还被刺了两刀。当时,伤口已经愈合了,我为她的伤口拍了照。这一事件发生在日本士兵最初进城时,大约 30 名士兵来到门前敲门,房子的主人是一位回教徒,他刚一打开门就被杀死了,之后他们又杀死了跟在主人身后的中国人,之后又杀了主人的妻子。穿过一个露天小院子,他们来到厢房,他们走到院子一侧的房子里抓住两个女孩,开始撕扯她们的衣服,这两个女孩一个 14 岁、一个 16 岁。这些孩子的外祖母伸出胳膊保护她们,马上被日本士兵杀了,她那时已经 74 岁了,她 76 岁的丈夫扑到妻子身上,抱住她,也被日本士兵杀害了。然后,他们强奸了这两个女孩,没人知道强奸了多少次,之后又杀害了这两个女孩。带我四处察看的这位祖母向我出示了一根竹棒,说这是她从一个女孩的阴道里取出来的,我认为这肯定是她本人取出来的,因为她第一个来到这里。那个小女孩,她有四个兄弟姐妹,当时她穿着男孩的衣服,这也没能保护她,她是个女孩——我刚才说过这个女孩被刺了两刀。

在院子一侧的另外一个房间里,母亲带着一岁的孩子躲在床下。他们强奸并杀害了这位母亲,还杀死了只有 1 岁的孩子。当人们发现尸体时,他们发现这位母亲的阴道里被塞进了一个瓶子。

这个小女孩告诉我另外一个孩子是如何被杀的——我不知道这个孩子的年龄:他被用军刀砍下了头。

我到达时,尸体已经被运走了,大概是在事件发生 6 星期后,但是当我到那里时四处还是沾满了血,如果我的摄像机,如果我当时有彩色胶卷的话,就可以看出女孩被强奸的桌子上和另外一个人被杀的地上都有鲜血。

这位老奶奶带我来到一片空地,掀开盖在尸体上的芦席,我看到了那位 14 岁的女孩、16 岁的女孩、那位母亲——这位老奶奶的儿媳和一个 1 岁婴儿的尸体。

麦克马纳斯辩护律师: 庭长先生,我恳请法庭允许我就法律问题说几分钟的话。

韦伯庭长: 请说。

麦克马纳斯辩护律师: 庭长先生,我的意见是你已经驳回了这一反对,但是法庭还是没有完全明白我的意见。

韦伯庭长: 我们总是在完整地听取你的意见。

麦克马纳斯辩护律师: 那么,我不想占用法庭的时间再次提出反对,但是法庭能不能进一步听听我的意见呢?

韦伯庭长: 我一点都不清楚你会提出什么反对。你并没有告诉我。

麦克马纳斯辩护律师: 嗯,如果法官阁下允许的话,我刚才提过你曾经驳回了我的反对。

韦伯庭长: 陈述你的反对。

麦克马纳斯辩护律师: 在共谋指控方面,这些被告被指控犯有共谋罪,他们因为某些行为而受到指控,法官阁下在很多场合对检方明确地说"好的,与共谋有联系"。这当然没有问题,但是阁下在这方面你将给予检方很大的自由,由此,被告可以在晚些时候再被传唤。这样,就有这样一种可能性:被告中的三四个人就可能不会被宣告无罪,这种证词就会成为只针对其他被告的证词。庭长先生,我的意见是……

韦伯庭长: 对于每一个被证明有罪的被告,这都是适用的。我已经允许你发表长篇讲话,这样你的言论的荒唐性就可以记录在案了。

证人：一天，一个尼姑被送进大学医院，有人告诉我们她的身体被日本人的子弹打穿。送她来医院的中国裁缝告诉我说，在这个尼姑以及其他许多尼姑居住的尼姑庵附近，大约有25个人被杀害了。这名尼姑告诉我们她的小徒弟被刺伤——似乎所有的佛教尼姑都有个小徒弟——一个12岁的中国女孩，按照我们的计算方法，应该是大约10周岁。大学医院的麦卡伦开车把这个孩子救回来，她的脖子被刺刀刺伤了。我把她带回我自己的家，当时她的伤口总是破裂，他们又多次把她送回医院。

我在1月5日和这位尼姑谈了很长时间，后来我和她很熟了。她详细向我叙述了事情的经过。她说这个尼姑庵的女住持是一位65岁的中国人，被日本人杀害了，住持的小徒弟也是名10岁的孩子，也被杀害了。

2月1日，在和我的同事福斯特一起吃午饭时，一个男孩跑来告诉我们说有人在追赶一名姑娘，是日本人在追赶这个姑娘。

问：这是在哪一年的2月1日？

答：1938年。我们跑过一片大约100码宽的空地，这个男孩指给我们看那所房子。我们冲进房子，那里有一个男人，他指着一扇门，我们试图打开门却打不开，我们用身体撞门，才把门撞开，里面几个日本士兵正在床上强奸一个女孩，我们极其愤怒，喊叫着冲向他们，一名士兵赶紧跳起来去拿起枪——是一支手枪和皮带，然后跑了出去，另外一个人醉得太厉害了，没法走出去，我们就把他从房子里扔了出去，我们跟着他来到附近的一个岗哨，并写了几个汉字告诉哨兵发生了什么，而哨兵只是笑笑而已。这个女孩的父亲告诉我们，这已经是这个女孩第五次被强奸了。我们去得太晚了，两名日本士兵都强奸了这个女孩。

2月的某一天，我记不得是哪一天了，我把另外一个15岁的女孩送到了大学医院。

韦伯庭长： 我们现在休庭到明天 9:30。

（16:00 法庭休庭，直到 1946 年 8 月 16 日，星期五，9:30）

1946 年 8 月 16 日，星期五
日本东京都旧陆军省大楼内远东国际军事法庭

（9:30，法庭继续开庭）

出席者：

法官席：照旧。

控诉方：照旧。

被告方：照旧。

（远东国际军事法庭语言部负责英语—日语、日语—英语、英语—汉语、汉语—英语的翻译工作）

法庭执行官： 远东国际军事法庭现在开庭。

韦伯庭长： 除了大川、平沼和松井外所有被告全部到庭。大川、平沼和松井由其律师代表。平沼仍在进行治疗。我这里有巢鸭监狱医疗分队的证明。这些都将被记录并归档。

（约翰·马吉作为检方证人被传唤上庭，继续站在证人席作证如下）

直接询问（继续）

萨顿检察官： 马吉先生，在昨天休庭前，你提到你把一个 15 岁的小女孩送到医院的事情，请你继续回答这个问题："日本人在占领南京后，是如何对待妇女和儿童的？"

答： 我在 1938 年 2 月的某一天把这个女孩送到医院。我和她交谈了很长时间，后来又多次去看望她。她来自芜湖市，这个城市距离南京 60 英里。日本人冲进她的家——她的父亲是位商店老板——指控她的哥哥是一名中国士兵，并杀害了她的哥哥，这个女孩说她的哥哥并没有当过兵。日本兵还杀了女孩哥哥的妻子，因为她反抗了这些士兵的强奸。他们还杀了女孩的姐姐，因为她也反抗了这些士兵的强奸。同时，她的老父亲和母亲跪在这些士兵面前，也被杀害了。所有这些人都是被用刺刀刺死的。

在第一个月，她每天都遭到多次强奸。他们脱了她的衣服，把她锁在一间房子里。之后，她病得很厉害以致他们都害怕她（传染），整整一个月，她都病着。一天，当她正在哭泣时，一个日本军官走进来问她怎么了，女孩向这个军官讲述了她的遭遇。这名日本军官很同情她，就开着车把她送到 60 英里以外的南京，并在一个纸片上写下了"金陵学院"，很明显他知道我们那里收留这些女孩。我们就是在那里看到她，并开着教会的车把她送到了医院。

1 月份或 2 月初的某一天，我去了栖霞山的一个小村庄，距离南京城 15 英里。这里有一个水泥厂，由一名德国人和丹麦人负责。水泥厂悬挂着德国国旗，有大约 1 万名难民。当天晚上，我和周围许多村庄的老人们进行了交谈，他们来自当地至少 10 个村庄，大概有 20 位老人。所有地方都发生了和南京同样的事情，这些老人们告诉我现在的问题是男人们不敢离开难民区，因为日本士兵总是来找女人，如果他们无法提供保护的话，就会被杀害。

问：马吉先生，日本士兵在占领南京后是如何对待私人财产的呢？

答：日本士兵抢走了一切他们想要的东西：手表、自来水笔、钱、衣服、食品。我曾经在最初的几天里把一个弱智的妇女送到医院，她在夺回被一名日本士兵抢走的被褥时被这名日本士兵刺伤了脖子。日本士兵根本不理会他们自己领事馆张贴的关于保护外国财产告示，也不理会美国大使馆张贴的告示。

一次，我记不得是在什么时候了，我看到日本士兵从中山路上的商店里整车向外搬运电冰箱。12 月 21 日，几乎所有在南京的外国人签署了一份致日本当局的请愿书，并将请愿书送交给日本大使馆。这些外国人在请愿书中，要求日本当局以人道的名义，停止对平民房屋毫无意义的焚烧。在城市的各个地区，焚烧事件每天都在发生。我们自己的一个圣公会教堂被部分烧毁，后来，在1月26日这所教堂被完全烧毁。基督教信徒教堂被烧毁，他们的一所学校也被烧毁，基督教男青年会、俄国大使馆以及安全区外许多平民的房屋都被烧毁。每隔一小段时间，日本士兵就会扔下一些黑色的棒状物，上面粘有像白蚁一样的东西。这是非常易燃的物质，毫无疑问他们是在用这些东西放火。

问：你描述了日本士兵在占领南京后对待平民和财产的情况，这种情况持续了多长时间呢？

答：在大约6个星期后，这种事情开始减少，但还是发生了许多此类事件，之后发生了许多单个事件。

问：你是南京安全区国际委员会的成员吗？

答：是的，我还是南京国际红十字会的主席，正因为如此，我才经常与医院打交道。

问：谁是南京安全区国际委员会的主席？

答：拉贝先生，他是一位德国人。

问：谁是委员会的秘书？

答：刘易斯·斯迈思先生，他是一位美国教师。

问：就南京市内平民百姓的遭遇，委员会是不是经常向日本领事当局报告呢？

答：是的，他们几乎每天都做报告，我们很多人还以个人名义做报告，我本人就报告过许多次，向日本大使馆讲述令人恼怒的个案。

问：你是什么时候离开南京的？

答：1938年5月，我因为正常的假期而离开南京，1939年5月回到南京；最终在1940年5月离开南京。

问：你现在的职业是什么？

答：我现在是康涅狄格州纽黑文市耶鲁大学圣公会学校的牧师。

萨顿检察官：辩方可以进行反诘了。

韦伯庭长：布鲁克斯辩护人。

布鲁克斯辩护律师：庭长先生。

交 叉 询 问

（布鲁克斯辩护律师提问）

问：马吉先生，在12月13日日本人进入南京时，当时南京的人口大约有多少？是不是大约20万？或者比这多些或少些？

答：绝对不可能说出有多少人口。我记得曾经和我们委员会的成员讨论过这个问题。我们估计大约有20万人进入了安全区，还有许许多多的人在安全区外。应该说当时至少有30万人口，或者更多。至于城墙外有多少人，我就不知道了。

问：那么，在几个星期后，当城外的人回到城里后，大约有多少人呢？是不是增加到大约50万人左右，这些人都是平民吗？

答：当然，应该说在日本人进城的几个星期后，没有50万人，事实上，就我个人所认识的人，大约只有两三个碰巧进了城。大部分人都逃到内地去了。

问：你刚才说只有两三个进了城，那么，由于有人进了城，所以人口有所增加。现在我的问题是：有没有士兵？中国士兵在其中吗？

答：你的意思是说在我所认识的人当中吗？

问：或者是在你不认识的人当中，如果你知道的话。

答：我记得没有听说过有士兵回来的。

问：但是，我们并不能说回来的人中就没有士兵，不能说所有回来的人都是平民而没有士兵，是这样吗？

答：我不可能知道这些。我没有碰到任何人说他们自己是士兵。

问：马吉先生，你说过你曾经常和一个叫田中的总领事交谈，这是他的名字吗？

答：我不知道他的名字。我想在当时他是总领事，因为总是他来会见我，但是我后来从一个在使馆公共服务部门工作过的人说，他不是总领事,我想可能是副领事。

问:他姓田中,是吗?

答:是的。

问:1937年12月,他在南京,他的岗位是在南京吗?

答:他是在日本军队进入南京之后不久来到南京的。

问:你说过他表现出一种倾向:想帮助你们阻止一些残暴的行为。当时还有其他日本军官和士兵也想帮助你或你的委员会阻止这些残暴的事情,或与你或你们合作吗?

答:我想总体而言,领事官员和大使馆的官员们的确想帮助我们。我还碰到过其他人——福田先生以及其他我忘了名字的人们,但是我提到田中的名字,是因为他是一直和我打交道的人。

问:由于他们没有能力帮助你们阻止这些行为,他们对此感到难堪吗?

答:应该说是的,他们对此感到难堪。有一天,我来到一个日本士兵正在抢摩托车的地方,在那里,我碰到了田中,我忘了我是不是在那里碰到他的,但是他在那里。我清楚地记得,我觉得他当时正在提出抗议,我不知道他在说什么,但是可以看得出来,他很难堪,因为这些士兵对他并不理会。

问:那么,马吉先生,你并不是要暗示那里的每一个日本军官和士兵都犯下了你所描述的残暴罪行,是吗?换句话说,并不是他们所有人都对这些残暴的行为负责,是吗?这只是那些有犯罪倾向的人的所作所为,是这样的吗?

答:我碰到过一些日本士兵,我认为他们是清白的,但是日本士兵中的绝大部分都是像我所陈述的那样。

问:那么,你认不认识那里的宪兵司令,你认识他、见过他,知道他的名字吗?

答:我见过一些宪兵,但是我记不得任何一名宪兵的名字。我甚至没有和这些人打过交道——除了一些小人物外,就像其他人所做的一样,如贝茨先生。我只见过领事馆的警察和这一类的警察。

问：宪兵司令有没有会见过委员会的其他人？与你们委员会在何时就此问题进行过何种会谈？

答：我没有出席过任何他参加的此类会议。我甚至根本不记得他的名字。我知道有些人会单独会谈,我清楚地记得贝茨博士就会见过领事馆的人,并和他们进行过交谈。

问：你的意思是说这些人到他的办公室和他会谈,并讨论这一问题？

答：我想是单独在他的房间。

问：那么,12月13日,日本人刚刚进入南京时,那里有大量的宪兵吗？你有没有注意到他们,大概有多少宪兵？

答：最初,几乎没有宪兵。我相信会有一些。当然,我们向大使馆多次提出要求之后,派来的宪兵多了一些,他们似乎——他们说他们正在做出努力,他们派出一些人在安全区周围守卫,我们因此感到鼓舞,认为事情会变好,但是后来,这成了我们的一个笑话,因为这些宪兵也开始做其他士兵所做的事情。

问：他们有没有树立一些禁止入内的标志,或做出任何这种性质的努力来限制士兵的活动呢？

答：我不记得有任何这样的标记。我唯一能记得清楚的标记是领事馆警察做的领事标志,用来保护外国财产。

问：日本军政府当局有没有利用中国警察来维持秩序呢？

答：开始时我不知道。大量的中国警察都被杀害了。我们安全区有一些警察,他们没有武装,我们让他们待在我们的总部。但是在1940年,我确实记得在街上和一名警察说过话,他告诉我他曾经是个警察。他说："这对我而言这只是个饭碗而已。"如果我没有记错的话,我在1940年与之交谈的那位警察曾经是安全区的警察,我们只有为数不多一些警察。

问：马吉先生，你本人亲眼目睹的杀人事件大约有多少呢？

答：我想我在证词中已经说得很明白了，我本人只亲眼看到过一个人被杀。

问：一个人。那么，关于强奸行为，你本人有没有目击过强奸事件呢？如果有，目击过多少次呢？

答：在我的证词里，我讲过我目击了一个人被强奸，此外我还说过我曾经把两个日本士兵从一个女孩的床上赶走，但是我……

问：那么一共是两次，还是一次？会不会一次是强奸而另外一次是试图强奸呢？或者两次都是你亲眼目击的强奸？

答：我看到一个日本人正在进行强奸，另外两个日本士兵当时正在一个女孩的床上，后来跑了，女孩们的父亲说在我们到达前，女孩已经被强奸了。

问：你记得你本人看到过多少次抢劫事件呢，不管你知道是抢劫还是你本人被抢劫？

答：我说过我记得抢劫电冰箱的事件，我看到时他们正在进行抢劫。我正在回忆……

住在我隔壁的一位妇女跑来找我，说"那个人刚才抢了我 80 美元"。我冲向那个人，但是我不能强迫那个人——他的表情足以证明他干过这事，我不能把我的手放到他身上，把那个女人所说的被他抢走的 80 美元夺回来。有一个非常现实的原因，我不可能看到更多的抢劫事件，因为很奇怪，每当我们冲到日本士兵面前，他们就会躲到另一个地方，然后走开。我们常常想知道他们为什么能从妇女那里抢走那么多的东西。我们赶不走他们，当他们要抓走男人时，我们救不出这些男人，但是在其他方面，他们似乎害怕我们。

问：或许他们是害怕被抓住、被认出，并且受他们的长官惩罚，有这种可能性吗？

答：我们认为——虽然我们没有证据——我们认为他们接到了命令，不要惹美国人，因为我记得一件事情，当时我们3个人：白俄人波德希沃洛夫、我的同事福斯特和我自己，被叫去救一个女人，我们急忙冲到一个地方，日本士兵正在那里用刺刀威胁一名妇女。他看到我们过来，马上逃走了，但是把刺刀丢了下来。我们追了他整整一个街区，我们觉得可以好好吓他一下，我们捡起了刺刀。

问：刺刀上有没有序列号，有没有任何能够帮助你确认其身份的东西？

答：我们把刺刀送到了日本大使馆，交给大使馆的人。我没有注意刺刀上任何的号码，我也没有找过号码，我告诉大使馆的人所发生的事情。可能是第二天，他们派来一个英语很流利的人，我听说他是第二代日裔美国人，他说他将调查这一事件，我开始向他讲述我碰到的和我见到的各种各样的事情，当我说到把一个士兵从一位妇女身边赶走的时候，他开始笑了。

问：在你所提到的案件中……

答：你说什么？

问：在你所提到的抢劫电冰箱的案件中，有没有任何迹象表明这些冰箱不是被日本军队通过合法手段征用的，有没有什么事情可以说明这确实是一起抢劫或偷盗事件？

答：我把这件事看作是发生在整个南京的抢劫的一部分。

问：当时没有人进行抱怨，商店老板和日本士兵之间也没有发生打斗，是吗？

答：没有人曾经抱怨过任何事情，对任何人来说，就任何事情进行抱怨都是不利的。一个弱智的妇女想要夺回她的被褥，结果脖子被刺伤了。

问：那么，马吉先生，在这起事件中，在你亲眼看到的杀人事件中，你本人有没有把这件事通报给日本人呢？如果有的话，你还记得他的姓名吗？如果记不得他的姓名的话，记不记得他的职务或他的权限呢？

答：我记得没有做过任何单个的通报。我有可能把这件事和其他许多事情一起告诉过田中或者其他我见过的日本人，但是有些——我不记得通报过具体的案件。

问：我明白了。那么，在强奸和抢劫事件中，你有没有把这些事情通报给日本军官或日本机构吗？

答：我通报了各种各样残暴的行为。但我无法告诉你我向斯迈思汇报过多少次。

问：谁？

答：刘易斯·斯迈思，安全区委员会的秘书，该组织后来又成了国际救济委员会。但是其他事件，我记得在谈话时告诉过田中先生，我记得我告诉过他一起事件，但是有多少——我想还有很多这类的事情我看见过，我没有告诉过任何人。我太忙了，我没有和其他外国人住在一起，我一直和中国人在一起。

问：马吉先生，我只对你亲眼目击的事件感兴趣，只对这些事件如何汇报感兴趣。在你本人所目击的事件中，你是在事件发生多长时间后报告的？

答：我不知道我向斯迈思先生汇报过多少次，但是在委员会打印的书面报告中应该有这些报告的记录，这些记录后面应该有报告者的姓名。我记得曾经在这些报告的后面见到过我的名字，但是我现在想不起来汇报过哪些事件，哪些事件没有汇报过。

问：我明白了。那么，当你最终做了报告后，你在报告中有没有详细地描述所发生的事件，有没有提到被指控的人和他的组织，有没有提到任何能够确认其身份的东西？

韦伯庭长：布鲁克斯辩护人，我不想打断你，尤其是在这位证人正在提供可怕的证据时，但是这些答案没有什么帮助。

布鲁克斯辩护律师：如果法官阁下能够再给我几分钟的话，我认为这些答案会有所帮助。

韦伯庭长：从你的态度上，我觉得你并不是真的想对证人的可靠性提出质疑。

布鲁克斯辩护律师：如果法庭允许的话，我想证人一直非常的公平，我希望法庭能够宽容我，因为我是唯一进行反诘的辩方律师，我只想提出几个观点，我想法庭会宽容我几分钟的。

韦伯庭长：好的。

布鲁克斯辩护律师：我收回我刚才的问题。

问：马吉先生，在这件事上，以及在任何其他此类事件上，假设我当初和你一起在现场的话，或者是当你做报告时，你能不能向我提供任何信息用来确定对此有罪的人的身份，从而使之能够得到惩罚呢？

答：我们没有办法知道这些人的姓名和组织，除非我们把他拦下来问一问。他们通常都会跑开。但是我们还是得报告，我们很多人都向日本大使馆进行过报告。然后，他们会派一个人过来，我已经忘了他的姓名，但是我们极其讨厌他。他并不是真的想要调查案件。他的首要目的是找出谁向我们提供了消息。

问：那么，一个大问题是确定这些犯下暴行的人的身份，从而使他们受到应有的惩罚，是吗？

答：最大的问题是彻底制止这种事情……

问：我知道这一点。

答：（继续）当然，这些人没有任何的意图——我们什么也没有看到——我们没有看到任何迹象表明有人受到过处罚。我听说过的唯一处罚就是一名军官当着拉贝先生的面打了一名日本士兵的耳光。

问：12月13日之后，在城外仍然有战斗，是吗？

答：当然，我相信肯定有战斗，我并不知道，我没有听说过任何这类事情，但是我相信在南京城外几英里的农村地区肯定有战斗发生，而我对城市附近发生的事情一无所知。

问：城里的部队并没有频繁地被调动到战斗地区，再被调回来——其他士兵被调回来休息并休整。

答：我记得许多中国士兵。我想起大概在最后一天，有一个从四川调来的团，向一个城门移动。一个月后，我在南京城外15英里的地方，看到了许多的尸体，军装和帽子和我以前看到的一样，还躺在那里。

问：有没有办法通过徽章辨认这些部队呢？他们有没有佩带任何徽章使你能够区分开各个部队呢？

答：你说的是中国军队还是日本军队？

问：是日本军队。

答：当然，他们身上有某种标志，但我从没有注意过这些标志。

问：某种什么标志？

答：某种士兵身上的——不管那是什么——但是我从没有注意过。当时我根本没有考虑到这些，而且这些标志都是日语的，是用日文的假名拼写的，我不懂。我不知道这些。

问：就是说，就你而言，在确认他们的身份时，没有什么能够把一个士兵和另一个士兵区分开的东西，是吗？

答：就我而言，我确认他们身份的主要手段是看他们的脸，而我没有机会看到他们的脸。我得到确切证据是那次我得到的日本士兵的刺刀，并把它送到日本大使馆。

韦伯庭长：我们现在休庭15分钟。

（法庭从10:45休庭到11:00，之后继续开庭如下。）

法庭执行官：法庭继续开庭。

韦伯庭长：布鲁克斯辩护律师。

（布鲁克斯辩护律师继续提问）

问：马吉先生，在休庭前你正在陈述关于刺刀的事情，你说过你从来没有注意过刺刀上有任何的序列号来确认士兵的身份，是吗？

答：你能再重复一下你的第一句话吗？

问：刺刀。一般而言，刺刀上并没有序列号或标志，这把刺刀也是这样，是吗？

答：我不记得有任何这类的东西，而且即使有的话，我也没有注意过。

问：那么就没有任何有价值的东西来确定那个有罪的士兵的身份，是这样的吗？

答：我把刺刀带到大使馆的原因是我觉得他们会有办法来确定是哪个士兵丢失了刺刀，从而确定那个士兵的身份。

问：这是个很好的想法，但是我可以想象得出他可以再捡一把刺刀，从战场上捡一把，来替换原来的那把。

韦伯庭长：布鲁克斯辩护人，我想我可以有把握地说你问的问题太细致了。一名日本士兵的身份或者他所在的部队不很重要。你已经承认了证人的可靠性，那么你的质询的范围就很有限了。我们都能够理解你的立场，但是你没有理由坚持做不必要的事情。

布鲁克斯辩护律师：如果法庭允许，我想说明一个调查人员面对的困难。即使想进行处罚，也很难确定那个应该受处罚的人。他们不能找出一个士兵来就把他枪毙了，因为可能是其他士兵犯的罪，这正是我想通过他的证词加以证明的。

问：马吉先生，你说在一起强奸事件中，当你把一些你写的汉字出示给调查人员时，他笑了。这个人懂得汉语吗？你知道他在笑什么吗？

萨顿检察官：证人从来没有说过他就一起强奸事件写过汉字。

问：他当然说过。马吉先生，我理解你的意思了吗？我想你说过你向那个人出示了一些书面的东西，那个人笑了。

答：当我把一名喝醉的日本士兵送到一个岗哨时，我给他看了我写在手上的几个汉字，我说"一个女人，两个日本男人"，并指了指那所房子，这个哨兵理解了我的意思。他是在笑我说的话，还是笑话那个丢了皮带、提着裤子的日本士兵，我就不知道了。

我能说句话吗？在你先前的问题中，日本人完全能够确定那些人的身份，我们做不到这些，但是如果他们派他们的人在城市里到处巡逻的话，他们就有办法确定那些士兵的身份。如果他们真的想制止这些事情的话，他们是能够做到的，只要枪毙25个士兵，事情就会停止了。

韦伯庭长：反诘进行得越长，越是对被告方不利。布鲁克斯辩护人，你必须做出决定，你是否还要继续交叉询问，并从中受益。

布鲁克斯辩护律师：我认为证人应尽量做到公正，法官阁下。

问：你并不是说要不分青红皂白地枪毙这些人，是吗？

答：当然不是。

问：我知道在1938年2月或1月之前，你们的委员会一共报告了308起事件，是吗？

韦伯庭长：有什么意义——你必须根据这个报告中的话提出一个问题，你必须就此提出问题。

问：我收回这个问题。马吉先生，截至1938年初，你们的委员会一共提交了多少份报告，你还记得吗？

答：我不记得了。

问：在12月13日日本人开始进城时，中国士兵是如何处置他们的武器和军装的呢？

答：他们扔掉了他们的武器和军装，我和其他许多外国人捡来了这些武器后再扔掉。即使他们换了老百姓的服装，谁又能责怪他们呢？我记得一些事情，并与一些已经投降了的中国士兵交谈过，他们中的一些人在被屠杀时昏了过去，但他们告诉我这（与投降）没有任何的不同。住在离城15英里外的一个丹麦人告诉我他曾经见到过一个士兵正在投降，当他回南京时，他看到了这名士兵的尸体，很明显他是被毒打致死的。

问：有没有士兵穿着平民服装，在城里充当间谍、破坏者或狙击手呢，你知道这些吗？

答：南京被占领后，在南京城内，我没有听说过在城里发生过一起这类的事情。

问：在你的回答里，我觉得这种事情在城外很常见，是这样的吗？

答：在很多地方都有中国的游击队，这是常识，但是我之所以做出刚才的回答，是因为我没有听说过这种事情，我只听到过传言，说农村地区有中国的游击队。

布鲁克斯辩护律师：我没有更多的问题了。

列文辩护律师：庭长先生：辩方对马吉先生没有进一步的问题了。

萨顿检察官：我们对这位证人不再直接询问了。

（二）法庭上摘要宣读的书面证据

（1946年8月29～30日，星期四～星期五）

1. 证人证词

（1）斯迈思（1946年8月29日）

法庭书记官：检方第1921号文件将被接纳为第306号证据。

（检方第306号证据被接受为证据）

萨顿检察官：（宣读）

本人斯迈思谨作如下陈述：

我1901年生于华盛顿特区。我在爱荷华州得梅因的德雷克大学完成本科学业，在芝加哥大学接受研究生教育，并于1928年在该校获博士学位。

受印第安纳波利斯联合基督教传教协会的派遣，我作为金陵大学社会学教授于1928年10月来到中国。此后，我一直在该校工作。其间只有1934年6月至1935年9月和1944年6月至1946年1月两次休假，我不在中国。除1937年7、8月外，从1935年9

月到1938年7月,我一直都在南京。

1937年11月组建南京安全区国际委员会的时候,我参与筹备并当选委员会秘书。委员会于1937年12月1日在宁海路5号正式办公时,我与该会主席拉贝先生同在一个办公室工作。日军进入南京后,很明显,我们不得不就日军虐待中国平民和放下武器的士兵之事提出抗议。起初由我负责起草抗议信函,后来拉贝建议:考虑到我们分属不同国家,我们采取轮流签署的方式。在日军占领南京后的最初6星期,我们几乎每天都要发出两封抗议信。通常其中一封由拉贝和我自己亲自交给日本大使馆,另一封则由信使送出。

在起草抗议信函并将它们递交给日本大使馆之前,我竭尽全力核实案件的准确性。不论调查某案件的国际委员会的代表在什么地方,我都会尽可能与之晤谈。我们交给日本大使馆的案件均系那些我认为是准确可靠的。

我现在没有这些报告的副本。这些文件的副本后来交美国驻南京大使馆存档。委员会递交给日本大使馆的这些报告、信件以及其他一些信函在徐淑希所编的《南京安全区档案》一书中被准确地列出。

在拉贝先生和我几乎每天与日本大使馆的交涉中,他们从来没有否认过这些报告的准确性。他们不断保证将会对此采取措施。但直到1938年2月(日本当局)才采取了一些改善局势的有效行动。

1938年春,我在南京地区作了一番战争损害调查。调查结果以《南京地区战争灾祸——1937年12月至1938年3月》为书名,由南京国际救济委员会于1938年6月出版。

"我于1946年6月7日在中华民国南京市签名以资证明。"

斯迈思

证明书证明其无误。

洛根辩护律师：如果法庭允许，我想说，直到萨顿检察官念这份宣誓证词，我还没有意识到这是斯迈思先生，先前有个证人提到过他。他们两位均在一个委员会工作，在另一证人已经出庭作证后，我们在办公室提出对某些文件做出说明时，检方当时告诉我们斯迈思先生将出庭作证。

萨顿检察官：庭长先生，出于对我的朋友、辩护律师的尊重，我得说明我不记得讲过这种话。我肯定没有表示过这种意思，他在这个问题上无意犯了个错误。我乐意从记录中来唤醒他的记忆。

韦伯庭长：我们已经听得够多了，请继续举证吧。

(2) 菲奇(1946 年 8 月 29 日)

萨顿检察官：检方下面将提供 1947 号文件，即菲奇先生 1946 年 6 月 18 日签署的有关南京陷落后情况的宣誓证词作为证据。

弗内斯辩护律师：我可以问一下检方，菲奇是否是目前在东京的证人之一，他是我要求由委员会对其取证，而法庭回答他可以提前作证的那个人吗？

萨顿检察官：菲奇先生来过东京，而且在这里待了一个多月。他在联合国善后救济总署中国湖南办事处工作，他正在从事的工作如此重要以至于他绝对必须赶回中国去。

弗内斯辩护律师：辩方——

萨顿检察官：我们已经尽力让他回来，但现在赶回来似乎不可能。

弗内斯辩护律师：我想指出这(他的工作)从属于法庭的命令，辩方也已表示，菲奇先生将随时出庭作证。

韦伯庭长：这份宣誓证词也与所称的南京暴行有关。可以按惯例采纳。

法庭书记官：检方第 1947 号文件将被接纳为第 307 号证据。

(检方第 307 号证据被作为证据采纳)

萨顿检察官：（宣读）

本人菲奇，美国公民，1883年1月23日生于中国苏州。首先进行宣誓并作证如下。

我从1909年12月到1945年12月21日一直生活在中国，其间仅偶尔在美国或其他的地方休假。在中国期间，我一直是纽约基督教男青年会国际委员会的一名秘书。1945年12月21日至今担任联合国善后救济总署代理地区主任。1936年夏至1938年2月15日，我一直在南京。日军占领南京后到1938年2月15日左右这段时间里，我担任安全区主任。以下摘录或段落源自当时我写的日记，内容属实。

数以千计的无辜百姓当着你的面被抓走枪毙，或用作练习刺杀的靶子，而你还不得不听着杀害他们的枪声。不论何人，（遇到日军时）只要他跑开就必定会被枪杀或用刺刀刺死。在这里，这似乎成了一条规律。当我们碰巧来到陆军部附近时，这里显然正在处决数百名放下武器可怜的军人，其中还夹杂着许多无辜百姓。

12月15日，我看到大约1300名身着便装的男子，从国际委员会附近的一所难民营被抓走。他们排列成行，每百人一组被用绳子捆绑着，由日本士兵手握上了刺刀的枪押送。尽管我与指挥官进行了交涉，但这些人还是被押走枪毙。12月19日是完全混乱的一天。日本士兵在多处放火，大多得到其上级的同意。多处美国国旗被撕毁。军方对日本士兵完全未加控制。

12月20日，星期一。抢劫和暴力毫无阻碍地继续着。整条太平路在燃烧，南京大多数重要商店都在这条街上。我看到，日本士兵在放火烧毁商店之前，用军用卡车装运抢来的东西。我还亲眼看见一伙士兵在点燃一栋大楼。紧接着我开车来到基督教男青年会，看到房子已经烧起来了，但很明显刚刚不久前才被人点燃。当晚，我从住所窗口看到14处地方起火，有的着火面积很大。

日本人在抓人时完全无章可循，随意从难民营抓人。手上有老茧或头上有戴过帽子的压痕就足以证明这个人曾经当过兵，成了他必死无疑的依据。实际上，所有难民营均遭一股又一股的日本士兵多次闯入，他们随意把人抓走枪毙。

1937年12月22日，在离我的办公室1英里远的一个池塘中，我看到有50具尸体。这些人均穿着便装，大部分人双手被反绑，其中一人半边脑袋被完全砍掉。随后，我又在池塘中、大街上和屋子里见到数百具中国人的尸体，大部分为男性，也有一些女人，样子同样很惨。

我们委员会每天向日本大使馆递交暴行报告。

菲奇（签名）

韦伯庭长：我注意到这份陈述是当着莫洛上校的面宣誓的。你难道不能找到其他独立人士吗？我知道这也许很困难。

(3) 陈瑞芳（1946年8月29日）

萨顿检察官：检方下面将提供第1736号文件作为证据。该文件是陈夫人1946年4月8日的陈述词，涉及1937年12月沦陷后南京的情况，特别是金陵女子文理学院的情况。

韦伯庭长：按惯例采纳。

法庭书记官：检方第1736号文件接纳为第308号证据。

（检方第308号证据被采纳为证据）

萨顿检察官：（宣读）

本人陈瑞芳谨作证如下。

本人71岁,是金陵女子文理学院宿舍总监。我连续在该校工作了22年。1937年12月南京沦陷后,校园被宣布为一个安全区。全城共有20多个安全区。金陵女子文理学院收容1万多妇女和儿童。除了身上穿的,绝大多数难民未带衣服,只有少数人带着被褥。

日本士兵以搜查中国兵为借口进入校园,但事实上他们是为了到这里找年轻姑娘。魏特琳小姐是一名外国女士,是这里的负责人。她做出了了不起的努力,阻止日本士兵带走这里的年轻姑娘。尽管她和我以及其他同事竭力保护,日本士兵还是在1937年12月17日闯进校园,带走了11个年轻姑娘。其中9人惨遭日本军官的强奸和凌辱,事后才放她们回校园。米尔斯先生见过她们。但我们从未听说过其他2个姑娘的下落。一名姑娘被送回学校时已不能走路。她被严重地打伤,多处淤血、肿胀。她说自己被4到5名日本士兵多次轮奸、踩踹。她精神失常了。

最初4周,日本士兵每天晚上都过来找年轻女子。魏特琳小姐竭力阻止。最初4到5周是最糟糕的一个时期。有一次,我冲进一个房间,赶走大白天闯进来强奸姑娘的日本士兵。其他日本士兵还公然企图在校园操场上强奸姑娘,被魏特琳小姐和其他保护女孩的人们合力将其赶走。

魏特琳小姐屡次前往日本大使馆报告日军暴行,请求他们向这些年轻女子提供保护。4到5周后这种局面才开始渐止,几个月后危险才算过去。

为了取乐或者是为了取暖,晚上日本士兵在全城到处点燃私人房屋。有一位在该校做工的妇女,她做生意的丈夫被日军杀害,她的家被日军烧掉,连3个月大的婴儿也被烧死。

在其他一些安全区,由于没有像魏特琳小姐这样保护难民的外国人,情况比金陵女子文理学院更糟。难民在校内操场上住了 5 个月,之后我们收留约 600 名女孩,准备为她们办一所学校。主要目的就是为了保护她们。

1946 年 4 月 8 日,(签名)陈瑞芳(按印),并由国际检察局律师见证。

(4) 麦卡伦(1946 年 8 月 29 日)

检方下面将提供麦卡伦 1946 年 6 月 27 日的宣誓证词,即国际检察局第 2466 号文件。这份证词展示了麦卡伦的日记,记录了日军 1937 年 12 月占领南京之后的情况,时间从 1937 年 12 月至 1938 年 1 月。

韦伯庭长: 它们与所谓的南京暴行有关吗?

萨顿检察官: 是的,庭长先生。

韦伯庭长: 按惯例采纳。

法庭书记官: 检方第 2466 号文件标为第 309 号证据。

(检方第 309 号证据被采纳为证据)

萨顿检察官: 如果法庭允许,我准备宣读这份证词的部分内容而不是全文。

韦伯庭长: 可以。

萨顿检察官: (宣读)

麦卡伦日记中有关 1937 年 12 月至 1938 年 1 月间日军占领南京后的情况。

1937 年 12 月 19 日。中国军队的南京保卫战失败刚一个星期。星期一,日本军队沿中山路行进经过大学鼓楼医院,到处都是日本国旗。我们都松了一口气,以为在经历了由中国军队撤退造成的恐慌和蜂拥逃窜后,秩序即将恢复,当飞机越过头顶时将不再引起惶恐与紧张。但是,一个星期过去了,这里却已经变成了人间地狱。

　　这里叙述的是一个个恐怖的故事，我不知道从何处开始，也不知道到何时才会结束。我从未听说过或目睹过如此的暴虐。强奸，强奸，还是强奸！我们估计每晚至少有1000起案例，而白天也有许多。人们只要反抗或稍有不顺从，就立刻遭到刀刺或枪击。我们每天都可以记录数百起案例。老百姓歇斯底里，不管是什么时候，只要遇到我们外国人，他们就跪下磕头，恳求援助。那些被怀疑是士兵或其他身份的人，成百上千地被带到城外枪决。我们医院的工作人员有3次被抢去钢笔、手表和钱。就连某些难民营中的贫苦难民也一再遭到抢劫，即便最后一分钱、最后一件衣物、最后一床被褥，顷刻间也被抢夺得一干二净。每天上午、下午和晚上都有妇女被抓走。整个日本军队似乎完全可以凭自己高兴，自由出入任何地方，恣意妄为。金陵女子文理学院、金陵大学和五台山学校的美国国旗经常被撕毁。神学院、圣经师资培训学校、金陵大学、金陵女子文理学院、金大附中、蚕桑楼、图书馆等几十处地方，每夜都有强奸、抢劫、枪击和刺杀的暴行发生。如果有外国人在，在大多数情况下还能阻止暴行。但我们只有15至20人，不能在所有时间守护每所房屋。

1937年12月29日

——我将从下页第二段开始宣读。

　　每隔一两天我就去巡视教会财产。每次去我们都会在北下路的房屋里发现不速之客。每座外国人的房屋都存在这样一种情况：日本军队到达以前安然无恙，而现在日军所到之处没有未遭侵犯的，所有的锁都被砸，所有的衣柜都被洗劫。他们搜寻现金和任何值钱的东西，乃至到烟囱、到钢琴里面去寻找。

我们的留声机唱片全被砸碎，盘子碎了一地，与每次遭劫掠后丢弃在地板上的其他物品混在一起。钢琴的前盖被掀开了，琴键均遭重物击打破坏。我们的房子在安全区外面，出现这样的情况并不出乎预料，但位于安全区内的房屋也遭受同样的厄运。我们男校的两所房屋被人纵火，其中一所被烧毁。南京城一片凄凉。日军进城之前很少有房屋遭破坏，但之后商店不仅被洗劫一空，且大部分被烧毁。太平路、中华路和城内每条商业街都变成一片废墟。城南多数主要街道的背街地区也被烧毁。我们每天都能看到新的火情，不知道这种兽行破坏何时才会停止。但一般市民的遭遇更为悲惨。他们一直处于恐怖笼罩之下，毫不奇怪，许多人除了身上穿的一件单衣，已经一无所有。他们无依无靠，手无寸铁，听任日本士兵的摆布。日军可以到任何他们想去的地方。军纪荡然无存，许多日军士兵喝得醉醺醺的。白天他们进入位于安全区中心的房屋寻找中意的妇女，然后晚上就过来将她们掳走。如果她们躲开，对此负有责任的任何人就会被当场用刺刀刺死。十一二岁的小姑娘和五十岁的老妇都逃不过他们的魔掌。反抗会招致杀身之祸。伤的最厉害的人会来到医院求治。有一名妇女怀孕6个月，因为不从日军的凌辱，结果脸部和身上留下16处刀伤，其中一刀刺破下腹，被人送进我们医院。虽然胎儿死掉了，但这名妇女的性命却得救了。如同许多听信日本人会免其一死的许诺、而把命运交由日本人处置的人一样，有一位男子活着回来向我们讲述了他们一群人的遭遇。他说，日本士兵向他们的头上倒汽油，然后点火烧他们。这名男子其他部位还好，就是头上和颈部烧伤严重，几乎让人无法相信他还是一个活人。同一天，还有一人半边身子被烧，也来到医院，他还遭到枪击。总体看来，这群人先被机关枪扫射，然后他们的尸体被堆在一起焚烧。虽然具体情况我们不知道，但这名男子显然从死人堆中爬了出来，并设法来到医院求救。这两人都死了。我讲的故事如此恐怖,好几天你都可能要大倒胃口。这绝对难以置信,但数以千计的人被冷酷无情地屠杀了——具体有多少很难猜测,有人确信人数达到1万。

省略下两段。

1937年12月30日——从第三句开始

晚饭前,一名12岁的女孩被两名开着黄色出租车的日本士兵劫持。一些男人在金陵女子文理学院、马吉那里以及其他地方被强行带走,他们被指控曾当过兵。尽管在难民中有朋友可以证明这些人的平民身份,而且他们自己也极力申辩,但就因为手上有老茧,日本人未作进一步的调查就认定他们当过兵。许多人力车夫、船工和其他劳动者被枪杀,仅仅因为他们手上留下了诚实劳作的印记而已。据报告,江岸汽车站附近一德国人寓所的一个老年看门人昨天被杀害。日本士兵在这里抓不到年轻男子服劳役,而这个老人自己又拒绝前往。

英文本第4页余下部分省略,英文本第5页前3段从1938年1月1起,接下来——

布鲁克斯辩护律师:如果法庭允许,我认为检方出于公正考虑,应该宣读第3页第3段作为庭审记录,该段以"我们也碰到一些非常不错的日本人"开始。否则,它就变成了一种摘要,即仅摘支持他们论点的资料,而省略那些表明这并非是普遍政策的材料,这样是不公平的。至于其他省略部分我们不置一评,我相信这么做是有道理。

韦伯庭长:我当然认为,不论何时何地,成群的日本人中必定会有一些正派的人士。辩方辩护时可以宣读这些材料作为他们的证据。

布鲁克斯辩护律师:我认为,在军事法庭审判中,检方有义务提供一切证据让法庭考虑。我特别希望提请注意这句话："尽管日本大使馆人员是友好的,并试图帮我们解决问题,但他们却始终没有办法。"这表明至少外交官员试图做点什么,因为我们已经有其他证据说明这一点。

韦伯庭长： 检方上法庭是为了提交战争罪的证据,不是为了说明个别日本人的善行。不允许有更多的此类干扰。

萨顿检察官： 继续第5页"1938年1月1日",略去紧接的第1、2段及下段的头两句。我继续:

(宣读)

> 我们的节日给毁了。大约在吃完晚饭的时候,两个男人从马吉的处所——他有三处挤满难民的地方——跑来,说有两个日本士兵进去找女人。我们找来一部车,由菲奇开车带马吉和福斯特前往。稍后,他将两名妇女送到医院,一名遭奸污,另一名被毒打的女子在其父亲的帮助下逃脱,但跳窗的时候受伤。两人均有些歇斯底里。城东南尼姑庵的一名尼姑被人送到我们这里。她12月14日就已经受伤。她们5人在一防空洞里躲避,日本士兵从防空洞的两端进入,杀死3人,伤2人。尼姑和她10岁的小徒弟两人藏在朋友尸体下才捡回性命,但18天没有得到治疗、5天没有食物。附近的一名男子设法将受伤严重的这名尼姑送来医院。她告诉我们背部被刺伤的小尼姑的情况,于是,我开着救护车去救她。小尼姑的伤已经痊愈,她所需要的只是食物、洗澡以及舒适的环境。因为周围都是日本士兵,住在城东南的人们过着担惊受怕的日子。

我省略该段余下部分,略去下两段。我从该页最后一段读起,该段其余部分略去。

今天傍晚,我数了一下,南京城不同地段有 5 处规模较大的火情,而且焚烧、掠夺和强奸仍在继续。尽管有日本士兵光顾,但安全区的情况却好多了。

1938 年 1 月 3 日这天的日记,我略去接下来的一段,从第 7 页第 1 段开始念。

每天都会得到许多糟糕的报告。昨天下午,一名男子在救济会总部附近被杀害。今天下午,日本士兵企图强奸一名妇女,她的丈夫出面阻止并协助她反抗。但日本士兵不久就返回,开枪打死了她的丈夫。

"今天早上又来了一个处境相当悲惨的妇女,她带来一个令人可怕的故事。日本士兵将包括该妇女在内的 5 名妇女抓到他们的一个医疗单位,白天让她们洗衣服,晚上对其实施奸淫。其中有两人每晚被迫满足 15 至 20 个士兵的兽欲,最漂亮的一个每晚竟遭 40 个士兵的蹂躏。来找我们的这名妇女,曾被 3 个日本士兵带到一个偏僻的地方,他们企图在那里砍下她的头颅。结果她的颈部肌肉被砍断,而颈椎未断。她装死,然后吃力地爬到医院——是又一名遭受日本士兵暴行的目击证人。威尔逊大夫正尽力为她治疗,认为她尚有一线生机。我们这群人日复一日地向日本当局报告这些可怕的情形。他们已经发布命令,对这种行为严厉约束,但每天仍有暴行发生。"

我略去 1 月 4 日、5 日和 6 日的日记,从第 9 页 1 月 7 日开始宣读。

我们在北下路的院子里还有一具尸体,我们南门"妇女楼"的一层有一具,普洛泊家中还有一具,全都死于 12 月 13 日前后。在普林斯的院子里有一名6个月大的婴孩,日本士兵强奸他妈妈时他哭闹不止,导致这名日本士兵捂住他的口鼻,活活将他憋死。"

我略去该段余下部分及下面一段。

1月8日:一些记者来到难民营门口向难民分发蛋糕和苹果,还送给他们一些硬币。这种善行被拍成电影。与此同时,一伙日本士兵翻越大院后墙,强奸了约12名妇女。而这一幕却没有拍成电影带回去。

建筑部门希望恢复水电供应。就在拉贝为寻找水电工人重返岗位作最后安排的前一天,一名军士带领一支分队进入英国和记洋行,从电灯公司抓走一群雇员,其中43人被列队枪杀。该电灯公司是一家私人公司。日本士兵未经调查就宣布他们是中国政府雇员。日军占领一个月后的情况大致如此,丝毫没有改善的希望。

以下省略该页后面两段,省略整个第10页1月11日、12日两天的日记,第11页第一段只读"1月13日"这个日期,略去第11页其余部分和第12页开始两段。我将从第12页第3段,即日期为1月13日的那段开始重新念。

(宣读)

情况已经好转,但恐怖仍在上演。两天前,我去诊所时看到手术台上躺着一个15岁的男孩,部分胃和肠子从腹部露出。伤口已经有两天了。他住在武定门外不远处。日本士兵抓他做工,要他挑蔬菜。菜运到后,日本士兵翻他的衣服,抢走6角钱,然后用刺刀刺了他好几下。

我们英国使馆的朋友们在听我们的讲述时难以承受。这些故事对他们来说过于血腥,我们已经在很大程度上降低了事件的血腥程度。不过,他们自己也撞上一些相当恐怖的事,得到了第一手资料。他们在巡查英国财产时,在和平门亚细亚石油公司附近发现一名妇女的尸体,体内插着一根高尔夫球棍;部分内脏外露。现在,你该明白人们为什么还要待在难民营,为什么还会感到恐惧了吧? 只要在场,我们能够保护在美国财产范围内的难民,但我们所能做的不过杯水车薪而已。

略去日记余下部分。以上内容经由麦卡伦在美国驻南京副领事面前宣誓并被确认。

韦伯庭长:我想该休息会儿了。休庭 15 分钟。

(5) 孙永成(1946 年 8 月 29 日)

(从 10:15 休庭至 11:00。之后重新进行庭审,记录如下)

法庭书记官:检方第 1718B 号文件将被标上第 310 号证据。

(上述文件被标以检方第 310 号证据,作为证据由法庭采纳)

萨顿检察官:(宣读)

我在南京长大,现年 40 岁,已婚。在日军占领南京前,我曾是一名大米商人。我住在难民营,日本人认为我曾当过兵,以此为由将我从难民营抓走。后来日本鬼子终于承认我是平民。他们让我为日军做工,我被安排在日军厨房烧水,正是在这里,我看到了一起屠杀南京平民的事件。日军光顾难民营,检查良民证。日军兵营靠近南京火车站。百姓被命令去日军司令部领取良民证。第一次来的时候,他们就被拘留,第二次也是如此。就是这些人被屠杀。日军以要求这些人(有男有女)在河堤点名为由,将他们排成队。载着机关枪的卡车开了过来,车上的日军对准人群开火。每辆卡车上有15到20名士兵。日本军官在场，每辆军车上都有一名佩带军刀的军官。我在厨房，离遭枪杀的人群大约40英尺远，射击持续了1个小时左右。在我观察的那段时间，我估计有1万人被枪杀。

上文提到其姓名的那个女孩和男子也同样看见上述场面，他们与我一道在厨房干活。大部分尸体被扔进河中，而且我看见日本士兵把这些尸体扔进河中。有一些尸体就留在堤岸上。向河中扔尸体的士兵大约有400名，他们干了一个半小时左右。有一些尸体遗弃在岸上，并在那里停放了数月之久。机关枪射击的声音离我非常近，我的左耳都被震得有点聋了，直到现在仍有问题。我干了三个多月，然后逃跑了，但在出逃时受伤。这份陈述由中国军队的杜上校翻译给我听，内容属实。这次屠杀发生在1938年12月[1]。

以上用中文签名，并由杜云康上校和莫洛上校见证。

（6）李涤生（1946年8月29日）

（检方下面将提供第1729号文件，即李涤生1946年4月7日的陈述词作为证据）

韦伯庭长：关于哪方面的？

萨顿检察官：有关南京陷落后日军行为的陈述词。

韦伯庭长：以后请不要等我问到之后才告诉我。按惯例采纳。

法庭书记官：检方第1729号文件将标上第311号证据。

（上述文件被标以第311号检方文件，并作为证据被采纳）

萨顿检察官：（宣读）

李涤生陈述词。李涤生，现年28岁，已婚，家住南京尚书巷7号。

---

[1] 原文如此。

大约在1937年12月15日早上8点左右,当我从北祖师庵46号的一家杂货店出来的时候,看见两个日本士兵向我走来。日本士兵正征召中国平民做劳工,我看见他们已经征召到一批,约30名中国平民。日本士兵命令我停下,当时我手上拿着饭碗,我弯下腰把饭碗摆在一块木板上。日本士兵对我没有立即停下来感到不高兴,他们打我耳光,强行把我推入劳工队伍。我们被押解到下关兴中门,日本人要我们搬走中国政府军队在打仗时为阻挡日军而堆在城门前的沙袋。头一天平安无事。第二天我再次去干活时发现,只是因为没太明白日本人让他们做什么,与我们一道干活的劳工中有3人被日军开枪打死。于是我决心在干完当天的活后逃走。

第二天,我在难民区再次被日本士兵抓去作劳工,与我一起的还有3人。日本人命令我们用扁担替他们挑行李。其中一人挑不动,问日本人他是否能回家。日本士兵命令他跪下,用扁担将这个可怜的同伴活活打死。

大约在12月23日,我当时正住在北平路的一栋房子里,上午9点左右,两名日本军官和几名士兵带着一个中国人来到我们住的这条街,并让这名中国人为他们传话。日本人命令所有街坊邻里从屋里走出来,然后,这个中国人告诉大家:所有人都要从日本人那里领取居住证。这些居民被告知,曾为中国军队工作过、适合为军队服务、曾被征召到劳工团的人走到前面来,这些人将受到日本人的照顾。他们将为日本人工作,并能得到报酬,得到住处。当他们不想再为日本人工作时还允许他们随时回家。有50至60个人从队伍中走了出来。大多数人都是些无家可归者、失业者,都以为日本人会履行承诺。事后,我回到家中,从楼梯窗口观察。我看到日本人押着这50至60名男子往这条街的另一头走去,这条街叫……(陈述词在翻译时将其省略)所有这50至60

名男子在小水塘边的空地上排成行,被机关枪打死。我看到有一个还没死,挣扎着,日本人向他们所有人身上浇汽油,用火烧他们。

大约在12月27日上午10点,当我走在上海路时,我看见一个日本士兵从一名国际安全区警察身边走过。这名警察在擦身而过时向这个日本士兵敬礼,日本士兵命令他不准动,然后用刺刀刺他的腹部,这名警察当场死亡。

以上陈述由裘劭恒为我译成中文,内容属实。

签名:李涤生

约翰·克劳利及裘劭恒见证

(7) 陆沈氏(1946年8月29日)

检方下面将提交第1739号文件,陆沈氏的丈夫1937年12月于南京被日军杀害,她于1946年4月6日就此作证。

韦伯庭长: 按惯例采纳。

法庭书记官: 检方第1739号文件将被标以第312号证据。

(上述文件被标以检方证据第312号,作为证据被法庭接受)

萨顿检察官: (宣读)

本人现居南京,是一名45岁的寡妇。大约在1937年12月21日,一伙日本士兵从南京过长江来到我在六合的家中。我的丈夫是名教师。这伙日本士兵约有20人,他们要求找到女人,其中8人将我围住想把我带走。但由于我4个孩子当时在哭闹,日本士兵不耐烦就离开了我的屋子。这样,日本士兵没有将我带走。这是大约6点或7点钟的事——

韦伯庭长: 7:00或8:00。

萨顿检察官: (继续)

——是晚上。过了一会儿,又来了 5 或 6 个某(原注:中岛)联队的日本士兵(另一伙)。他们带走我丈夫想把他送进劳工团。日本人要他扛谷子,但因为他扛不动,日本士兵在相距 100 码远的几个地方用刺刀将他刺死。我看见了这一幕,因为我跟在他的后面想看看日本人会把他怎么样。我丈夫的尸体第二天就埋了。他的颈子、腰、额头等数处被刺。看到他被刀刺死,我就逃回家中。我与父亲一道回家,他也看到这一幕,现在他也住在南京。还有其他人看到这件事。我父亲的名字叫孙松延。

这份陈述由裘劭恒翻译,内容属实。手印。莫洛上校、约翰·克劳利以及裘劭恒见证。

布鲁克斯辩护律师: 对不起,辩方想得到这些空白处省略掉的目击者以及该师团的中文名字。这可能非常重要,如果当时可能将中文名字翻译成英文的话,我们想把这些名字记录在案。不要仅仅说声这些是中文名字或中文字就了事。

韦伯庭长: 布鲁克斯辩护人,你可以核实原文。我们不会为这类事耽误庭审进度。

布鲁克斯辩护律师: 对不起,辩方没有中文翻译。

韦伯庭长: 有一个坐在桌旁,相信对你会有帮助的。

(8) 吴经才(1946 年 8 月 29 日)

萨顿检察官: 检方下面将提供第 1732 号文件,即吴经才 1946 年 4 月 7 日陈述词作为证据。该陈述词是有关日本士兵于 1937 年 12 月杀害 5 名平民一事的。

韦伯庭长: 按惯例采纳。

法庭副书记官: 检方第 1732 号文件将被标为第 313 号证据。

（上述文件被标以检方证据第 313 号，并被作为证据采纳）

萨顿检察官：（宣读）

吴经才陈述词。吴经才，现年 26 岁，南京本地人，住同仁街 2 号。

在 1937 年 12 月 13 日日军进入南京之前，我已经搬进难民区。大约在 12 月 17 日，日军在我住的那条街上入室搜查。当他们搜到我住的房屋时，命令我替他们挑他们抢来的东西。之前他们已经找了好几个中国人替他们挑战利品。

在前往日本士兵当时住的幕府山的路上，又有一些平民被抓来替他们挑沿途继续入室抢夺来的物品。到达幕府山后，日本士兵命令我们所有人都留在那里服侍他们。大约在 12 月 20 日晚上 7 点左右，日本士兵检查所有被抓过来为他们干活人的手掌。其中 5 人被发现手上有老茧，于是他们被日本士兵用刺刀刺死。我之所以看见这一幕是因为我在场，而且双手也被检查过。在日本士兵带我们前往幕府山的时候，我发现有许多尸体躺在路边以及其他一些地方，估计有 200 名中国人，其中包括许多儿童。多数人包括儿童都是被刺刀刺死的。

这份陈述词由裘劭恒翻译给我看，内容属实。

用中文签名。约翰·克劳利以及裘劭恒见证。

(9) 朱勇翁[1] 和张继祥（1946 年 8 月 29 日）

检方下面将提供第 1719 号文件，即朱勇翁[1] 和张继祥有关南京被占领后日军杀害 4 人的联合陈述词作为证据。

韦伯庭长： 按惯例采纳。

法庭副书记官： 检方第 1719 号文件将被标为第 314 号证据。

（上述文件被标以第 314 号检方证据，作为证据被采纳）

---

[1] 日文版为"朱帝翁（Chu Yong Ung）"。

萨顿检察官：（宣读）

  我们住在同一条街上，靠得很近，街名叫船板巷。日本人进城的第一天，我们两人带着全家逃到郊区，在那里住了下来。日军指控我们曾在中国部队干过。在一所房子里有 14 口人（两家），日本士兵来后杀死了朱勇翁[1]的儿子（他儿子 30 岁，还有个女儿 27 岁，当时还怀着身孕）。女儿被踢死、儿子被枪杀。我们两人都看见这一惨景。我们在房屋前被日军排成队，另有两人被杀害，即张继祥的父亲，当时 13 岁[这里显然打印有误——原注]和张继祥的叔叔。其父被枪杀，其叔叔被枪击和刺刀刺死。我们两人都是目击者。当时大约有 80 名日本兵。我们当时都跪在日本人面前。事后，其余的人都逃走了。我们之中没有一个男人曾当过兵，全是南京市民。这份陈述词由裘劭恒翻译并念给我们听，内容真实无误。

签名：朱勇翁[1]和张继祥
莫洛和约翰·克劳利见证。

(10) 黄江氏(1946 年 8 月 29 日)

  检方下面将提供第 1741 号文件，即黄江氏女士 1946 年 4 月 6 日所作关于南京沦陷后日军杀人的陈述词作为证据。

  韦伯庭长：按惯例采纳。弗内斯少校？

  弗内斯辩护律师：我能问一下，这些是宣誓证词吗？从提交的形式上看，它们不像。从译文来看，它们只不过是些陈述。

  韦伯庭长：宪章有关条款中承认任何签过名的陈述，它是非常重要的，而非采纳与否的问题。

  弗内斯辩护律师：那我是否可以请求当这些材料介绍出来的时候，

---

[1] 日文版为"朱帝翁(Chu Yong Ung)"。

应该把它们称为陈述而非宣誓证词。我认为先前一直把它们当成了宣誓证词。

萨顿检察官：这些材料一直都被称为陈述。如果法庭允许，我还要补充一句。有人提醒我说，日本法律和司法程序以及中国法律和司法程序中都没有宣誓证词一说，在中国法庭上，那些业经签名和被见证的陈述词是得到承认的。

弗内斯辩护律师：这样庭审记录才可能明确，方能反映辩方反对采纳这些陈述就像反对采纳宣誓证词一样，亦能反映辩方的反对被驳回的情况。

韦伯庭长：行了。这一插曲完全没有必要。

法庭副书记官：检方第1741号文件将被标以第315号证据。

（上述文件被标以第315号检方证据，作为证据被采纳）

萨顿检察官：（宣读）

黄江氏，66岁，洋珠巷3号。

本人系南京居民，日本人攻陷南京时，我居住于本市。当时我儿子和女婿和我住在一起，女婿被枪杀，儿子被带走后再也没有回来。我女婿是名会计，儿子是法院文书，女婿是在难民区被日本人枪杀的。我的女婿和儿子都没有当过兵，也没有在军队里做过事。我给日军下跪，求他们放过我女婿，但没有用。这件事是五六个日本士兵干的，其中有一二个带有佩刀，他们杀人不给任何理由。那时我女婿46岁，儿子41岁。我本人是个66岁的寡妇。虽然我没有目睹其他杀戮情景，但是我亲眼看到了南京那时遍地的尸体。

这份陈述由裘劭恒翻译读给我听，内容确实无误。

黄江氏指印

1946年4月6日

见证人：莫洛上校，约翰·克劳利

(11）哈笃信（1946 年 8 月 29 日）

萨顿检察官：检方下面将提供第 1742 号文件，即哈笃信有关南京沦陷后日军杀害平民的陈述词作为证据。

韦伯庭长：按照惯例采纳。

法庭代理书记官：检方第 1742 号文件将被标以第 316 号证据。

（上述文件被标以第 316 号检方证据，并作为证据被采纳）

萨顿检察官：（宣读）

我是南京市民，出生在南京。我现年 27 岁，出生以来一直生活在那里。我是一个平民。12 月 14 日，我看见一名日本士兵向一名平民开枪，将其打死。就因为这人的右手有老茧。日军声称，老茧表明这人当过兵，手上的老茧是使用枪支的结果。而事实上，这人只是一个做面条的平民。我也因同样的原因被检查过，好在我手上没有老茧。枪击发生在我当时所住房屋的院子里。

我看见一名中国妇女被两名日本士兵拖进一间房内。她当时大声哭叫，试图反抗。大约两星期后，我还看到一个日本士兵将一个大约 13 岁的女孩拖进一间房里，事后得知，这个女孩在那里被强奸。

我曾——

韦伯庭长：不要再念了。庭审记录中不需要这些套语。证据中有，不要念了。

萨顿检察官：请再说一遍？

韦伯庭长：不要念签名。这些证据上都有。我们不想在庭审记录中再有这些，因为现在 IBM 设备上正在用日语重复着它们。

(12) 王陈氏(1946年8月29日)

萨顿检察官：检方下面提供第1737号文件，即王陈氏有关其夫在保护她免遭日军强奸时被杀害的陈述词作为证据。

韦伯庭长：按惯例采纳。

法庭副书记官：检方第1737号文件被标上第317号证据。

（上述文件被标上第317号检方证据，并作为证据采纳）

萨顿检察官：（宣读）

（41岁，南京人，寡妇）

12月26日16:00左右，4个日本士兵来到我家（洋珠巷1号）将我丈夫杀害。当时他们准备强奸我，3个日本士兵强行脱掉我的衣服，在扒上衣的时候，我丈夫正好过来护住我，他就被日本士兵活活踢死。我的孩子也在这个房间，他们哭着。我的孩子一个4岁，一个只有2个月。在杀害我丈夫后，日本士兵没有强奸我而是离开了我家。以上由裘劭恒翻译给我听。

(13) 吴着清(1946年8月29日)

检方提供第1738号文件，即吴着清有关南京日军杀害其兄弟的陈述词。

韦伯庭长：按惯例采纳。

法庭副书记官：检方第1738号文件将被标以第318号证据。

（上述文件被标以第318号检方证据，并作为证据被采纳）

萨顿检察官：（宣读）

日本士兵命令我兄弟跪在他们面前，由于他没有立即这么做，日本士兵用刺刀刺他的左胸口。我兄弟当时手无寸铁。发生这一幕时，我兄弟的嫂子、他的妻子、妈妈和我本人都在场。

我兄弟在制服外面穿了件便装,他当场死亡。这件事发生在 1938 年 1 月,地点在南京附近的一个村子里。裘劭恒为我翻译,该陈述词真实无误。

当天下午,我还看到其他许多具被刺刀刺死或被殴打致死的中国平民的尸体,有男有女。裘劭恒翻译。

(14) 袁王氏(1946 年 8 月 29 日)

检方提供第 1722 号文件,即标明日期为 1946 年 3 月 7 日,由袁王氏所做的有关南京日军 1937 年所犯杀人罪行的陈述词。

韦伯庭长:按惯例采纳。

法庭副书记官:检方第 1722 号文件被标以第 319 号证据。

(上述文件被标以第 319 号检方证据,作为证据采纳)

萨顿检察官:(宣读)

袁王氏陈述词。袁王氏,47 岁,南京当地人,家住中正路 457 号。

我弟弟王生英是当地一家志愿团体的成员,1937 年日军刚进南京,他就被抓住,前额被刺刀刺了三刀,脊背被刺数刀。我本人看到了这一幕。他当时身着便装,举止像个难民。出事时,我们住在阴阳营的一家难民营中,他很快就死了。这一志愿团体的职责是制止抢劫。出事时,我在附近还看到许多其他中国平民的尸体。该团体并非军事组织,是由市民发起的。

韦伯庭长:行了。不用宣读了。

(15) 王潘氏(1946 年 8 月 29 日)

萨顿检察官:检方将提供第 1731 号文件,即 1946 年 4 月 7 日王潘氏所做的有关1937年12月南京日军犯下强奸及其他暴行的陈述词。

韦伯庭长：按惯例采纳。这份文件很长，而且你还没有为法官们提供副本——他们刚刚收到副本。

法庭副书记官：第1731号检方文件被标以第320号证据。

（上述文件被标以第320号检方证据，并作为证据采纳）

萨顿检察官：（宣读）

王潘氏陈述词。王潘氏，24岁，南京当地人，住九儿园40号。

1937年12月13日日军入城时，我和父亲、姐姐已经迁入难民区内上海路100号的一座房子里住着。这座房子里住着约500人，我经常看见日本士兵过来索要和搜寻妇女。有一次，一名妇女在露天院子里被强奸。事情发生在晚上，我们都能听见这名妇女在遭强奸时的哭喊声。但当日本士兵离开的时候，我们却没能找到这名女子，原来日本人把她带走了。还有一次，我看见日本士兵开着卡车过来，把房子里的女人赶到一起。这些人都被日本士兵带走，除一名女孩外全都没有再回来。这名女孩被日本士兵强奸后设法逃回家，她告诉我，被卡车带走的所有女孩都被日本士兵多次强奸、轮奸。这名设法逃回家的女孩还告诉我，她曾看见一名女孩被强奸后，日本士兵还把纸烟塞进她的阴道里，这个女孩就这样被折磨至死。当时我只有15岁，每次日本人来的时候我都躲了起来，这也是日本士兵从未抓到我的原因。

我奶奶和3个叔叔住在离上海路我住的地方不远的一间芦席棚里。大约在1937年1月16日[1]下午1点左右，我到芦席棚看望奶奶。我到那里的时候，3名日本士兵来到这里，从屋里往外拖一名妇女。这位妇女一直与其丈夫、婆婆住在同一间芦席棚中。

---

[1] 原文如此。

她的丈夫跟在后面，试图制止日本士兵。日本士兵抓住他，往他的鼻子里穿电线，并把电线的另一头系在一棵树上，就像系一头牛一样。然后，日本士兵用刺刀刺他身上多个部位。这名男子的妈妈也跑出来，在地上打滚号啕。日本士兵讨厌老太太的哭求，继续用刺刀刺她的儿子。日本士兵叫她回屋去，否则将杀死她。由于伤势过重，老人的儿子当场死亡。我目睹了整个情景，因为我站在门内看到了这一切。

韦伯庭长： 休庭至1:30。

（从12:00开始休庭）

(16) 吴张氏（1946年8月29日）

（下午庭审）

（13:30，法庭复会）

法庭执行官： 远东国际军事法庭现在开庭。

韦伯庭长： 萨顿检察官。

萨顿检察官： 如果法庭允许，检方将提供第1730号文件，即吴张氏有关南京失陷后日军所犯暴行的陈述词。

韦伯庭长： 按惯例采纳。

法庭书记官： 检方第1730号文件将被标以第321号证据。

（检方第321号证据作为证据被采纳。）

萨顿检察官：（宣读）

日军入城大约两周后，当时尚未成婚的吴张氏夫人随家人来到美国大使馆对面的一所房屋，这所房子此前由一名德国医生使用。当时有许多中国人住在这所房子里，这些人以为房子靠近美国大使馆会很安全。有一天下午，具体日期记不清了，大约3点钟的时候,3名日本士兵来到这所房子,除一名18岁的姑娘外,屋里所有人都马上躲进阁楼。这位姑娘还没来得及上楼就被日本士兵抓住,并遭轮奸。事后不久,这位姑娘就死了。日本士兵离开后,大家下楼发现姑娘已经死亡,下身淌着血。姑娘的父亲当时受雇为德国医生看门,他立即将女儿的尸体掩埋。

(17) 陈贾氏(1946年8月29日)

检方下面提供第1740号文件,即陈贾氏1946年4月6日关于南京沦陷后日军暴行的陈述词。

韦伯庭长: 按惯例采纳。

法庭书记官: 第1740号检方文件将被标以第322号证据。

(第322号检方证据作为证据被采纳)

萨顿检察官: (宣读)

日军进入南京的第一天,他们放火烧毁了我们的家。一家老小,包括我婆婆、我弟弟和他妻子、我的两个孩子、我姐夫家年龄分别为5岁和2岁的孩子,只得住进难民营。

在我们前往难民营途中来到一个名叫老王府的地方时,我们撞上了12名日本士兵,包括一些佩带军刀的军官。其中一个带军刀的日军,我想他应该是个军官,抓走我的弟媳,并当着她丈夫和孩子的面将其强奸后杀死。她的丈夫想保护自己的妻子而被杀害,她的两个孩子在她受蹂躏时大哭也被杀害。其中,5岁的女儿是嘴里被塞进衣物而憋死的,男孩则被刺刀刺死。他们的父母都被刺刀刺死。我的婆婆也被刺刀刺伤,12天后死亡。我跌倒在地,后来与我的两个孩子一起逃走。这一切发生在上午10点左右,发生在大白天、发生在南京的大街上。我目睹了所有这一切。我走向难民营,在路上看到多具女性尸体和男性平民尸体。女性尸体的衣服被掀开,看来死前遭到强奸。我看到大约有 20 具尸体,大部分是女人。

韦伯庭长:现在开始休庭到 13:30。

(从 12:00 开始休庭)

2. 安全区 13 件档案(1946 年 8 月 29 日)

检方下面出示第 1744 号文件,作为法庭证据。它是从《南京安全区档案》中摘录的,由徐淑希编辑,由上海—香港—新加坡的凯利和沃尔什有限公司在 1939 年出版。

韦伯庭长:按惯例接受。

法庭书记官:检方第 1744 号文件作为证据被采纳,编号为 323。

(检方证据第 323 号被采纳)

萨顿检察官:经法庭允许,我将从该文件的第 4 页开始。

(宣读)

安全区国际委员会组成人员名单

姓名	国籍
① 约翰·拉贝　主席	德国
② 刘易斯·斯迈思博士　秘书	英国
③ 芒罗·福勒先生	美国
④ 约翰·马吉教士	美国
⑤ P.R.尔兹先生	英国
⑥ J.M.森先生	德国
⑦ G.潘丁先生	德国
⑧ I.麦凯先生	英国
⑨ J.V.皮克林先生	美国

⑩ E. 施佩林先生 德国
⑪ M. S. 贝茨博士 美国
⑫ W. P. 米尔斯教士 美国
⑬ J. 利恩先生 英国
⑭ C. S. 特里默博士 美国
⑮ C. 里格斯先生 美国

第7号

致福田先生的信

1937年12月16日

尊敬的先生：

正如我们昨天中午与您在交通银行会晤时，少佐所指出的那样，尽快恢复南京的正常生活是明智的，但昨天安全区内持续的无秩序状态增加了难民们的恐慌。大楼里的难民甚至害怕到附近的粥厂去打粥。因此，我们不得不把粥直接送到各收容所。这样给我们增加了不少麻烦。苦力甚至不敢到安全区外为粥厂运送米和煤。因此，今天早上数千名难民只得枵腹而去。国际委员会的外籍成员今天早晨竭尽所能，努力让他们的卡车通过日本巡逻队的检查以便让这些老百姓有饭吃。昨天，我们委员会的外籍成员曾数次阻止日本士兵抢走他们个人的轿车（随函附上一张记录混乱事件的表格）。

如果不平息这种恐慌状态，在城里开始任何正常的活动都是不可能的。比如：不可能找到电话工人、电厂工人、水厂工人，各种商店无法正常运行，甚至无法清扫街道。为了迅速改变这种状况，国际委员会恭请日本皇军立刻采取以下步骤：

（1）所有搜查必须由经过正式组织的士兵进行，并且由一名负责的军官指挥（大多数麻烦都是由没有军官带领、三五成群到处游荡的士兵所造成的)。

（2）晚上以及白天(如果可能)，在安全区入口处设置岗哨(这一点是昨天由少佐提议的)。

（3）立即在我们的私人轿车和卡车的挡风玻璃上粘上通行证。以防止日本士兵把它们征用(即使城市在进行防御战的紧张气氛中，中国军队还给我们提供了这种通行证，并且在发通行证之前，我们已被征用的汽车，也在我们报告后的24小时内还给了国际委员会。在那种困难的情况下，中国军队甚至还配给我们3辆卡车用来给老百姓运送大米。毫无疑问，现在战斗已经结束，日本皇军已完全控制了这座城市，而且日军拥有更多的装备，日军应该为其统治下的中国老百姓做更多的事情)。

昨天，我们未提抗议。因为我们认为当高级指挥官到达时，秩序就会恢复。但是昨天晚上的情况比前天晚上更糟，我们决定把这些情况告诉日本皇军以引起贵方的注意，我们确信日本皇军不会赞同属下士兵的胡作非为。

谨致崇高的敬意

刘易斯·斯迈思

秘书

第8号

安全区内日本士兵胡作非为的案例

(于1937年12月16日归档)

注释：这些只是我们经过仔细核实过的，并有代表性的案例。

（1）12月15日，安全区卫生委员会第二处的6个街道清洁工，被日本士兵杀死在他们所在的鼓楼住所，另外还有一个被刺刀刺成重伤。没有什么明显的理由，因为这些人是我们的雇员，而这些日本士兵就闯入了他们的房子。

(2) 12月15日下午4点在金陵大学大门口，一辆装米的马车被日本士兵抢走。

(3) 我们第二分部的好几个居民，在12月14日晚上被日本士兵从他们的家中赶出，家里也被洗劫一空。第二分部的负责人本人竟被日本士兵抢劫两次。

(4) 12月14日晚，也就是昨天晚上，7个日本士兵闯进金陵大学图书馆，并抓走了7名中国女难民，其中3个被当场强奸（这一事件全部细节将由贝茨博士整理，他是金陵大学紧急事件委员会主席）。

(5) 12月14日晚，有许多日本士兵闯进中国人居住的房子、强奸妇女并把她们带走，因而在这一地区造成恐慌。昨天，数以百计的妇女逃进了金陵大学校园，因此，3个美国人昨天晚上在金陵大学度过了一晚，来保护校园里的3 000名妇女和儿童。

(6) 大约30名日本士兵，显然没有军官负责，于2月14日搜查了大学医院以及护士集体宿舍，并有计划地进行抢劫。被抢的物品有：6支自来水笔、180美元、4块手表、2捆医院绷带、2个手电筒、1件羊毛衫。

(7) 12月15日，据居住在我们大难民营里公共设施里的难民报告，日本士兵有好几次到那里抢劫。

(8) 12月15日日本士兵非法闯入美国使馆人员的住处，并搜走了一些小型的个人物品。

(9) 12月15日，日本士兵翻越后墙，打破房门，闯入金陵大学教师住宅。自12月13日以来，每一件能被拿走的东西都被拿走。现在已没有什么可抢的了。

(10) 12月14日中午，在铜银巷，日本士兵闯进一间房屋，抓走4个女孩，强奸了她们，过了两小时才把她们放回。

(11) 12月15日下午，一些日本士兵闯进宁海路米店，拿走了

3包大米(3.75担),只给了5美元。正常的米价是每担9美元,这样,日本皇军这次欠国际委员会28.75美元。

(12)12月14日22:00,11名日本士兵闯进位于铜银巷的一家中国人家里,强奸了4名中国妇女。

(13)12月14日,一群日本士兵闯进格蕾斯·鲍尔小姐家,她是一名美国传教士。这些日本士兵拿走了一双皮毛手套,喝光了桌子上所有的牛奶,还用手抓白糖吃。

(14)12月15日,一批日本士兵闯进利·布雷迪博士(美国人)位于双龙巷11号的汽车房,把他的福特V8汽车的一扇窗子打碎,随后又找来一名机修工,并试图开走汽车。

(15)昨天晚上,也就是12月15日晚上,一群日本士兵闯进了位于汉口路的一家中国人家。他们强奸了家中年轻的妻子,并带走了3名妇女。当两个丈夫逃离时,日本士兵开枪将他们2人打死。

第10号
致日本大使馆的信[标有"恳请二等秘书福井先生关注"——原注]

亲爱的先生们:

很遗憾,再一次打扰你们。我们正想尽各种办法保护和照顾着20万名平民,鉴于他们的痛苦和生活需求,我们要求你们军方采取措施,阻止日本士兵随意闯入安全区,从而避免混乱局面。

我们已无时间和篇幅来讨论蜂拥而来的案例报告,这些案例是如此的多,我们连打字都来不及。昨天晚上,我们委员会的贝茨博士住在金陵大学集体宿舍楼,以保护1 000多名妇女,前天晚上这些妇女在家里受到日本士兵的侵袭,因此才涌进安全区。他发现集体宿舍和大学的新图书馆均无宪兵站岗。当晚20:00菲奇先生、斯迈思博士带米尔斯牧师去金陵女子文理学院大门附近一座房子里就寝时（自从14日起我们中的一个人或是几个人每天都要来这里过夜，来保护这里的3 000多名妇女和儿童，这个数字昨天已增加到4 000多名之多），我们被一伙正在搜索金陵女子文理学院的日本士兵粗鲁地扣下，而且被扣押了一个多小时。一位军官让负责金陵学院的两位女士及其他人在门口排成队，寒风凛冽。她们是：魏特琳小姐、陈夫人和一位朋友特威纳姆夫人。日本士兵还粗暴地推搡她们。这位军官坚持说校园里有中国士兵，他要把他们找出并枪毙。最后，他让我们回家，也不让米尔斯牧师留下，因而在我们离开后究竟发生了什么，不得而知。

联系到12月16日司法部里的人被押走（见单独的备忘录），在这些被押走的人群中，我们肯定有数百男性平民和50名穿制服的警察。这使我们认识到，必须采取某些措施来整顿这种局势，否则我们安全区的这些男性平民的生命完全由这些搜查小队队长的情绪决定。

由于恐惧，数千名妇女进入美国机构寻求保护。因此，越来越多的男性平民留在原地（例如到12月16日在小桃园的语言学校里，原有600人，但是由于在12月15日夜里，如此多妇女遭到强奸，有400名妇女和儿童转移到金陵女子文理学院，现在只剩下200名男人在那里）。这些公共设施原计划容纳3.5万人，现在由于妇女害怕，已经增至5万人，尽管司法部和最高法院这两座建筑里已经没有男人了。

如果这种恐慌局面继续下去，不仅住房问题会越来越严重，而且难民吃饭和工作人员的缺乏都将成为严重的问题。今天早晨，你们中的一位先生菊池到我们总部来寻找发电厂工人。我们不得不这样回答，由于工人恐惧，我们甚至无法让我们自己的工人到安全区外做任何事。现在我们已经只能靠我们委员会的西方人员开车向这些有着大批难民的难民营提供大米和煤炭。我们的粮食委员会的主任已经有两天不敢离开他的办公室了。房产委员会的副职家(汉口路23号)的两位妇女昨晚在晚饭时被日本士兵强奸,日本士兵还强迫他在旁边看。我们粮食委员会的副主任索恩先生(神学教授)不得不开车运送大米,因此南京神学院的2 500名难民就无人保护了。昨天,在光天化日之下,在一间大屋子里,日本士兵竟当着妇女、男人和儿童的面强奸了神学院的几名妇女。我们22名西方人无法为20万中国人提供食品,并不分白天黑夜地保护他们的安全。这是日本当局的责任。如果你们向难民提供保护,我们可以帮助向难民提供食品!

在搜索安全区的日本军官的脑子里还有另外的想法:他们认为安全区内住满了穿便衣的中国士兵。我们已经通知了你们,安全区来过中国士兵,但他们是在12月13日下午解除了武装后进入安全区的。然而,现在我们可以向你们保证,安全区内没有成群结队的解除武装的中国士兵。你们的搜查小队已经将这些人清除,并且同时带走了很多平民。

出于全面考虑,提出如下建设性意见。

一、约束士兵

(1)我们重复昨天提出的关于在这个地区要有宪兵昼夜巡逻的要求。

(2)在12月16日的信中,我们曾要求在安全区的入口处设置岗哨,以防止夜间进入散兵。但这个要求目前还没有得到满足。我们希望日本军队将会采取某些办法来阻止士兵抢劫、强奸和屠杀平民百姓,特别是在晚间应把士兵留在营地。

(3)在还没有普遍恢复秩序之前,你们最好在我们18个较大的难民营的入口处设置岗哨,并命令岗哨负责阻止士兵爬越院墙进入难民营(见随函所附的难民营清单)。

(4)我们还恭请你们用日文写一份公告贴在每个难民营门口,

说明这是难民营,并命令日本士兵不要骚扰这些穷人。

二、搜查

(1) 由于搜查队的军官们似乎对难民营误会重重,我们建议在今天请一名日本高级军官由我们住房管理人员陪同在白天逐一巡看18所难民营。

(2) 因为我们知道在安全区内没有成群结队的放下武器的士兵,从未有过在安全区打冷枪的事,还由于日本士兵对难民营和私人住宅已经搜查了许多次,每次都有抢劫、强奸等事情发生,我们大胆提议:日军防止之前是中国士兵的人藏在安全区的愿望,可以通过前面提到的宪兵组成的巡逻队来完成。

(3) 我们冒昧地提出这些建议是由于我们深信如果二至三天平安无事,难民们就能在安全区内开始正常的生活,食品和燃料就能够运入,工人们就会出来找工作,他们可以帮助恢复电、水、电话等。

三、被抓走的中国警察

昨天,我们要求你们对以下事实引起关注:

50位穿制服的警察已经从司法部被带走了,46位志愿警察同样也被押走。我们再补充一点:驻扎在最高法院的穿制服的40名警察也被带走了。对他们的唯一公开指控是日本军官说在对司法部搜查后,他们又将中国士兵放了进去,因此要枪毙他们。正如我们在"关于司法部事件的备忘录"中指出的那样,我们委员会的西方人员对将一些男女百姓安置在司法部一事负有完全责任,因为他们是被日本士兵从其他地方赶出来的。

昨天我们要求将(原中国政府)派到我们安全区的450名穿制服警察组成新的警察部队,在日本人指挥下负责城市安全。同时,我们希望上述提到的90位警察将被恢复职务,并且将46位志愿警察或是送到我们总部当工人,或者告诉我们他们现在何处。我们有安全区的 450 名穿制服警察的全部名单。因此在这一过程中我们能够帮助你们。

相信你们会对我们冒昧提出的这些意见给予谅解，同时向你们保证，为这座城市的平民百姓的安康，我们很愿意与你们合作。

谨致最高的敬意

约翰·拉贝

主席

附上司法部事件的备忘录和安全区内难民营的清单

第 14 号

致日本大使馆的信

1937 年 12 月 19 日下午 5 点

亲爱的先生们：

非常遗憾，我不得不再次向你们通报安全区内日本士兵连续发生的无纪律情况。这些事件的编号为 16 至 70。正如注释中所说的那样，这些仅仅是引起我们注意的案例中的一部分。

施佩林先生（总稽查）、克勒格尔先生、哈茨先生以及里格斯先生花了好多时间才把这些士兵弄出房间。这些先生们甚至没有时间来叙述所发生的事情。

我们也很抱歉不得不向你们报告：今天的局势和以前一样糟糕。一位军官的确来到宁海路附近我们的安全区内并打了违法乱纪士兵的耳光，但是这并没有起到应有的作用。

拉贝先生要我就他此时不能到这里来表示歉意。因为有 300 名妇女和儿童来到他的院子寻求安全保护。他感到他不能离开她们。

我们衷心地相信你们会像威尔逊医生今天早晨所请求的那样，在我们昨天列举的 18 个难民营和大学医院门口设置哨兵。这将在混乱的局面中至少提供 19 个安全地域，从而保护 1/3 或 1/4

的人口。

　　致以最良好的个人敬意

刘易斯·斯迈思
秘书

第 15 号

安全区内日本士兵的违法乱纪事件
1937 年 12 月 19 日存档

我们只宣读那封信的附件里提到的一些确切的事件。

(18) 12 月 15 日的晚上,若干名日本士兵进入金陵大学桃园附近的大楼里,当场强奸了 30 名妇女,有一些是被 6 人轮奸了。(索恩)

(20) 12 月 16 日晚上,7 名日本士兵打碎了窗户,抢劫难民,用刺刀刺伤了大学的一名教工,理由是他没有给他们手表和姑娘。日本兵并在房屋里强奸了几名妇女。(贝茨)

(22) 12 月 16 日晚上,日本士兵在金陵大学附近打了安全区的几名警察,要求他们在难民中为日本士兵找姑娘。(贝茨)

(28) 12 月 16 日 16:00,日本士兵进入莫干路 11 号住宅,并且在那里强奸了一名妇女。(菲奇)

(33) 12 月 17 日,日本士兵进入珞珈路 5 号,强奸了 4 名妇女,拿走一辆自行车、一些被褥和其他东西。当哈茨和我本人到达现场时,他们很快就离开了。(克勒格尔)

(41) 12 月 17 日,司法部附近一名女孩被强奸后又在腹部挨了一刀。(王)

(42) 12 月 17 日,在仙府洼附近,一名 40 岁妇女被抓走并被强奸。(王)

(43) 12 月 17 日,在基山云路(音),几名日本士兵强奸了两名女孩。(王)

(45)很多妇女从五台山小学里被带走,并被整夜强奸;在第二天早晨,即12月17日才被放回。(王)

(60)12月19日上午11:30,哈茨先生报告说,他发现在我们宁海路总部隔壁房子的防空洞里,两名日本士兵在试图强奸妇女。当时防空洞里大约有20名妇女,她们极力呼救。哈茨先生进去,并赶走了这些"可敬"的士兵。(哈茨)

第16号

致日本大使馆的信

1937年12月20日

亲爱的先生们:

随函附上的是日本士兵在南京继续制造的混乱。这些事件的编号:71~96。

你们将看到从昨天以来向我们报告的26起案件中有14起发生在昨天下午、昨天晚上和今天,因而目前局势看起来没有明显好转。尽管金陵女子文理学院内昨晚发生了日本士兵的强奸事件,当时你们领事馆的一名警卫在大门口,不过金陵大学的主校园却没发生麻烦。由于今天我们无法阻止上述情况再次发生,我们恳切地希望:今晚要在金陵女子文理学院、18个难民营、大学医院设置哨兵;白天在金陵女子文理学院对面的五台山粥厂、金陵大学的运动场上都要设置哨兵。

为了制止日本军队中无纪律现象的再次发生,我们希望必须立刻采取严厉措施。你们派的军警数量不足以对付这种局面。恳请田中先生注意。

致以最崇高的个人敬意

约翰·拉贝

主席

第17号

安全区内日本士兵违法乱纪的案例

1937年12月20日归档

我们只宣读这封信中报道的那些情况中的一部分：

(81) 12月20日，今天早晨3:00，尽管有一名日本领事馆的警察在大门口站岗，2名日本士兵仍然进入金陵女子文理学院500号楼，并强奸了两名妇女。（特威纳姆）

(86) 12月17日，叶·肖先生（基督教男青年会的行政秘书）家的3位姑娘被抓走。她们是因为安全原因离开了阴阳营7号的。她们被带到国府路后被强奸了，但在半夜由日本士兵送回。（陈士玉　基督教男青年会秘书）

(90) 12月20日，今天一位盲人理发师来到大学医院，他带着他的孩子。日本士兵进来向他要钱，他没有。他们向他射击，子弹穿过胸膛。（威尔逊）

(94) 12月17日夜间，11名女难民被日本士兵从金陵学院抓走。与此同时，负责搜查的一名军官让该校工作人员在前大门口排队，站了一个小时。这位军官撕碎了证明该校已经接受过了检查的一封信。（魏特琳）

(95) 17日这天，住在金陵学院校园内一位难民家的儿媳，在她的房间被日本士兵强奸。一位教师的女儿被日本士兵抓走。（魏特琳）

第18号

致日本大使馆的信

1937年12月21日

尊敬的先生们：

随函附上案例97～113供你们参考。贝茨博士将另行报告他所得到的案例,它们不包括在我们迄今所报告的案例之中。除了第一个案例外,所有的都发生在昨天下午之后。我们的记录中还有一些过去的案例,但我们将在以后递交给你们。

应该注意的是,在我们安全区每天被强奸的妇女中有一些是牧师、基督教男青年会的工作人员、大学教师和其他体面人士的妻子。

正如案例中所表明的人们在家中不断遇到危险,这增加了难民营难民的人数(已达7.7万),而原先估计的人数为3.5万名。

相信你们军事当局将采取迅速和严厉的措施。

致良好的敬意

刘易斯·斯迈思

秘书

注释:发出这封信后才发现,由于制表的错误,7.7万名的数字过大,它应该是6.8万名。

第20号

致日本大使馆的信

1937年12月21日

亲爱的先生们:

我们以人道主义的名义请愿,为了南京城20万民众的安康,应采取以下步骤:

(1) 制止在南京城很大一部分地区出现的纵火行为。其余地区应避免再出现火情,无论是随意造成的,还是有计划的故意放火。

(2) 一星期来给民众造成这么多苦难的日本士兵的胡作非为,应立即停止。

(3) 鉴于抢劫和放火使这座城市的商业活动陷于瘫痪,南京全城简直成了一座大难民营。鉴于国际委员会只有一星期的食物储备供20万民众食用,我们急切地请求你们立即采取行动恢复民众的正常生活,以便使城市的食物和燃料供给得到补充。

目前的形势必然导致严重的饥荒,我们要求正常生活的必需品:住房、安全、食物。

南京的外国公众致以最诚恳的请求

(22个外国居民的签字)

第24号

致日本大使馆的信

1937年12月26日

亲爱的先生们:

现呈上一份案例报告编号为137~154。我们很高兴地报告案件数目有所下降,局势有了很大的改善。但局势的完全改善仍需做出努力。现在城里3处有麻烦,特别是:

(1)在过去的4个晚上,有7名士兵闯进圣经师资培训学校的难民营强奸姑娘,昨夜他们甚至在那里过夜。

(2)汉口路小学难民营。

(3)五台山小学难民营。

菲奇先生和我今天下午前往大使馆协商此事,要求宪兵在上述地方设置岗哨,至少隔三岔五做到这一点以便阻止类似事件的发生。

感谢你们在类似问题以及改善安全区局势方面所做的不懈努力。

顺致敬意

刘易斯·斯迈思

秘书

第 29 号

致日本大使馆的信
1938 年 1 月 2 日

亲爱的先生们：

我们很赞赏你们于 29 日向我们声明,已经命令闲逛的日本士兵不得进入安全区,使形势大大地好转。但是昨天和今天又有士兵违反了规定,这使我们有些失望。一些入口没有守卫,还有很多三五成群的日本士兵,不佩戴臂章就在安全区内闲逛。

闲逛士兵进入安全区带来了不法事件的增多。这一点,在我们附上的不法案例表中也有体现。最后 5 个不法案例,编号是 171～175,都发生在昨天下午我们所熟知的一些地方。(参阅我们附上的不法案例 155～175)

日本士兵于 30 日下午从北平路 64 号和 69 号抓走了几个女孩,今天早晨菲奇先生和斯迈思先生前去了解这些女孩是否已经回来。但她们至今尚未归来。(参阅 12 月 30 日报告的 164 号案例,也可参阅 169 号案例)。这封信一定要呈送友好的福井先生过目。

谢谢你们在这件事情上提供的帮助,并且祝你们新年快乐。

尊敬您的

约翰·拉贝
主席

第 31 号

致日本大使馆的信
1938 年 1 月 4 日上午 11:00

亲爱的先生们：

对不起,还有一个案例要打扰你们,由于还牵涉到 5 名妇女,这也是营救她们的一个机会。你们将在随信附表（176～179 号案例）中注意到 178 号案例 6 名妇女被从我们一个难民中心抓走。其中一名妇女被带到大学医院。你们可以在那见到她。你们愿意和我们一起去看她吗？如果可能的话，可否进一步了解其他 5 个妇女的下落？然后你们的宪兵队就可以调查并解救她们。

谢谢你们在这些事上的友好合作。

我是尊敬你们的

约翰·拉贝

主席

其余的书信往来记录。

第 58 号

关于目前形势的评论

1938 年 2 月 1 日

1938 年 2 月 2 日中午发布这些详细的案例，如果法庭同意，我就不宣读了。在这里我想说明，陈列在这里的 77 份独立的报告，给出了 75 例单独的强奸事件、4 例谋杀事件和 13 例抢劫案例。这些案例报告都发生在 1938 年 1 月最后的一个星期。

3. 南京地方法院首席检察官的调查报告（1946 年 8 月 29 日）

（1946 年 8 月 29 日，星期四）

检方下面提供第 1702 号检方文件作为证据，南京地区法院首席检察官于 1946 年 1 月 20 日完成该报告，其中列出了南京城陷落以后对南京情况进行调查而得到的一些事实。

韦伯庭长：按惯例接受。

法庭书记官：检方第1702号文件被标为证据第324号。

（检方证据第324号作为证据被采纳）

萨顿检察官：在英文副本的第1页上出现了一个南京大屠杀受害者的估计数字，所显示的总数大约是死了26万人。

如果法庭允许，对于该文件英文副本的第2、3页我就不读了，只对图表上由南京崇善堂几个埋尸队所埋葬的受害者的情况进行概述。该文第2、3、4页说明从1937年12月26日到1938年4月20日由该组织在南京附近所掩埋的受害者总数为112 266人。

此图表还说明红卍字会在南京埋葬受害者的情况。其中包括发现尸体的地方和埋葬的地方，还说明了男人、女人、儿童各自的数量，总数为43 071人。

萨顿检察官：我从该文第10页开始继续宣读。

（宣读）

鲁甦先生向南京地区检察官所作的陈述：

进入南京后，中国的公民，不分男女老幼，还有撤退军人，共5.741 8人，被日本人关押在幕府山的几个村子里，好多人被渴死、饿死、冻死。1937年12月16日晚上，还活着的人被赶到下关的草鞋峡，4人一排，每两人被用铅丝捆在一起，日本人先用机枪扫射，再用刺刀刺，最后用煤油烧。烧焦后的尸体残骸被扔到长江里。

在这次大屠杀中，只有两人幸免。一人姓冯，教导团军士；另一人姓郭，保安团的一名警察。这两人设法挣开了绳索，然后倒在地上装死，把尸体拖到在自己身上。但是姓冯的右臂被刺刀刺伤，姓郭的背部被烧焦。

冯和郭逃到了上元门的大茅洞。在那里，我为他们找到便服换上，然后横渡八卦洲逃走了（当时我在警察局工作。在巷战期间,一弹片伤了我的腿。我藏在上元门的大茅洞,那里离大屠杀的地点很近,因此我能亲眼目睹大屠杀悲剧)。

对报告的其余部分,我就不读了,我只提一下,最后一页出现了伍长德先生陈述,他在此之前作为证人在本法庭出庭作证。他在7月26日提供的证据在法庭记录的第2603至第2607页。

如果法庭同意,请将第1703号和第1704号文件分发给被告的辩护律师。第1703号文件是一张图表,是崇善堂埋尸队掩埋受害者的情况。第1704号文件也是一张图表说明红卍字会掩埋受害者的情况。这两张图表都已经包括在首席检察官的报告中,这个报告是本案最后一份证据,因此我们认为已没有必要再把这两份文件放入本记录中。

韦伯庭长:你们可以提交这两份报告,但不要宣读了。

萨顿检察官:我们提交这些文件作为证据,但没有必要再宣读它们。

韦伯庭长:按惯例接受。

法庭书记官:检方文件第1703号文件作为法庭证据,编号为325;检方第1704号文件也作为法庭证据,编号为326。

(原告的第325号和第326号文件作为证据被采纳)

萨顿检察官:检方下面向法庭提交检方文件第1706号作为证据,这是《首都地方法院检察处敌人罪行调查报告书》。

韦伯庭长:按照惯例采纳。

法庭书记官:检方文件第1706号文件被标以证据327号。

(检方第327号证据被采纳)

萨顿检察官:如果法庭允许,我将只读该文件的一部分。

(宣读)

《首都地方法院检察处敌人罪行调查报告书》

一、调查的过程

我们一接到法庭关于调查日军战争罪行的指令,便立即将指令用布告形式公布于众,还通知了在南京的下列 14 个组织:中央调查统计局、军事委员会统计局、南京市政府、首都警察厅、南京市党部、宪兵南京市区司令部、三民主义青年团南京支部、南京市商会、南京市农会、南京市工会、首都律师公会、首都医师公会、红卍字会南京分会(译者注:这是一宗教组织),还有各地区法院的检察官。

我省略了下一个段落。

在极端困难的情况下,调查了 500 多个案件,特别是南京大屠杀,它不仅是载入史册的最可耻的事件之一,而且还是敌军犯下的战争罪行清单上最重要的事件。我们通过各种极仔细的询问和谈话,进行了最彻底的调查。关于大屠杀重要的证据,只要能够得到,我们都进行了彻底的核对。通过这项调查,发现了多达 30 多万的受害者。据信,另外还有 20 多万受害者有待确认。

下一段我省略不读了。

二、日本战争罪行的分类
日本战争罪行可以总结如下:
A. 有关大屠杀的事实

下段我将省略不读。

南京陷落以后,大约 5 万到 6 万人,其中包括老人和年轻人,男人或女人，于3月16日晚被捕。日军不给他们饭吃，也不给他们水喝，而是用铁丝把这些人捆起来，两人捆在一起。然后把他们分成4群，押到草鞋峡，用机枪扫射他们，然后用刺刀刺，用煤油浇在尸体上焚烧，没烧完的尸体被扔到长江里。在难民区，日军把我们的士兵和百姓用绳捆起来，同样用机枪把他们打死。从日军进入这座城市那天起，他们杀害了20多万人。凡是没有撤走的人，只要遇到日军就难免一死。想躲藏的人，只要被抓住，就被刺死。为了找受害者做苦役，日军把他们集中起来，凶狠地装上车，不知运往何处。在这8年时间内，我们没有听到他们的消息，他们是否被害，怎么死的，现在仍然是个谜。

我省略下句不读。

B. 日本军队残害中国人的一些具体例子

敌人的宪兵队随意逮捕老百姓，声称他们就是士兵。受害者被用钢丝或绳子捆起来，并被用铁棒狠狠地毒打，使他们的身体受到严重的伤害。在遭受了这些折磨后，被逼招供。而且有时把水或煤油强行灌进受害者的鼻子和嘴里，经常导致受害者死去。宪兵不许受害者呻吟或喊叫。如有一人违反，必然全体被毒打。日本士兵为了取乐用长棍子殴打受害者。被打时他们不许躲闪。如果抵抗，他立即就会被打死。

我省略了这段剩余的部分。

敌人想抓谁就抓谁，并让他们暴露在严寒中挨冻，或者强迫受害者扛着重物在街上跑。落在后面的受害者立即被鞭子抽打。他们受到的这种待遇连牛马都不如。宪兵队打人时，双拳并用，拳打脚踢。这种方法叫做"三面夹击"。

C. 关于强奸的一些详情

被强奸的妇女年龄从小女孩到六七十岁的老太太不等。受害形式如下：

一名妇女会频繁遭到一群日本士兵的轮奸。有一名妇女因拒绝发生性关系而被杀死。为了逗乐，日本士兵曾强迫一名父亲和他的女儿发生性关系。在其他案例中，一个男孩被强迫与他的姐姐发生性关系，一个老头被迫和他的儿媳妇发生性关系。女人的胸部被撕烂、乳房被刺穿、下巴被打碎、牙齿被打出。这些骇人听闻的场景看上去让人难以忍受。

D. 关于掠夺财产的一些详情

商店和住所里的衣服、器皿、货物、财产被洗劫一空。

E. 关于破坏的一些详情

在进城过程中，敌人不但损坏飞机和武器装备，而且到处焚烧房屋。城市遭受了巨大的破坏，死去的市民不计其数。

韦伯庭长： 下面我们休息 15 分钟。

（14:45 开始休息，一直到 15:00。然后庭审继续）

法庭执行官： 远东国际军事法庭现在重新开庭。

韦伯庭长： 萨顿检察官。

萨顿检察官： （宣读）

关于其他暴行的详情：

敌多摩部队把他们的平民俘虏带到医学实验室，在这里将各种有毒细菌注射人体内，观察这些人的变化和反应。该部队是日军中最为机密的机构，究竟有多少人被该部队屠杀，无从得知。

我省略了下面3句话。

(接着宣读)

据目前查到的材料,被杀死的人在30万以上,4 000多所房屋被烧毁或被破坏。20~30人[1]被强奸或由于拒绝发生性关系而被杀死,184人失踪。这份材料的其余部分仍处于调查当中。

我省略了大屠杀的证据,这些证据在英文副本第4页的底部附近。

韦伯庭长:关于日本在医学实验室里对中国平民进行有毒血清反应试验一事,你们能提供进一步证据吗?这件事我们以前没听说过。你们准备提供进一步的证据吗?

萨顿检察官:关于那个问题,我们现在还不能提供进一步的证据。

以下9个部队在南京陷落时犯下了大批屠杀罪行。它们的部队长分别是:中岛、畑中、山本、長谷川、箕浦、猪木、德川、水野、大穗。

"日本人杀害的受害者总数"——但愿是印刷错误。"这个数字为278 586——其中2 873人被杀死在上新河区。证据由盛世徵和昌开运两人提供。这两人参与了掩埋尸体。兵工厂以及南门外花神庙有7 000多人死于日军之手。证据由芮芳缘、张鸿儒和杨广才3人提供,他们参与了掩埋尸体。大约57 418人被杀死在草鞋峡。证据由一个叫鲁甦的受害者提供。2 000人被杀死在汉中门区。证据由两个后来恢复了知觉的受害者提供,他们的名字是伍长德和陈永清。3 000多人被杀死在灵谷寺一带。该证据由汉奸高冠吾提供,且有无主孤魂碑及碑

---

[1] 原文如此。

文为证。此外,由慈善机构崇善堂和一个名叫红卍字会的宗教组织掩埋的尸体总数就达15.53万多具。上述事实都写在几张附表上。"

我省略了这份资料的其余部分。该资料有南京地区法院首席检察官的盖章。

韦伯庭长: 布鲁克斯辩护人。

布鲁克斯辩护律师: 如果法庭同意,我认为,既然这一文件中提到了用有毒血清对人体进行试验反应的问题,我们想询问检方,这是否不包括对这些人的一系列疫苗接种。

很有必要指出这一点,在报告的第2页中可以表明,是数年后在检方的要求下才由调查委员会调查此事的。文件还说明1945年11月17日下午2点,调查委员召开了第一次会议。如果他们不知道接种疫苗与提交到本法庭的有毒血清人体试验的指控有所不同,我认为,这件事对于法庭考虑该证据的分量方面是至关重要的。因为它是一份证词的摘要。

韦伯庭长: 列文辩护人。

列文辩护律师: 庭长先生,我认为辩方应该抗议使用这种性质的文件。这里已经有了很多此类证据,在某些方面实际上无法对其进行反诘,除了正如我在本法庭曾建议的那样,对于南京大屠杀和其他暴行,辩方应有作证的机会。在我们看来,法庭想方设法通过允许使用宣誓证词和摘要的方式来帮助检方陈述他们的观点。

韦伯庭长: 列文辩护人,你不应该批评法庭。

列文辩护律师: 我没有,我一点也不想用任何方式来批评法庭。我只是说法庭在允许检方用这种方式进行起诉。我想说的是,检方有权提交宣誓证词、有权提交证词摘要、有权用法庭允许的这种方式来进行陈述,但是检方不应该使用类似这种文件性质的证据。法庭曾经指出,在某个时刻当证据变成了积累性的时候,如果情况这样发展了,法院将采取行动。我觉得,证据已经变成了积累证据。鉴于允许使用宣誓证词,对这些宣誓证词里不妥当的部分,辩方无法为自己进行辩护。

韦伯庭长:噢,你有权对证据中的某一部分进行反驳,我想你要反驳的证据是指对中国人使用有毒血清的试验,根据我同事们的意见,我认为那只是一种没有证据支持的断言。

列文辩护律师:庭长先生,除了这件事情以外,我要求法庭对第 4 页给予注意,最后一段的第 1 行,受害者的总数是 2 179 586 人。

韦伯庭长:列文辩护人,这个数字已经纠正过了。

列文辩护律师:布鲁克斯辩护人还令我注意到了这样一个事实,宣誓书里还提到在南京有 30 万人被杀。而据我所理解南京总共才 20 万人。

韦伯庭长:噢,你可能有这方面的证据,但在审判的这个阶段,你还不能出示。

列文辩护律师:是的,庭长先生,我不想出示。

韦伯庭长:法官们在看证据时,就像辩护律师一样的警觉,我们会确保那些不确定、含糊不清的证据或是过于笼统、没有证据支撑的断言被拒绝。你无须提醒法官。

列文辩护律师:庭长先生,我们对此没有什么怀疑。尽管我们要求对出现的小错误给予关注,但我们不会吹毛求疵。然而,我们确实感到检方应该对法庭负责、对我们负责、对公众负责。我觉得在考虑证据的时候,应行使自己的判断力,在提供这类证据时应该仔细。

韦伯庭长:呃,用有毒物质在中国人身上做试验的陈述因遭到辩方反对,所以本庭不将其作为证据。

4. 1938 年南京美国大使馆外交函电(1946 年 8 月 29 日)

(1946 年 8 月 29 日,星期四)

萨顿检察官:如果法庭同意,接下来检方将提出第 1906 号文件作为证据。内容是美国驻南京大使馆在 1938 年发出的,有关 1937 年 12

月和 1938 年南京形势的电报。

韦伯庭长：按惯例采纳。

法庭副书记官：原告的第 1906 号文件被标为证据号 328。

（上述文件被标为证据 328 号，并被采纳）

萨顿检察官：如果经法庭允许，我只读该文的几个部分。

（宣读）

美国驻中国上海总领事，1938 年 1 月 5 日，机密。

主题：芜湖的国旗事件以及在日军占领南京和芜湖以后这两地的情况。

尊敬的国务卿先生：——华盛顿

韦伯庭长：国旗事件不能作为任何战争罪行证据，所以只要涉及国旗事件，你就不需要在法庭上宣读。

萨顿检察官：如果法庭同意，就把国旗事件看作日军漠视美国在芜湖财产的事件。

如果法庭允许，我从第 2 页中间开始宣读：

附上一份备忘录副本，这份备忘录是由金陵大学社会学和历史学教授贝茨博士写的，内容是日军占领南京后，该地的有关情况。这份备忘录的副本由《芝加哥每日新闻》记者阿奇博尔德·斯蒂尔先生转给本总领事馆的一位官员。在日本攻占南京的时候，斯蒂尔先生和其他驻南京记者证实了贝茨博士备忘录里所讲述的情况。

12 月 22 日，日本大使馆的领事日高先生和日本驻上海总领事冈本先生拜访了本领事馆，日高先生说他是从南京回到这里的。在日本陆军、海军正式进入南京的过程中，他在南京停留了 24 小时。

我省略几个句子不读,从下面一个句子开始宣读:

12月21日,即日高先生和冈本先生访问的前一天,冈本先生收到一封信,通知他说,收到了几份关于日本士兵数次企图进入美国大使馆的报告。后来日军终于进入了美国使馆,无视有明显标志的美国在南京的其他房产,并进行洗劫。他们曾要求冈本先生提请日本军事当局注意,并要求他们发布严格的命令去停止这类行动,并确保美国财产得到适当保护。

尊重您的
美国总领事
高斯

如果法庭允许,我将宣读一封信,它是从芜湖发送给总领事高斯的官方邮件里的一个附件。在英文副本的第3页上。

(宣读)

自10日日军到来后,他们实行了无情的恐怖统治。根据我的经历,这种恐怖行径远远超过了中国士兵所能做到的。通过医院窗户我们看到日本士兵拦住在路上行走的平民,搜查他们,什么也没有搜到,然后若无其事地向他们的脑袋开了枪。我们还看到日本士兵像猎人猎杀野兔一样,向逃散的中国平民开枪。

一个又一个的受害者被送到我们医院。他们有的是由于被抢劫了多次,再没有任何东西可给强盗而被砍伤或是刺伤;有的是没有向这些强盗提供妇女而被砍伤或刺伤。今天早上我们就收诊了一位这样的受害者,他的头部从脑后被砍下一半,喉咙和气管被从前面砍断了,从左面部到嘴巴也被削下来。受到这样虐待的原因就是他没有按日本士兵要求为他们提供妇女。

在这场战争期间,中国士兵没有进入在芜湖的外国人住宅,而日本人则毫不犹豫地进入,这些属于外国人所有的住宅插有外国国旗,外面还贴着日语写的禁止日军入内的布告。13日那天,日本士兵扯下了属于医院的舢板船上的美国国旗,并把它扔到河里。我从河里捞起这面旗帜,并拿给两位日本军官看,他们表示了歉意。

韦伯庭长: 停一下,我想你可以用国旗事件来说明日本人漠视美国人财产的野蛮态度,这就加重了日本人的罪行。但是只有在这种情况下你才能引用国旗事件。

萨顿检察官: 我可以继续讲下去吗?

韦伯庭长: 可以。

萨顿检察官: (宣读)

大概在同一天,日本人冲入绿山附近的卫理公会传教团的住宅,捣毁了房屋,抢走了他们想要的东西。在1月15日那天,他们又进入芜湖的一所私立中学(美国教会学校),命令护校人拉下美国国旗,然后不顾日本军队张贴的禁止入内的布告,进入了楼房搜索,炸开了学校的保险柜。他们用同样的方法对待英国的国旗和财产。所幸到目前为止,他们还没有攻击和伤害外国公民。我已经和日本军事当局进行了接触,他们向我保证,他们不允许日本士兵这样做。

昨天,一位日本领事乘一架海军飞机到达这里。他前来拜访,我们希望他在恢复秩序和提供保护方面有所作为。从1月5日起,这座城市就没有警察和岗哨,也没有电灯。医院完全靠自己的电灯和服务设施工作。运送日本领事的这架飞机的负责人说他们愿意带马歇尔、文斯和霍奇先生返回上海,因为他们急于要回上海。在这架飞机上有很多日本摄影师,他们要拍摄"日本人是如何从中国人那里营救美国人的情况"。

必要时,我继续驾车在城内各处查看。多次,我们开车把我们了解到的中国妇女营救回来。她们整日整夜地担心自己被抓走。当然,她们中的许多人已被抓走。

现在大概有1 000多人在这座医院所在的山上。我们正在保护这些人。这里我将列出一些美国人的名单。这些美国人仍在芜湖帮助处理这一工作。

我将省略这份英文副本的第4、5、6页,在第7页的顶部附近重新开始读:

高斯致美国大使馆的信
日期:1937年11月20日～1938年1月20日。
来自东京,编号40,1月19日19:00;南京,
编号27,1月18日15:00,

非法进入美国人的建筑

(1) 我派杜南去见芳泽,向芳泽宣读以上提到的电报。然后杜南以最强烈的措辞强调了我给外相的声明。(请查看我的34号文件,1月17号下午1点发出)

(2) 昨天,外相已向内阁提交了在我的34号文件中提到的照会,并说正在考虑一项严厉的措施,来保证前线的部队服从来自东京的命令。他说他很可能于明天就能够通知我们将要采取的措施。

转发上海,让他们转发北平、南京和汉口。　　　　格鲁
美国大使馆,南京。1月21日12:00,来自东京:
编号39号。发出日期:1月19日12:00,机密。
作为供我参考的绝密情报,我的英国同事给了我一段电报的

内容,报告日本军队在南京的行为,该电报是1月15日来自驻上海英国大使馆。由于我们还没有来自上海或其他地方有关这一问题的详细报告,我将发给我的文本转发给你,如下:

有人秘密提供给我两份独立、完全可信的有关日军犯下暴行的报告,它们分别来自一位在南京的美国传教士和一位在芜湖的传教士医生,当日本人进入上述城市时他们仍然在他们的岗位上。报告引述了大约100起得到证实的强奸罪行,这些罪行都在日本占领南京的最初几天中发生在南京的美国大学建筑里。

给我这些报告的基督教总会的博恩顿神父说,在日本军队入城后不久,来到南京的日本大使馆官员因看到难民区内及周边地区公开发生着酗酒、杀戮、强奸和抢劫的放纵行为而感到恐惧。日本军官(对此)完全冷漠的态度很可能是他们故意在这座城市里放纵军队,并以此作为一种惩罚的手段。由于没能对军队指挥官产生任何影响,加上日本军方对通信的控制,这些使馆官员放弃了向东京发电报的希望,甚至向传教士建议,应该尝试在日本公开这些事实,这样在公共舆论的影响下,日本政府将会被迫控制日本陆军。

我被许诺将得到来自苏州和杭州目击者的报告,在那里日本军队的行为同样糟糕,有关他们在上海周围地区的行为的报道正在传来,明显证明了其真实性。

转发北平再传递给汉口。
约翰逊

5. 阿利森致美国大使的信(1946年8月29～30日)

(1946年8月29～30日,星期四～五)

萨顿检察官:(宣读)

南京,1938年1月25日
主题:使馆三等秘书阿利森给美国驻中国汉口大使纳尔逊·

约翰逊的信。

我荣幸地提交副领事埃斯皮给我的这份密封报告。其内容是南京城被日军于1937年12月13日占领以来的状况。报告的信息来自于对美国大使馆工作人员的调查以及南京城陷落后仍留在南京的美国人的描述。该报告对得胜的日军进城以来城里发生的事情以及目前的形势做出了简短的叙述；并且概括地报告了美国侨民的工作和南京国际委员会为缓解军事占领所造成的不良影响以及他们为保护城内人员生命、财产而做的努力。

本报告由美国副领事詹姆斯·埃斯皮起草，大使馆三等秘书阿利森批准。

准备时间：1月15～24日，邮寄时间：1938年2月2日

1月6日上午，我们一到美国驻南京大使馆，就受到使馆两名中国籍使馆职员唐先生和吴先生的欢迎。这两位自南京沦陷后一直留在这里。

我省略这段的其余部分。

很快就有14名美国侨民来拜访我们，他们一直留在南京。尽管碰到过一些不愉快的事，但没有一名美国人受到伤害，其他另外14名仍在当地的外国侨民也未受到伤害，他们一切状态尚可。他们的思想都集中在南京所发生的事情上。他们向我们讲述了日军入城后所发生的一系列骇人听闻的恐怖和暴行。他们虽然认为最糟糕的时候已经过去了，但又提醒说，这类事情还会继续发生，这座城市的形势依旧不容乐观。

能根据他们的描述，日本军队占领南京后恐怖统治就降临到这座城市。他们和那些德国侨民的经历表明，这座城市俨然成了日本人手中的猎物。南京不只是在有组织的交战过程中被占领，

而是被一支似乎在追逐奖赏的军队大肆抢劫和施暴。通过更完整的资料以及我们自己的观察,也并未获得令人质疑他们说法的事实证据。城里的中国平民挤在被称为"安全区"的几个街区内,许多人已经一无所有。几乎到处都有杀害男女、儿童、破门而入抢夺财产以及烧毁房屋和建筑的证据。

本报告接下来的部分内容包括:南京国际委员会和美国大使馆针对美国财产遭受侵犯以及城市状况问题向日本当局提出抗议,并非常详细地报告发生在南京的各种事件;此外还有国际委员会为缓解日军对这座城市的暴行而递交的各种要求和请愿。

对这些要求和请愿的概括本身就反映了南京的现状,但是本文概括南京现状的目的是为了缓解南京的严峻局势。

与这些美国侨民的见面行将结束时,我们问起,撇开过去发生的事情不说,因为这些事情现在已不能避免,就南京局势而言,他们特别希望引起日本当局关注的事情是什么。他们的回答是:"让日本当局管束自己的士兵,结束正在发生的恐怖和暴行。"或者应该发表一则更加明确的声明,其大意如下:从人道主义出发,日本当局应当采取措施结束士兵们目无法纪的行为,停止杀戮、抢夺和焚烧,恢复城市平民的正常生活。

韦伯庭长:你必须停下来,萨顿检察官,现在已 16:00 了。现在休庭,明天上午 9:30 继续开庭。

(第二天,即 1946 年 8 月 30 日,星期五)

法庭执行官:远东国际军事法庭现在开庭。

韦伯庭长:除了大川、松井和平沼外,所有的被告都出庭。缺席者由他们的律师代理,平沼仍在治疗,无法出庭。巢鸭监狱的医疗负责人的证明在此。它将被存档。本庭下星期一不开庭。律师有没有什么问题要提?

摩尔少校： 如果法庭允许，建议将庭审记录的第 4286 页第 11 行改为"竹部领导下的部长"。其余部分删除。这是由检方和辩方共同口头建议的。

韦伯庭长： 记录进行相应的改变。萨顿检察官？

萨顿检察官： 如果法庭允许，我将继续宣读第 328 号证据英文版的第 10 页的第二段。

（宣读）

一、12 月 10 日以来南京发生事件的简述

据可靠消息称，南京沦陷前，中国军队和平民一直在稳步地撤离和出逃。大约 4/5 的人口已经逃离南京，中国军队的主力部队也携带大部分装备和物资撤离，只留下一支人数不超过 5 万人的军队继续守卫南京。实际人数也许还没有这么多。南京沦陷后，相当多的士兵甚至设法从北门和西门逃走，有的还爬城墙出城门，随后他们穿过日军阵地边打边退。出于军事上的考虑，中国军队曾在紧靠城墙外的区域点火以清理障碍物。但是，留在此地的美国公民坚持认为，城墙内发生的纵火、破坏和抢夺事件，几乎与撤退的中国士兵们无关。

我省略下面的几个段落，从英文副本的第 10 页最下面的那一段开始读。

日军一进入南京，不仅没有实现恢复秩序、结束混乱，相反，恐怖统治立刻降临到这座城市。12 月 13 日晚上、14 日凌晨时暴力事件就已经开始出现。一支支日本小分队开始围捕并"肃清"留在城里的中国士兵。他们对全城所有街道和建筑展开了仔细搜查。所有前中国士兵和那些被怀疑曾经当过兵的人均遭到有计划的杀

戮。尽管得不到准确的记录,但据估计,远远超过2万人以这种借口被处决。日本人似乎并未采取什么措施来分辨真正的前中国士兵和那些事实上从未在中国军队服役过的疑似前士兵。一旦稍微怀疑某人曾当过兵,这个被怀疑者似乎就不可避免地被拖走枪毙。日本人要把中国军队的残余分子全部消灭干净的决心显然是坚定不移的。

仅从数不清的处决案中引用几件为例。南京发电厂的54名员工在"和记"洋行避难。日军一支小分队12月15日或16日来到该公司,要求查清这里是否有不属于这家公司的中国人暂住在这里。他们被告知,确有54名电厂的前员工在这里,而其中11人被公司雇佣作零工。日本人于是带走其余的43名前电厂员工,并说因为他们曾受雇于中国政府,因而必须被枪毙。据美国侨民透露,在日军枪毙这些工人的同时,日本官员却不断地向国际委员会打听,到哪里才能弄到有经验的公用事业方面的电工和工人,以便全城的供电和照明设施得以恢复。

另一份报告记载了12月25日左右发生在金陵大学操场上的一件事。日军开始登记全城所有的中国人。25日左右,几名军官来到金陵大学,准备对正在大学内避难的3万多中国人进行登记。在把约2000名男子集合起来后,日军开始训话:那些以前曾在中国军队中服役过的人如果自报身份的话,他们将会得到保护——"他们将会得到保护"这句话重复了好几遍——尽管他们会因此而被迫为日本人干活。但如果他们不自报身份,一经查实,必遭枪杀无疑。由于相信了日本人的保证,将近200名男子向日军坦白了曾是中国军人的事实。随即,他们被押走。后来有4至5名严重受伤的男子逃了回来。据他们说,他们这200人与从其他地方抓来的另外一批中国人被分成几组带到几处荒僻地方,他们在那里被日军小分队刀劈、枪杀致死。只有这4、5个受伤的人从刑场侥幸逃脱，成了幸存者。

除了日军小分队负责追捕处决所有前中国士兵外，二三人或更多人组成的许多小股日军在全城到处游荡。正是这些日本士兵的杀戮、强奸和抢劫给这座城市制造了最严重的恐怖。现在还没有充分的证据说明，这些士兵究竟是得到授权随心所欲地去做自己想干的事呢，还是进城后日军已经完全失控。我们已经得知，日军最高统帅部至少发布过两道命令，用来管束军人。而且在日军入城前，还曾严令不得烧毁任何财产。

数以千计的日本士兵成群结队地在大街上游荡，犯下数不清的抢劫和其他种种残暴罪行，这种情况还在继续。据我们从外国目击者那里听到的反映，日本士兵犹如一群野蛮人肆无忌惮地侮辱这座城市。全城有数不清的男人、女人和儿童被杀害。老百姓平白无故地遭到枪杀或刺杀的事层出不穷。我们从日本人那里得知，在我们抵达南京的前一天，他们不得不清理掉众多尸体。尽管如此，在屋内、在池塘边、在街道旁仍见得到尸体。我们从一位美国侨民那里获知，日本士兵侵入一所位于城南的房子，里面有14名中国人。他说，他看见的是11具尸体，其中的女性先遭强奸后被杀害，仅有2个幼儿和1名儿童活了下来。不久前的一天，有人在大使馆旁的小池塘里打捞尸体，从中捞出二三十具身着平民服装的中国人尸体。

据报告，日本士兵到处寻找本地妇女供己淫乐。随函附件详细描述了此类事件供参考。当地外国人相信，仅在日本人占领初期，此类案例一夜之间就有不下数千起。据一位美国人统计，在一处属于美国财产的地方，仅一个晚上的时间，此类案件就有30起。

与此同时，杀人和强奸仍在不断发生。这座城市完全任由这支强盗军队宰割。日本士兵几乎侵入每一间房屋、每一栋大楼，把一切想要的东西洗劫一空，满载而归。

对发生在安全区的引人注目的事件，南京国际委员会都留下一份记录。委员会定期向日本大使馆通报事件，希望这些文件引起日方注意。与此同时，委员会还就事件的发生向日方提出抗议，要求他们采取行动防止此类事件再度发生。我们一到南京，相关事件的案例和报告副本就送到了大使馆。截至1月10日，报告共记录188起案例。委员会公函及案例报告副本随函附上。

掠 夺 财 物

根据国际委员会以及美国公民提供的情况，结合大使馆职员所做的调查，确信南京城中几乎没有一处财产能够免遭日军侵入和掠夺。校园、房屋、商店或大楼，不管它们属于外国教会，还是外国人或中国人所有，所有这一切都遭到不加区别的侵入，并且或多或少地遭到抢劫和掠夺。据悉，美国、英国、法国、德国大使馆均遭到侵犯，都有东西被拿走。有报告说，意大利大使馆也遭受同样命运。1月1日，苏联大使馆因一场神秘大火而烧毁。经我们检查过的每一处美国财产，或美国侨民报告中所提到的每一处美国财产都毫无例外地遭到过日本士兵的侵犯，而且经常是遭到反复侵犯。即便里面仍然有美国人居住的寓所，甚至也发生过这种事情。这些美国侨民和国际委员会的其他成员，一直在不断地往外驱赶那些侵犯外国财产并意欲掠夺财物或寻找女人的日本士兵。直到写本报告的时候，他们仍然还在这样忙着驱赶日本士兵。

对于日本士兵来说，所有能够拿走的东西似乎都成了理想的掠夺对象。他们对外国人住宅做过专门的摸底，他们的猎取对象尤其集中在汽车、自行车、酒类以及一切能够装进小兜里的值钱的东西上。不过，对于任何其他财物，只要这些侵犯者看中，不管它是属于中国人的，还是属于外国人的，一律难逃被掠夺的厄运。城市商业区店铺的废墟显示，店内货物早已被全部洗劫一空。大量事实表明，日本士兵抢到许多仅凭徒手无法弄走的东西。于是，他们动用卡车来拖。外国侨民报告,他们多次看到日本士兵用卡车从商店和货栈拖走库存货物。美国德士古石油公司货场主管报告,日本士兵从货场搬走库存的汽油和油布,再用被他们占用的公司汽车将其运走。

我省略下一段

烧毁财物

南京不动产遭受的最严重破坏来自火灾。在我们写这份报告的时候,城市好几个地方仍然可以看见火光。安全区没有火灾发生。不用说,除了这个区域外,城内随处可见的燃烧是有人纵火或别的原因造成的。在多条大街上都可以见到被大火烧塌的房子和建筑,它们散落分布在那些根本未曾被大火烧过的其他房子和建筑之间。有的街上只有一二幢或稍多一点的建筑物墙面被烧黑,而建筑物的其余部分却未曾过火。

这座城市的南部边缘一带遭受了最严重的火灾蹂躏。当地是商贾云集之地。视察中可以看到,这一带的建筑物和房屋成片成片地被焚毁。许多街区烧得只留下一打或更少的建筑物。与上海闸北大火几乎把整个区完全毁灭不同,这里通常只是临街建筑遭焚毁,而其背后的建筑则大部未被殃及。

日本当局争辩说,城墙内的火灾都是南京陷落后,那些正在撤退的中国人或身着便装的中国士兵干的。这里面可能有一些是中国人干的,但是我们有充足的理由相信,与南京陷落和战事停止后日军蓄意地或不小心放火相比,中国人干的那点事根本不值一提。在被侵入遭掠夺后,这些建筑物不管是被人故意纵火,还是被人不小心留下火种,继而引发火情,或者是被临近燃烧的其他建筑物所殃及,无论是哪种,日本人都没有采取任何灭火措施。

现随函附上一份备忘录，它是国际委员会委员在这座城市遭受火灾肆虐最严重的时刻所草拟并签署的。备忘录阐明了委员们在火灾起因以及火源方面的观察与发现。这些观察者在备忘录的第一部分首先说明在日军入城之前他们所知的城市有多少地方被大火烧过。他们证实，那段时间实际发生的火灾所造成的危害很小。在备忘录第二部分，委员们指出12月20日晚他们在南京所看到的一幕：日本士兵站在着火的建筑物旁看着它们烧，他们将商店洗劫一空，并用卡车运走抢来的商品，还在别的建筑物地板上点起篝火。

"安全区"内所发生的事

至于安全区，总的来说情况要比南京其他地方好多了，本报告随后章节在谈及国际委员会工作时会更多地提到它。尽管安全区也没有逃过日本强盗的侵犯和抢劫，但其遭受的损失和遭遇的恐怖程度没有南京其他地方大。尽管这里也发生过数不清的强奸、杀人案，所有房屋均遭过侵犯，多多少少被抢劫。但大多数留在南京的中国百姓还是以难民身份躲进安全区，把它当成全市最安全的地方。这一事实本身就证明，安全区的状况要比其他地方好多了。与其他地方的平民相比，这里的人们所遭骚扰要少，也未遭驱赶。大多数房屋未曾遭受其他地方那么严重的破坏。最重要的是，安全区没有人纵火。

我们抵达南京以来发生的事情

自从我们到达南京后，尽管据说南京遭受暴力、人身伤害和财产掠夺最严重的时期已经过去了，但案件依然不断。日军几乎每天都要侵入美国侨民住处，抢劫财产，从校园抓走中国平民。大使馆每天都能收到这方面的报告。1月10日至今，已经发生了24起日军非法侵犯美国财产的案件。其中3例涉及日本宪兵，他们未经许可强行闯入美国人居住的地方。

南京基督教青年会总干事菲奇先生报告，1月4日以来，他位于宝泰街7号的住所7次被日本士兵闯入，东西被盗。

1月13日报告的两起案例成了当天给日本大使馆一份书面抗议的主题。我们1月13日12时致国务院第21号电报提到了这份抗议，可资参考。抗议信副本随函附上。这两起案件是：1月11日，日本士兵侵入金陵神学院盗走一些物品；同一天，日本宪兵采取暴力手段强行闯入贝茨博士的屋子，抓走一名金陵大学中国籍员工。

据1月14日收到的另一封贝茨来信，报告前天晚上有4个日本士兵闯入金陵大学带走一名中国女孩。这封信的副本与1月14日阿利森先生给日本使馆的福井先生的非正式函件一起递交给日本大使馆。两封信的副本随函附上。

侵扰美国财产的事情仍在继续发生。阿利森先生1月18日下午4时致国务院的电报对这几起事件有所概述，电报还报告了当天发生的一件与联合基督教会财产相关的事，均可参考。后一件事下文将作详细介绍。

据报告，日本士兵侵入中华路联合基督教会大院。1月18日下午1点半，当阿利森和埃斯皮从米尔斯和斯迈思那里得到这一消息后，立即赶往那里。我们看到，院子临街的一大段院墙已被推倒，院内有人践踏的脚印，那段倒塌的墙是干的。该墙一定是在过去的3个小时内被推倒的，因为早上一直在下雨。而且，除了那段倒塌的墙外，其他地方都是潮湿的。我们赶到后，发现麦卡伦正在现场。他说，早上查看院子时，围墙还好好的。随后他又说，上次来院子检查时，发现联合基督教会建筑内有两个日本士兵和两个中国人。他们手上拿着联合基督教会的财物，在遭到抗议后，这几人放下东西走了。麦卡伦说，早上还在大楼内的一架钢琴现在不见了。据抢劫发生时正在现场附近的一个中国居民说，就在我们到现场前不久，两辆卡车载着日本士兵来到这里。他们砸倒围墙，运走抢来的东西。现随函附上麦卡伦就此事呈送大使馆的报告的副本。

　　这里也许有必要提一下，一家英国公司——中国木材进出口公司的大型木材堆料场，在1月18日之前显然未遭侵犯，大门紧闭，并上着锁。但那天我们例行巡视来到下关码头时，发现日本士兵正用卡车往外盗运大量木料，他们走的是一个新开的大门。稍后我们从英国领事那里得知，日本人运走木料完全未获同意。他正准备就此次抢夺英国财产事件向日本大使馆提出抗议。

我省略这页的其余部分。

韦伯庭长： 有不少重复，许多细节不应该进入庭审记录。想必我们快要达到累积证据[1]这一程度。

萨顿检察官： 我将省略本文件其余的大部分。有关这一主题，仅有一段。我可以继续吗？

韦伯庭长： 是的。

萨顿检察官：（宣读）

　　有趣的是……

韦伯庭长： 你读的是那页？

萨顿检察官：

　　据报道日本军队通过自治政府——第16页倒数第2段，仅读一段——据报告，从1月1日起，日军通过南京自治委员会一直在想办法让平民离开"安全区"返回自己的家。这个情况值得注意。据说一开始确实有几个难民回到自己的家中（在城市的另一边），

---

[1] 指后面的证据和前期证据支持同一点。

但这些人很快就返回安全区。因为他们到家后发现家中早已一无所有,只剩下烧焦的一堆废墟。尤为关键的是,他们在家得不到保护。据说,他们曾报告,回家后遭到日本士兵的抢劫,家中女人被强奸,有的甚至被杀害。

我省略那页的其余部分。省略整个第17页。我省略第18页的前3段,从中间读2段。

Ⅲ. 南京国际委员会

有关南京国际委员会、该会美国籍委员通过他们在自己创办的公共福利机构的活动,均作为本报告的单独一节呈上。

这项由22名在南京的西方侨民所从事的事业值得特别一提。他们为了促进中国人得到人道的对待,所付出的不知疲倦、持之以恒的努力;他们在日军暴行下为了保护生命和财产不受侵犯所做的不懈工作;他们在极端惨痛的形势下所显示出的那种足以驾驭局势的能力;他们在遭到日军当众侮辱和粗暴对待下所体现出的克制和忍让精神,所有这一切,都值得高度赞誉。很有可能,仅仅是这些外国人在南京的存在,至少在某种程度上对日军的行为起到了约束作用。毫无疑问,国际委员会和这些外国人士个人的努力,大大避免了平民遭遇更加悲惨的命运,防止了一场远比现在更大的财产劫难。关于安全区,业已指出的几点本身就是他们努力的结果。

我省略这页的其余部分以及第19页的前两段。从第19页的第一小段开始,只读两段。

从委员会自己给日本大使馆、后来又给美国大使馆的报告中,可以看出他们所作所为的价值。这些报告最能说明委员会的工作以及它所面临的问题,报告副本见附件第8号。

在1月7日致本大使馆的一封信中,委员会解释了它们送交这些报告的理由。12月14日,委员会得到一名日本大使馆外交官的通知,日本军方"决心使南京遭殃,但大使馆的人则力图缓解这类举动"。得此消息后,委员会开始呼吁日本大使馆为缓和南京局势提供帮助。委员会不停地向日本大使馆强调,现实情况是多么糟糕,希望这些能够引起军方注意。为了证明委员会对局势的看法,也为了使日方能够了解情况究竟有没有改善,才向大使馆报告各种案例(本报告的附件第1号)。

我省略这页的其余部分,省略第20页。我将宣读第21页的一部分,这也是本文件的最后的摘录。这是1938年2月6日南京美国大使馆的阿利森致华盛顿美国国务卿的电报。

新上任的南京驻军司令官天谷少将在日本大使馆举办了一次茶会,款待在宁外国外交官代表。招待会上,这位少将发表了长篇讲话,阐明他对当地形势的看法。在讲话中,他指责有些外籍人士向外界写信报告日本人暴行以及鼓励中国人的反日情绪的做法。这个讲话的要点见下文。鉴于讲话的重要性和篇幅,我与英国、德国同事利用今天上午的时间一道核对讲话记录,看有无错误和疏漏。可以放心,下面的这份摘要是完全准确无误的。

我省略总结性的两段,从倒数第2段开始。

对自己的一番讲话进行总结过后,这位将军请在场的外国人提出批评和建议,但无人应声。当被问到能否得到讲话文稿副本时,日本大使馆总领事日高回答说,这不是一个正式的讲话。讲话矛头显然直指国际救济委员会，一个主要由美国人组成而由德国人担任主席的组织。该委员会不仅每天要为5万难民提供吃的，而且在努力制止、揭露日军暴行方面表现得特别积极。

我省略这一文件的其余部分。

洛根辩护律师：如果法庭允许，我可以要求宣读该报告第10页的3段吗？

韦伯庭长：我们决定不允许辩方把自己的证据掺合在检方的证据中。出于顺序方面的考虑这是必要的。这一案件直到辩方提交了他们所希望提交的所有证据才会裁决结束，而且会参考检方文件中的这些段落。这些段落是证据，但在检方证据的记录中出现是欠妥的。辩方可以将它们放在自己的证据记录中。辩方不断暗示我们允许压制证据，这显然是不对的。

洛根辩护律师：如果法庭允许，到目前为止，检方试图指控一些被告对发生在南京的暴行和所有的事情负责。检方刚宣读的一份文件里表明许多暴行不是日本人所为，而且中国士兵将他们的制服扔掉；他（萨顿）刚才却故意省略掉3段，而这3段会对法庭产生启发和影响，并向法庭解释当时南京的真实情况。

韦伯庭长：中国人不能因为脱下军服而被当场枪毙。他们可以在适当的审判、定罪后被执行死刑。

洛根辩护律师：但是，如果阁下允许，这也表明正是这些士兵为了得到便服而抢劫和屠杀其他中国平民。我认为法庭应在此时对此做出评估，即本证据的一部分正在被陈述，法庭应得到与此有关的各方面事实。

韦伯庭长：现在就要听取辩方要用的这一部分证据，而其他的证据就不需要现在听取，这是没有道理的。为了次序和正常的程序，我们应在同一时间听取检方的所有证据，然后在另一时间再听取辩方的所有证据。唯一例外是辩方在反诘中所引证的,而且是必须的部分。

洛根辩护律师:正如阁下在几天前所说的那样,我们无法对文件或是报告进行反诘,当一份作为证据的报告被提交时,它是检方的证据。如果他们要宣读文件的话,让他们向法庭宣读文件的全部内容,这样法庭就能从整个报告中得到一个完整的描述。

韦伯庭长:你作为辩护律师将确保我们从整个报告中得到完整的描述,而且是以最有效的方式,即在审判快结束时。法庭是在最后听取辩方的证据,因此当我们审议个案的时候,这将会给我们留下最新的印象。

6. 拉贝的一封信(1946 年 8 月 30 日)

(1946 年 8 月 30 日,星期五)

萨顿检察官:检方提交的证据是第 4039 号文件,内容是德国驻中国外交机构给德国外交部有关南京陷落后南京局势的报告。

韦伯庭长:按惯例接受。

法庭书记官:检方第 4039 号文件作为证据被接受,证据号为 329。

(检方证据第 329 号被接受为证据)

萨顿检察官:汉口的陶德曼与德国外交部的通信。内容:南京被日军占领后的局势。副本递交给柏林外交部。东京大使馆收到了该报告的副本。随报告还附有一份 1938 年 1 月 14 日拉贝在南京写的一封信。我宣读这封信(英文)第 2 页:

(宣读)

你的上述电报经过德国大使馆的转递,我已于今天收到,特此告知。收到你要我到汉口的消息时,已经太晚了,德国人早已乘"库特沃"号船前往汉口去了。此外,我认为在危难时刻不抛弃逃到我这里的中国职员,如韩先生一家和其他装配工,是我应尽的职责。在回答你上一份电报时,我已告诉你,我担任了此地成立的国际委员会的主席职位，该委员会的任务是组建一个安全区，为20万中国平民提供最后的避难所。日本人以中国高级军事人员及参谋在撤离南京前一直都驻扎在安全区内为由，拒绝给予安全区完全的承认，所以安全区的组建工作相当不容易。我们真正的困难是在炮击开始后，也就是说是在日本人占领城市后。日本军事当局像是失去了对部队的控制，军队进城后进行抢劫达数周之久，约有2万名妇女和姑娘遭到强奸，成千上万的无辜平民（这其中包括43名电厂工人）惨遭杀害（用机关枪进行大规模的屠杀已经算是人道的方法了）。他们还肆无忌惮地闯入外国人的房屋，60处德国人的房子中，约有40处遭到不同程度的抢劫，4栋被彻底烧毁。整个城市约有三分之一被日本士兵纵火焚毁，时至今日，纵火事件还在继续。城市里没有一家商店没有被闯入或是被抢劫。整个城市，被枪杀的或是被其他方式处死的人的尸体横陈街头，随处可见。日本人甚至禁止我们收尸埋葬（我们不知道为什么！）。在离我房子约50米远的地方，那具被捆绑在竹床上的中国士兵的尸体自12月13日以来就在那里，距此几米处就有一日军岗哨。许多池塘里漂浮着被枪杀的中国人的尸体，有的竟多达50具。

  委员会设立了粥厂和米面分发点，迄今我们以此还能养活涌进安全区的20万南京市居民。但现在日本人下令，强迫我们关闭粮食销售点，因为新成立的自治委员会想要接管救济难民的工作，而且采取这种方式迫使难民离开安全区，返回自己原住处。前面已经提到过，安全区以外城区没有被损坏的房屋已经所剩无几，因此难民根本不知道他们应在何处安身，更何况仍然不时有日本士兵在市区闲逛，杀人放火，难民们对他们噤若寒蝉。我们委员会希望尽力与日本人以及与日本人扶持的自治政府达成谅解，至少要保证难民的粮食供应。另外，如果日本人以及自治政府能接管我们的工作，我们是不会有任何意见的，而且我们希望越早越好！一旦市区恢复了秩序,日本当局应准予我离开南京,我将前往上海。到目前为止相关的申请都遭到日本的拒绝。

在此我请求(尽管有点迟),请同意我在安全委员会解散之前留在南京,因为几个欧洲人的去留实际决定了许多人的命运。仅仅在我的房屋和院子里就有600多名赤贫的难民。自12月12日晚以来,他们纷纷到我这里来躲避不受约束的日本军事暴徒的侮辱和杀害。他们中的大部分人住在院子里的草棚中,每天靠定量的救济粮生活。我们委员会总共管理了25个难民营,约7万难民,其中5万人必须依靠我们的救济过日子,因为他们已经是一无所有了。你可能很难想象出这里的情形。南京陷落前,日本人对南京进行了数月的轰炸和炮击,但是这同日本占领南京后给市民所造成苦难是无法相提并论的。我们自己也感到不可理解,我们怎么能安然地活到今天。我请求不要公开这封信。因为这很可能给我们委员会带来灾难性的后果。

致以德意志的问候,

约翰·拉贝

7. 陶德曼致德国外交部秘密电报(1946年8月30日)

(1946年8月30日,星期五)

下面是1938年2月16日汉口的陶德曼与柏林外交部的通信,标有"绝密"字样。

1937年12月8日~1938年1月13日南京发生的情况

我很荣幸地随函附上一份德国目击者的秘密报告,内容是1937年12月8日~1938年1月13日南京发生的情况。务请严格保密。该秘密报告是冯·法肯豪森将军交给我的。

1937年12月8日其余的欧洲人都离开了南京城,上了"贾丁斯·赫尔克号"船,总共只有22名欧洲人留在该城。这时南京安全区国际委员会接管了安全区,安全区是在11月中旬筹建的。尽管该安全区没有被日本方面正式承认,总的来说,在日本人占领南京之前它仍然受到了尊重。只有少数炮弹落在安全区内,在占领南京的战斗中安全区损失很小。

我省略那页的其余部分,整个第5页和第6页的第一句话,从第6页的第2句开始继续宣读:

12月13日下午晚些时候,情报员在城里看到了第一批日本人。开始时日本人表现得很规矩,甚至达到了有礼貌的程度。国际安全区委员会立刻着手同日本人联系,并再一次要求日本人承认南京安全区,然而,这一要求被拒绝了,但是正在推进的日本军队却保持着中立的态度。12月13日 午后,国际委员会接管了位于外交部的临时医院。那里的状况是令人绝望的,留在那里的中国伤员已经有两三天没有得到照顾了,全体医务人员已经逃走。相反,所有的房子都是武器和弹药。这些东西立即被委员会运走,以防日军以此为借口来伤害中国伤员。在安全区里组建了中国红十字会,并立刻为与日军的合作做好了准备,到夜晚来临之时,工作人员移走医院里的污物、死人。这样在晚间搜查医院的日本巡逻兵就没有理由干涉了。

12月14日,日军的态度出现了根本的变化,禁止国际委员会再去照顾设在外交部医院里的中国伤员。12月14日,在城里,由于日军的快速推进使其后勤供应出现问题,他们的军纪出现废弛,他们的行为一点也不像正规军队。他们从难民那里抢走了所有能拿走的食品以及羊毛毯、衣服、手表等物品。简单地说,所有有价值的东西都被抢走了。不用说对日军进行抵抗,就是交东西稍微慢一点,立刻就会被日军的刺刀刺死或刺伤;许多人只是因为语言不通就惨遭杀害。这些凶残的武装暴徒一次又一次地闯进难民区,在拥挤的房子里搜查、抢走之前来的日军士兵也许不屑一顾的东西。外国国旗从来得不到日军的尊重,当我们保护我们的仆人或财产时,我们也遭到日本士兵的恐吓和污辱。我们经常看到一个日本士兵押着四个苦力为其运送抢来的赃物,这种有组织的偷盗和掠夺持续了14天。甚至在今天,人们遇到无论出于何种原因而外出"征用"物资的日本士兵仍然非常危险。在中国军队撤退期间,一些食品店被光顾,并被抢空,一些被焚烧。然而,这座城市刚陷落时,城市的大部分是完好的。

在日本人统治下,这座城市完全变了。每天都有新的纵火事件。现在,太平路和中山东路的十字路口有火、在国府路上有火、在珠江路上有火。城市的南部和夫子庙完全被烧毁,并被掠夺一空。南京城的30%~40%被烧毁。日军以难民区内有军装为借口,硬说里面有许多中国士兵,便一次又一次地搜查,但他们并不真想费心寻找这些"士兵"。开始,他们不分青红皂白地把所有年轻人都带走;后来是把因某种原因引起他们注意的人被带走。虽然城里的中国人没有向日本人射击,但日本至少把5 000人赶到江里,然后开枪将其打死,这样就不用掩埋了。这些被枪杀者有市政工作者、电力工厂的工人、水厂工人,他们都是无辜的。直到12月26日,30个被捆绑的苦力的尸体还躺在交通部附近的几条街道上。大约50具尸体躺在离山西路不远的一个池塘里。有一座庙里躺着20具尸体。直到1938年1月13日,仍然有20具尸体躺在江苏路口周围。另一种悲惨事件是许多妇女被强暴,甚至对小孩也经常实施野蛮残暴行为。

所有欧洲人都被禁止离城,在城内活动也必须由日本警察陪伴才被允许。然而,一位先生设法在12月28日驱车前往栖霞山买食品。直到那时为止,他一直以为日本军队的"军事法庭"只是在南京这个抗日运动的首都和中心,但是他现在发现郊区遭到的掠夺更加严重。中国军队在撤退时由于军事上的一些原因,仅部分地烧毁了一些村庄,但是日本人是经常地放火。许多死水牛、马、骡躺在田里以及公路边。每天都有虐待、强奸、枪杀事件发生。

  居民一般都逃进了山里,并且躲藏在那里。汽车行驶了1小时,这位先生没见到一个活人,甚至在一些大村庄里也是如此。在千佛山形成了一个大约1万人的难民营,但在这里日本士兵的行为也像一群未开化的野蛮人。根据中国人的报告,从上海到芜湖,农村的情况非常相似。

  很难想象没有农具、没有水牛、没有安全,农民们将如何在这个春天耕种他们的农田。因为水牛是耕种水稻的关键,而安全是每天在田里劳动的先决条件。因此,在日本人占领的领土上很有可能爆发饥荒。

  1938年1月1日,临时自治政府成立,并在古老的鼓楼上升起了五色旗。在同一时刻,俄国大使馆却燃起熊熊大火。自治政府是在困难重重的条件下建立起的,即使在今天它仍然没能进行有效的治理,中国人对此根本没有信心。而日本人一方面同意给予扶持,另一方面却又拒绝帮助。受到良好教育的中国人持保留态度,只是同意某种合作。红十字会的确宣布其愿意进行合作。

我省略了第8页的3段内容。我将宣读最后一段:

  南京今天的悲惨命运清楚地表明了以下两个事实:① 南京城防御的失败;② 缺乏纪律、实施暴行和犯罪的不是个别人,而是整个日本军队,也就是说日本人的行为。

  有讽刺意味的是,这台野兽机器居然以反共勇士的面貌出现,并标榜为了中国的振兴与解放,实际上却是邪恶和低劣品质的体现。

(三)检方的总结

(1948年2月19日,星期四)

检方总结

1937~1945年间日本在中国暴行证据总结:

对平民和前中国军人的暴行

(1)在法庭上提交的证据揭示,日本军队在中国对平民和其他人所犯暴行包括"丙级"罪行和反人类罪,内容有:① 大屠杀和谋杀;② 酷刑折磨;③ 强奸;④ 抢劫、偷盗和肆意破坏财产。

(2)日本军队所犯的反人类罪行从1937年一直持续到1945年,并发生在日本占领的所有省份;这些持续的暴行不仅被反馈给在中国作战的指挥官们,而且也反馈给了东京的日本政府,但日本政府没有采取有效措施来改变这一局势;这些暴行如果不是得到日本军事当局和日本政府的批准和指挥的话,也是得到他们的默认的;这类犯罪构成了日本战争行为的模式。最早和最典型的这类暴行的例子是在南京,并通常被称为"南京浩劫"。

南京浩劫

(3)1937年12月13日南京陷落时,城内中国军队的抵抗完全停止。日军长驱直入,在街道上滥杀无辜,尤其是那些试图跑走的。在松井将军指挥下,日军完全占领了南京,开始了疯狂的暴行,并持续6个多星期。在日军犯下的罪行中,有① 谋杀和大屠杀;② 酷刑折磨;③ 强奸;④ 抢劫、偷盗和疯狂破坏财产。

1)谋杀和大屠杀

(4)成千上万的平民被日军杀戮,包括曾经当过兵的人在内。日军借口平民曾当过兵,或以他们回答不出问题为由,或没有明显理由,常常将他们捆绑在一起，押出城外，排成一列用机枪将他们屠杀。他们的尸体被投入池塘或长江，或被浇上汽油焚烧。许多的平民被日军杀戮。南京陷落后的6个星期内，对男人、妇女、儿童的杀戮成为南京日本军队的时尚，并在南京陷落后持续了6个星期。只要某个士兵对某个平民的言行稍有不满，就可以将其置于死地。在许多情况下，除了杀人取乐外，日本士兵屠杀平民没有明显的原因。只要怀疑任何人曾在中国军队待过，就会立刻遭到屠杀。

（5）罗伯特·威尔逊医生作证：南京陷落后，仅在几天里，原有50名病人的大学医院里就挤满了各个年龄段的男女老少。他们的讲述更使他确信，这些人都是日军暴行的牺牲品。他提到一位40岁的妇女，其脖子一圈的肌肉都被日本人砍断了。又提到一个8岁的男孩被刺刀戳穿了肚子。一个头部和颈部周围被严重烧伤的男人在死前说他是一大群人中唯一的幸存者，这些人被绑在一起，浇上汽油后活活被烧死。他还提到一位被日本士兵用刺刀刺伤的老人，这位老人被丢在那里等死。一个7岁的女孩的肘部被一名日本士兵砍伤，而在此之前，这个士兵当着这女孩的面杀死了女孩的父亲和母亲。他认出了梁庭芳上尉和伍长德是他治疗过的受伤者，而他们的伤是日本人造成的，这两个人都在本案中做过证。

（6）在回答日本士兵进入南京后是如何对待中国平民的问题时，许传音博士作证说："日本士兵在进城时非常非常残暴、野蛮，他们见到谁就向谁开枪。跑开的人、在街上的人、在某个地方逗留的人、或是透过门缝向外看的人都会被他们开枪射杀。"

（7）在日本军队占领南京后的第三天，为了估计死在大街上和房子里的中国人的数量，他和一名日本军官一起在城市里转了一下，在描述他的这次考察时，他说："……我看到到处都是死尸，很多尸体遭到了严重的毁坏，有些尸体还保持着死者被杀害时的原样：有些跪着，有些弯曲着身体，有些侧躺着，还有一些四肢张开着，这说明这些都是日本人干的事情。就在当时,我还看到有几个日本士兵在做着同样的事情。"

"在一条主干道,我数了数街道两侧的尸体,我自己本人就数到了 500 多具尸体,我意识到这样做毫无意义,我永远也数不清……在所有这些尸体中,我没有发现一具是穿着军装的,也就是说,没有一具士兵的尸体,他们都是平民百姓,有老人、有年轻人、有妇女还有儿童。至于所有的士兵——我们在整个城市中没有看到一个中国士兵……"

(8) 日本士兵反复搜查安全区,曾经有一次,他们不顾南京安全区国际委员会主席拉贝先生的抗议,带走了 1 500 名难民,把他们每 10 到 15 人分成一组,手连手捆绑在一起,菲奇先生和许博士(说),这些平民被用机关枪杀害,尸体被抛进了一个小池塘。

(9) 金陵大学副校长、南京安全区国际委员会成员贝茨博士作证说:他看到了"一系列的针对单个平民的射杀事件,而且在射击前没有任何的警告或明显的原因"。在逐件列举了日本士兵杀害平民的事例后,他说:"这种屠杀规模如此之大,没有人能够加以完整地描述",按照他确切知道的数字,在南京城内,包括男人、妇女和儿童在内,有 1.2 万名平民被杀害,而且在城内,还有许多他不了解的屠杀事件,有大量的平民在这些屠杀中丧生,在南京附近,也有大量的平民遭到屠杀,而这还不包括数以万计的前中国士兵。国际委员会安排埋葬了 3 万名中国士兵的尸体,这些士兵在投降后被用机关枪射杀在长江岸边。根本就不可能估计被抛入长江,或以其他方式被处置的尸体的数量。在三个星期的时间里,安全区每天都遭到搜查,任何手上有老茧或额头上有戴帽子留下来痕迹的人都被指控是原中国士兵,并被日本军队带走后杀害,而这些人大部分都是普通的搬运工和苦力。

(10) 贝茨博士进一步作证指出:为了鼓励中国人承认他们曾经在中国军队中服役,日本人还采用了一种欺骗方法,日本军官会鼓励他们说:"如果你们曾经是中国士兵,或曾经在中国军队中当过搬运工和劳力的话,只要你们愿意加入日本军队充当劳力,我们就可以原谅你们。"通过这种方式，一个下午就有200多人被从金陵大学的校园里带走，他们与从安全区内其他地方抓来的人一起押走，全部被杀害。

（11）从1912年到1940年一直居住在南京的牧师约翰·马吉作证说，日本军队对平民的屠杀从南京城的陷落就开始了，之后愈演愈烈，直到"出现了有组织的大规模屠杀。很快，到处都是尸体，他碰到过成队的中国人被带走、杀害。这些人主要是被用步枪和机枪杀害的。另外，我们还知道有数百人一起被用刺刀杀害……"。

他进一步作证说，在12月14日傍晚，他看到两队中国平民，至少有1千人，每4个人被捆绑成一组，他们被带走杀害了；12月16日有1000多名中国平民，其中包括14名教徒，以及一位中国牧师15岁的儿子，被带到长江岸边，用机关枪杀害了。

（12）他和另外一个美国人以及两个俄国人亲眼看见了一次杀害中国人的事件："一个穿长丝袍的中国人从这所房屋走过，两个日本士兵喊他，这令他非常害怕，试图逃开。他加快了步伐，希望一个篱笆墙边那里能有个缺口让他绕过去，但是那里没有缺口。那两个日本士兵走到他面前，在离他不到5码远的地方一起向他开枪射击——杀了他。他们都有说有笑，就像什么都没发生一样，一直吸着烟、聊着天，他们的感觉最多就像杀死一只野鸭一样，继续朝前走"。

（13）他作证说，他在码头附近看到了成堆的平民的尸体，每一堆尸体都有数百具，而且这些尸体中的大部分都被烧焦了，说明这些平民被射杀后，尸体还遭到了焚烧。在有些街道，都没有办法开车，因为平民的尸体太多了。他还照了照片，记录了女人们向日本士兵下跪，恳求放了她们的丈夫，这些男人们正在列队，由日本士兵驱赶着出发。当他试图要求一名日本士兵放了其中的两个人时——这两个人是他的司机的兄弟时，还遭到了这名士兵粗暴的辱骂。

（14）乔治·菲奇出生在中国，在中国的基督教青年会国际委员会担任了大约36年的秘书，在他的证词里，他引述了当年日记中的一些话:"在 12 月 15 日,我看到大约 1 300 名身穿平民服装的中国人从我们总部附近的难民营地被带走,他们排成队,每 100 个人绑在一起,押送他们的士兵的枪上都上了刺刀。尽管我向指挥官提出了抗议,但他们还是被押走杀害了。"

"在 1937 年 12 月 22 日,我在我的办公室以东 1/4 英里的一个池塘里看到大约 50 具尸体,所有的尸体都穿着平民的服装,其中大部分尸体的手都被绑在背后,还有一具尸体的半个头被砍掉了。之后,我又看到了数以百计的中国人的尸体,其中大部分是男人,但是也有一些女人,在池塘里、街上、房屋里,情况大体一致"。

(15) 麦卡伦是一位在南京的美国传教士,在他的日记里记录了许多日本士兵在 1937 年 12 月 19 日进入南京后枪杀平民的事例,他说:"这绝对是令人难以置信的,数千人被冷酷地杀害了,很难猜测到底有多少人被杀,有些人相信这个数字会达到 1 万人。"

在第二天,他讲述了人们是如何被从安全区带走的,日本士兵声称他们都曾经是中国士兵,他继续写道:"尽管人群中有人能够证明他们是平民,但是因为他们手上有老茧,日本人不进行进一步的调查就认定他们是中国士兵,全然不顾人们的抗议。许多黄包车夫和船工以及其他苦力就这样被枪杀了,仅仅是因为他们手上的老茧……"

(16) 尚德义是一名丝绸商,他作证说他和其他 1 000 多名平民在 1937 年 12 月 16 日被日本士兵逮捕,每两个人绑在一起,被押往下关的长江岸边,面对着日本士兵的机关枪,一个日本军官一声令下,日本士兵向他们开了火,在日本士兵开火前他吓得昏了过去,当他醒来时,已经被受害者的尸体盖住了。

(17) 伍长德曾经是南京的一名警察,从来没有当过兵,12 月 15 日,他和其他 300 多名警察被从司法院带走,尽管国际委员会的成员告诉日本士兵这些警察从来没有当过兵,他们被押送到南京的西门。有

1 700名中国人已经被带到了这里,在城门外和城门两侧,日本士兵架起了机关枪,在城门前有一个很陡的坡,通到一条护城河,中国人每100人一组在刺刀威逼下穿过城门,遭到机枪扫射,他们的尸体就顺着陡坡滑到护城河里。没有被机枪杀死的人被日本士兵用刺刀杀害。在大屠杀后,岸边的尸体被浇上汽油焚烧。证人有幸逃脱了机枪射击,但是被刺刀刺伤了,他装作被刺死,晚上逃跑了。最终他跑到了大学医院,在那里,威尔逊医生为他治疗。

(18) 陈福宝作证说,在12月14日,39名平民被从一个难民营带走,或是因为他们的额头上有戴帽子的痕迹或是因为他们的手上有老茧,他们被带到一个池塘边,被机关枪射杀了。日本士兵要求他帮助掩埋这些尸体。

(19) 梁庭芳上尉曾经是中国军队的一名军医,他作证说,12月16日他和其他大约5 000名中国士兵被日本人带到了下关的长江岸边,他们沿着江边排列,手腕被绑着,遭到了机枪的扫射,尸体被抛进长江,当时大约有800名日本士兵和军官在场。从傍晚6点钟就开始对这些中国士兵进行捆绑和射击,直到凌晨2点左右才结束。他和一位朋友跳进了长江,虽然被机关枪射伤,但他还是逃脱了,最终跑到医院,威尔逊医生给他做了治疗。

(20) 孙永成在他的证词中说,中国人被要求去南京火车站附近的日本军营领取通行证,当他们到达时,他们又被要求去河边排队点名,当时聚集了大约1万名中国人,这时运载机枪的卡车出现了,向人群开火,涉及持续了1个小时左右,之后,尸体都被扔进了江里。

(21) 鲁甦在他给首都地方法院首席检察官的证词中说(这些证词也被后者列入了其报告):"日军进入南京城后,共计5.741 8万名中国人,包括男女老少和撤退的士兵被日本士兵扣留在幕府山的村庄里,不提供水和粮食,很多人饿死了。还有很多人被冻死了。在1937年12月16日的傍晚,还活着的人被押到草鞋峡,每两个用铅丝捆在一起,四个一排。先是机枪扫射,然后是刺刀刺,尸体被浇上汽油焚烧,最后投入江里。"

(22)李涤生说他曾亲眼看到,很多中国老百姓由于没有明白日军的命令而被杀害,在12月23日他目睹其中五六十个人被拴在一起,用卡车载着送到池塘边,然后被机枪射死,浇上汽油后放火焚烧。

(23)陆沈氏夫人说她的丈夫——一名教师,就是在她面前被日本士兵用刺刀刺死的,原因是他没有按日军的要求为他们运送东西。

(24)吴经才叙述了日本兵是如何检查被派到幕府山运货的老百姓手掌的,其中5个被发现手上有老茧,结果被日军用刺刀刺死了。他又说包括孩子在内的尸体一直横陈路面。

(25)朱勇翁[1]和张继祥共同作证说日军曾当着他们的面杀了4个中国老百姓,其中还有一个孕妇。

(26)黄江氏夫人亲眼目睹了日军杀死她的儿子——一个牧师,和她的女婿——一个会计,而他们都没当过兵。

(27)哈笃信说日军曾射死一个以买面条为生的老百姓,只是因为他的右掌有老茧。

(28)王陈氏亲眼目睹她的丈夫仅因为试图保护她免受强奸而被日军所杀。

(29)吴着清说他的兄弟就是因为未及时向日本兵鞠躬而被刺刀活活捅死的。

(30)袁王氏亲眼看到她的弟弟被日军用刺刀捅死,而他并非士兵,只是反抢劫志愿团的一员。

(31)1938年1月25日美国大使发表了来自驻南京的美国副领事约翰逊的官方报道,叙述了从1937年12月10日到1938年1月24日发生在南京的罪行。据估计,南京陷落后几天之内,就有2万多人被日

---

[1] 日文版为"朱帝翁(Chu Yong Ung)"。

军迫害致死,理由是这些人曾当过兵。后又补充说明:"看来,没有丝毫措施来区分曾当过兵的人和根本没在军队服役的人。只要怀疑一个人是士兵,那么他只有死路一条。"报道内容还有:"除了由日本的小分队对所有的士兵进行剿杀之外,二三人一帮的日本士兵也随时在街头游荡。正是这些士兵的烧、杀、抢给南京城市造成极大的恐怖。至于南京陷落后日军是被授权随意烧、杀、抢,还是日军已完全失控至今未得到解释。日军仍然蜂拥在南京街头,罪行罄竹难书。根据无数外国证人的指控,日本兵犹如一群野蛮人肆无忌惮地侮辱这座城市,全城有数不清的男人、女人和儿童被杀害。"

2)残酷折磨

(32)尽管中国平民的顺从态度表现得非常可悲、可怜,但日军仍然对中国老百姓施加了各种性质的残暴侮辱,他们被踢打,在冷风中赤裸站立,被从鼻孔里灌水,他们的身体被刀刺,被火烤,受到了各种折磨。当日本士兵发现了中国人有家庭关系后,强迫儿子强奸母亲,父亲强奸女儿,兄妹乱伦,仅仅是让日军取乐(首都地方法院首席检察官报告)。

3)强奸

(33)从1937年12月13日到1938年2月6日,南京城下至9岁、上至77岁的数以千计的女性遭受日军惨绝人寰的强奸和轮奸。南京安全区国际委员会主席拉贝先生在呈交给德国外交部的报告中称南京陷落后一个月内,2万多的妇女被日军强奸。数以千计的妇女死于日军的蹂躏之下,其余的在遭受轮奸之后含冤死去。而且日军大肆侮辱被害女性的尸体——用木棒或酒瓶或其他异物插入受害者的阴道,让尸体暴露于光天化日之下。这种令人发指的罪行无时无处不在。假如受害者的亲人甚至孩子干预这无耻的罪行,他们只有死路一条——被就地打死或杀死。

(34)南京陷落后4～5个星期,日军每天都要闯入金陵女子文理学院,这里被宣布为安全区,而且1万多妇女和儿童群居于此。而金陵大学的校园也被宣布为安全区,4万多难民也在这里避难。尽管有魏特琳、特威纳姆夫人、陈夫人、国际委员会的成员以及外国居民的英勇无畏的工作,日军仍公开在大学的操场上强奸年轻姑娘和妇女,甚至挑选漂亮姑娘带到日本军官住所去蹂躏侮辱。南京陷落后,日军无节制的罪行一直持续了6个多星期。

(35)就日本士兵对中国女性所犯罪行作证时,贝茨博士这样说:"那是最粗暴最悲惨的景象。就在我的邻居家里,妇女被强奸,其中还包括大学教授的妻子。有5次,我亲眼目睹日军强奸妇女并把他们从妇女身上拉下来。根据我们前面提到的安全区的报告,也根据我对发生在各难民营以及金陵大学教学楼里的强奸案例调查记录,其中涉及3万难民,共计有数千起强奸案,这些案件的细节报告给日本当局。南京陷落后一个月,国际委员会的拉贝先生曾向德国当局汇报,他和他的同事相信南京发生了不少于2万起强奸案例。在这之前,我仅根据安全区的报告,非常保守的估计总数为8 000例。每天、每时、每刻,都有大批日军——15或20个一伙在城里游荡,主要是去难民集中的安全区找寻妇女。我清楚地记得两起由军官参与的强奸案,因为我自己都险些在这两起事件中丧命。强奸无时不在,无论是在白天还是在夜晚,很多情况下,甚至在路边强奸妇女。我的一个朋友亲眼看见,就在南京神学院的操场上,一位中国妇女被17个日本士兵轮奸。我不想重复那些与强奸有关的变态和虐待暴行,但我想提一下仅在金陵大学操场上,就有一个9岁的小女孩和一个76岁的祖母被强奸。"

(36)威尔逊医生作证说曾赶走强奸妇女的日本兵,并收容一个被日军强奸后得了梅毒的女孩。

(37)许传音博士作证说日军曾开着3辆卡车到难民营搜查妇女并带走强奸,这些女性从13岁到40岁不等。他的具有代表性证词就是发生在南京城南新开路上的案例:"就在那一家里,有11个人都被杀了。3个被强奸,其中一个14岁,一个17岁。强奸后,日军把异物塞到少女的阴道里,这家的祖母指给我看。有个年轻姑娘在桌上被强奸,我到那儿时,血还未干。由于尸体在附近,我们还亲眼看到了所有尸体——就在距房子几码的距离。她们全身赤裸,我和马吉把这些惨状都拍摄下来,日军罪恶昭彰。"

(38)马吉在他的证词中肯定了这件事,又给出了其他案例。马吉提到了自己所知道的许多日军强奸的罪行。其中包括一个10岁的女孩在12月20日被强奸和一个15岁的女孩在1938年2月1日被强奸6次,一个40岁的寡妇被强奸8次,一个37岁的寡妇在去金陵大学的路上被日军两次强奸,还有一个80多岁的老妇人仅仅因为说"我太老了"来拒绝日军的暴行而惨遭杀害。他又进一步证明,日军军官碰到正在强奸妇女的士兵,也只不过打他一记耳光,而日军哨兵碰到向他报告强奸事件也不过一笑了之。

(39)陈瑞芳夫人,收容1万名女性难民的金陵女子文理学院的宿舍负责人说,尽管魏特琳小姐做出了各种努力阻挠对女性的强奸,但日军还是进入校园,抓走妇女,这些妇女遭到日军军官的残忍强暴,而后艰难地回到安全区。她又说:"南京陷落后的前4个星期每天晚上,日军都要来寻找姑娘,魏特琳小姐则竭力阻挠。情况最糟的就在前四五个星期。魏特琳小姐屡次到日本领事馆报告日军的行为,要求保护这些妇女。直到过了四五个星期这种情形才开始渐止,而又过了几个月危险才终于过去。在其他难民营因为没有像魏特琳小姐这样的外国人,情况比在金陵女子学院更糟。"

(40)王潘氏详细讲述了日本卡车是如何开到有500人聚居的上海路100号,然后抢走妇女加以蹂躏的。她亲眼看见一个15岁的女孩遭到强奸而死的尸体,以及一个女子的丈夫试图保护妻子,日军用电线穿进他的鼻子,拴在树上,"就像拴一头牛",结果被刺刀刺死。

(41)吴张氏夫人描述一个18岁的女孩在美国大使馆附近的一个德国家庭——她曾以为是安全地方——遭受无数次强奸后惨死。

（42）陈贾氏描述了 12 名日本兵是如何当着其丈夫和孩子的面强奸一位妇女的——然后杀了试图保护妻子的丈夫和在母亲受辱时哭泣的两个孩子。

（43）陈福宝作证说，他看到 3 个日本兵强奸一个 16 岁的哑女，之后又把一位丈夫逐出家门而强奸了他怀孕的妻子。

（44）一位美国传教士麦卡伦 1937 年 12 月 17 日在日记中写道："强奸！强奸！强奸！——我们估计有每夜 1 000 例、每天无数例强奸。只要有任何反抗和不从，不是刺刀就是子弹。每天我可以记下成百例的强奸案例。人们已经歇斯底里：只要外国人一出现，他们就不停磕头，请求帮助。每天早晨、中午、晚上，无数妇女被劫走，日本兵可肆意妄为。"1938 年 1 月 3 日，他又写道："每天都有坏消息传来：就在昨天下午，一名男人在国际救济委员会总部附近被杀了；下午，日军强奸了一位妇女，她的丈夫竭力保护她，却被日军杀死。今天又来了一位妇女诉说她的遭遇。她是被日军劫到日军医疗单位的 5 位妇女中的一个，白天给日军洗衣服，晚上供他们淫乐。她们中的两个被迫每天要满足 15~20 个日军，而其中最漂亮的那个每晚要被 40 个日军强奸。来的这位妇女后来被日军带到了一所荒凉的房子里，就在那里，日军要把她杀死。结果她的脖子被严重砍伤，所幸未伤及脊椎，她昏死过去，后来艰难地来到医院。"1938 年 1 月 8 日他在日记中这样写道："一些日本新闻记者来到难民营门口，向难民分发蛋糕和苹果并拍摄了很多照片。与此同时，一批日军却爬过后墙，强奸了 10 来名妇女，却没有照片拍下来。"

（45）1938 年 12 月 25 日，美国使馆的副领事返回南京后，在发给美国大使的官方报告中这样总结了南京陷落后发生在南京的事情："据报告日本士兵在任何能够找到当地妇女的地方搜寻妇女然后强奸，本报告后附有这些事件的参考材料。日军占领南京初期，这儿的外国人相信每晚要发生 1 000 例这样的事件，而一个美国人曾统计，仅在属于美国人房产的地方,一晚上也竟有 30 例强奸事件。"

4)抢夺,抢劫和肆意破坏财产

(46)南京陷落后,南京彻底被日军控制,他们开始大肆抢劫和破坏私人财产。日军闯入私人住宅、学校、医院、公共场所去偷窃各种财产并占为己有。南京沦陷后几天之间,日军进行的有组织的抢劫大约持续了 6 个星期。他们或手下的人开着卡车到一家家商店,抢走店里的商品,之后放火烧毁商店。每日每夜,每条街巷,不断重复着一直持续了四五个星期。基督教男青年会大楼、许多教堂、学校、公共建筑物和私人住宅甚至包括俄国大使馆都被日军烧毁。

(47)日军占领南京之时,只有极少的建筑物受到之前战争的破坏。而在五六个星期日军的破坏下,住宅、商店、教堂、学校和公共建筑物完全遭到毁坏,南京成了一片废墟。贝茨先生这样作证:"在日军占领南京后的 6~7 个星期里,他们肆意闯入城里的每一个房间。在很多情况下,抢劫都是有组织的,甚至在日本军官的指挥下动用了大批卡车。银行里的保险柜,包括德国官员和居民的个人保险柜被日军用乙炔焊枪切开。他们还闯入外国大使馆洗劫,这其中包括德国和美国大使馆的私人财物。事实上,任何可见的财产都被洗劫一空。日军占领南京之前,只有一些醉酒的士兵造成了 1~2 起小的火灾。而大约从 12 月 20 日开始,即日军占领南京的 5~6 天后,日军开始放火,并持续了 6 个星期。在一些情况下,都是先抢劫商店,然后放火,大多数情况下我们看不出任何纵火的原因和规律。没有一次发生严重的大火,但每天都有一些固定建筑群的失火事件。有时日军使用汽油,但更多的是使用某种化学物质,我保留了这种化学物质的样品。1938 年初俄国大使馆发生火灾。火势蔓延到基督教男青年会大楼、两幢著名的教堂和两幢飘扬纳粹旗帜的德国商业财产。"

许博士作证如下:"日军蔑视任何人的私有财产。他们擅自闯入民宅,进行抢劫。他们放火并摧毁房屋……日军开始在俄国大使馆纵火,我亲眼看见他们在1938年1月1日纵火前浇上煤油。其他机构像基督教男青年会大楼、教育大楼和著名人士的住宅都被放火。""问：这些建筑是在日军占领南京后被烧毁的吗？""答：是的，这都是日军占领南京后许多天里进行的肆意的破坏。"

马吉作证如下："日军强行抢劫他们看中的任何东西：表链、钢笔、钱、衣物、食物等。日军占领南京后我曾送一个41岁的妇女到医院——她显然是很不明智，竟在日军抢她的被褥时和其争夺，被日军刺伤了脖子。在南京城的不同地方，每天都有火灾。我们的一所圣公会教堂遭到部分焚烧，剩余部分1月26日被彻底焚毁。基督信徒馆也被烧，他们的一所校舍被烧毁，还有基督教男青年会大楼、俄国大使馆，以及安全区之外的很多居民住宅被烧毁。这些日本兵每次焚烧时总会留下一些上有类似白蚁一样的不知名物质的黑色棒状物。这东西易燃，毫无疑问他们是用这个来点燃房子的。"

菲奇1937年12月20日在他的日记中这样记载："故意破坏和暴行没有丝毫缓和的迹象，最重要的商业街——太平路一片火海。我看到日军驾着卡车，满载着从商店里抢劫的财物，然后放火烧了商店。我也目睹一群日军火烧大楼的实况。然后，我驱车来到基督教男青年会，那里已是火光冲天，显然火就是在不久以前被点燃的。那天晚上，从我家窗口，我看见了14处大火，其中一些蔓延面很广。"

麦卡伦1937年12月27日在日记中写道："看看外国人的房屋吧，在日军未来前，它们被当作一处景点，都是完好无损的，而自从南京陷落后，就再也不是原样了。每把锁都被撬开，每个箱子都被洗劫一空。他们从门外的烟囱到房里的钢琴搜寻财物和一切值钱的东西。南京一片凄惨。当日军刚进城时，所有建筑都完好无损，而自此之后，商店被洗劫，大多数被焚烧。太平路、中华路和其他所有主要的商业街实际上成了一片废墟。"

（48）冯·法肯豪森将军批准将一位德国目击者的秘密报告，作为绝密报告发给德国外交部,该报告描述了从 1937 年 12 月 8 日到 1938 年 1 月 13 日日军在南京的所作所为。"他们从难民那里抢走一切能抢的东西——食物、羊毛睡毯、衣服、手表,简而言之,他们抢走任何值得带走的东西。一名日本兵抢劫时要带上 4 个苦力给他搬运赃物,这是一种非常普遍的现象。这种有组织的抢劫持续了 14 天,即使现在,人身安全仍不能得到保障。"

然后,讲述了在南京被占领时城市的大部分地方遭到破坏,报告中这样写道:"在日军的统治下,南京城的面貌大变。没有哪一天没有纵火。现在轮到太平路、中山东路、国府路、珠江路。城南全部和夫子庙完全被烧毁。假如用百分数来表示的话,南京 30%～40%被烧毁。"

(49)发给美国外交部的官方报道声称:"日军未采取任何灭火措施。"

5)南京陷落后死亡的总人数

(50)南京陷落后很难确切地估算被日军所杀的南京市民的人数。被日军屠杀的老百姓的尸体横陈于大街小巷,几个星期无人收尸。尸体就躺在门口、院子里、花园里、公共建筑物里或在私人家中。池塘里和江边大堆被烧焦的尸体表明了大屠杀发生的地方。两个慈善组织——红卍字会和崇善堂几个月来一直致力于在南京城里埋葬尸体,特别是埋葬那些无家人和朋友认领的尸体。

(51)担任红卍字会副主席的许博士告诉我们,这个组织自南京陷落后在南京城里城外共埋葬了 43 071 具男女老少的尸体。

(52)崇善堂的记录显示:从 1937 年 12 月 26 日到 1938 年 4 月 20 日由这个组织在(南京)附近埋葬的受害人数共计 11.226 6 万。

(53)南京地方法庭总检察长的报告于 1946 年 1 月 20 日起草,他的调查揭示了南京陷落后的情况,总结出南京陷落在南京及周边地区大约 26 万人被日军所杀。

(54)由南京地方法庭总检察长 1946 年 2 月就日军在南京的罪行

起草的总结报告,认定在南京至少30万人被南京的日军集体杀戮或分别杀害。

6)恐怖统治持续了6个多星期

(55)威尔逊医生描述了几名被送到医院疗伤的平民的情况,这些平民都是被日本士兵伤害的。之后,他说:"这种情况在日军于12月13日占领南京后,持续了大约6～7个星期。"

(56)关于这种暴行持续的时间问题,许博士说:"最初的几个月情况最恶劣,尤其是前3个月,后来,这种情况或多或少减少了。"贝茨博士作证说:"严重的恐怖气氛持续了2.5～3个星期,在6～7个星期里,情况都比较严重。"

(57)当被问到在日本军队占领南京后,他所描述的日本士兵残暴对待中国平民的行为持续了多久时,马吉先生回答说:"在大约6星期后,这种情况开始减少,尽管还是发生了多起事件——在此之后,发生了许多单个的事件。"

7)日本士兵的持续暴行被报告给松井将军和东京的日本政府

(a)松井将军在南京

(58)松井将军当时在南京。根据松井将军本人的陈述,1937年12月17日,他在南京,并在那里停留了一个星期后才回到上海。他刚刚进入南京,就听到日本外交官报告了日本军队在那里所犯下的众多暴行。松井将军担任指挥官直到1938年2月,他说是他自己要求解除他的指挥官职务的。被告武藤将军当时是参谋副长,他说他和松井将军一起去南京参加接管行动,并且在那里停留了10天。在松井将军担任指挥官期间,没有采取任何有效措施纠正当时的形势。

(b)南京安全区国际委员会的报告

(59)南京安全区国际委员会是由一批留在南京的德国、英国、美国和丹麦公民组成的,这些外国人在南京陷落之前和陷落时留在南京。从1937年12月14日到1938年2月10日,德国人约翰·拉贝先生担任国际委员会的主席,斯迈思博士担任国际委员会的秘书。国际委员会成员的姓名和国籍记录在庭审笔录的 4508 页和 4509 页。这个委员会成立的目的是在一个狭小的非战斗区内为难民提供一个可以逃脱战争威胁的地方。在南京陷落后,有 20 万到 30 万人涌进了安全区。

(60) 南京安全区国际委员会每天都向驻南京的日本外交机构递交以个人身份写的报告,该委员会几乎每天都向日本领事和在南京的日本外交机构的代表递交书面报告,详细地通报日本士兵在南京安全区内的残暴行径。这些报告包括了从 1937 年 12 月 16 日到 1938 年 2 月 2 日的 425 起案例(有时一组报告就包括了 30 起不同的强奸或其他事件)。斯迈思博士说:"……在日本军队占领南京的前 6 个星期里,我们几乎每天都要提出两次抗议。通常一份是由拉贝先生和我送达给日本大使馆,另外一份则由信使送交。""……在拉贝先生和我与日本大使馆几乎每天进行一次的会谈中,他们从来没有否认过我们的报告的准确性。他们不停地许诺他们将就此问题做出努力,但是直到 1938 年 2 月,才采取了有效的措施改善当时的形势……"

贝茨博士作证说:"……在最初的 3 个星期里,我几乎每天都要带着书面报告或信件前往大使馆,通报前一天发生的事件,我还经常与相关的官员举行会谈。这些官员包括领事福井先生、副领事田中先生、现任吉田首相秘书的福井先生。这些人试图在这种困难情况下做一些他们能够做到的事,但是他们自己也对日本军队的暴行感到恐惧,除了把这些情况通过上海向东京汇报外,他们也无能为力。"

在 12 月 16 日的信件中,我对发生在金陵大学校园内的诱拐女性事件以及前一天晚上 30 位妇女在金陵大学的建筑物内被强奸一事提出了控诉。

在 12 月 17 日的信件中,我除了详细地、逐个地陈述了一些个案外,还讲到了恐怖统治和残暴行为依然在继续着,而这一切就在你们的眼皮下、在你们(大使馆)的毗邻地区发生着。

在12月18日的信件中,我通报了在前一夜,在金陵大学的6所建筑中都发生了强奸案件。我们大学里成千上万的女性三天三夜无法入睡,她们陷入了歇斯底里般的恐惧中,因为暴力事件随时可能发生。我想他们提到了在中国人中非常普遍的一种看法:只要有日本军队,就没有哪间房屋、哪个人是安全的。

在12月21日的信件中,我控诉说有数百名难民被带走去做苦力。

在圣诞节,我通报说在金陵大学的建筑物里,每天都会发生大约10起强奸或诱拐女性的事件,而且这种情况还在继续。

在12月27日,在罗列了大量的个案后,我写道:"无耻的混乱仍在持续,而且我们看不到有任何严肃、认真的努力来终止这种混乱。士兵们每天都在极其严重地伤害着数以百计的平民。难道日本军队就不在乎他们的名誉吗?"

(61)他作证说情况直到1938年2月5日或6日才得到明显的改善,他获悉日本领事馆已将他递交的报告呈交给了东京的日本外交机构。他说:"我曾经看到过美国驻东京大使格鲁先生发出的电报,电报是发给美国驻南京大使馆的,在电报里,大使详细地引用了我的报告中的内容,还提到了格鲁先生与包括广田先生在内的外务省官员之间就这些内容进行的讨论。"(广田先生也是被告人之一)

(62)12月16日,委员会的秘书斯迈思致信日本外交机构的福田先生,详细列举了日本士兵在安全区内造成的混乱,"昨天,安全区内持续不断的混乱加剧了难民的恐惧"。

(63)12月18日,委员会主席拉贝先生致信日本大使馆,详细描述了日本军队在安全区内犯下的暴行,在他的信的开头是这样说的:"再次打扰您,我们非常抱歉。但是我们所照料的20万难民的苦难和需要,使我们认为现在迫切需要你们的军事当局采取措施,制止目前在安全区内四处游荡的日本士兵的无序行为。"

(64)12月19日,委员会秘书致信日本大使馆,列举了更多日本士兵在安全区内的胡作非为。"……我很遗憾地不得不向你们通告今天的形势和以前一样的糟糕。"

（65）12月20日，拉贝主席在致日本大使馆的信件中是这样开头的："随函附上日本士兵继续胡作非为的案件71至96号。你将会注意到从昨天到现在向我们报告的这26起案件中，14起发生在昨天下午、晚上和今天。因此，情况似乎并没有大的改观。"

（66）12月21日，委员会秘书在致日本大使馆的信中，列举了发生在前一天下午的案件，信中说："……我们应该记住，这些每天都在我们安全区内遭到强奸的一些女性的丈夫是牧师，是基督教男青年会的工作人员，是大学讲师，是那些过着有尊严的生活的人。……"

（67）12月21日，在南京的22名外国居民向日本大使馆递交信件，要求他们以人道主义的名义，为了南京城内20多万平民的福祉，立刻停止日本军队在全城范围内的纵火和其他胡作非为的行为，这些已经对平民造成了巨大的苦难。

（68）1938年2月2日，委员会递交的报告记录了77起独立的强奸案件、4起谋杀案件和13起抢劫事件，所有这些都是在1938年1月的最后一个星期发生的。

（69）马吉作证说除了委员会的报告，他还多次前往日本大使馆通报单个的残暴案件。"12月21日，田中副领事告诉我当时南京一个表现比较糟糕的师团将被一个比较好的师团替换，他认为12月24日起一切就可以解决了，但是12月24日之后并没有明显的改善迹象。"

(c) 东京的外交机构了解南京的形势

（70）美国大使格鲁在整个1938年1月不断地向日本外相（被告广田）提出抗议，抗议日本军队在南京的所作所为，1月19日，格鲁从东京报告说，广田已经把他的抗议提交内阁，并且"正在考虑采取强硬措施，使前线的部队服从东京的命令。他说他大概明天可以向我们通报这些将要采取的措施"。

(71) 伊藤述史从 1937 年 9 月到 1938 年 2 月任日本驻中国的无所任大使,他作证说他当时负责与在上海的外交使团以及新闻界进行谈判,并负责新闻事务。他说:"外交官们或新闻界人士向我通报过日本军队当时在南京犯下了各种各样的暴行。"他进一步作证说他没有尝试着验证这些报告,但是他向东京的外交机构作了汇报,所有这些报告都是递交给外相的(被告广田)。

(72) 在日本士兵所犯下的种种暴行被报告给日本外交机构和日本统帅部之后 6 个多星期里,没有采取任何有效的措施来改善南京的形势。这些暴行在日本军事和民事当局的了解和允许下持续着,这也证实了陶德曼在 1938 年 2 月 16 日递交给柏林的德国外交部的机密报告中的话,在这份报告包括了德国目击证人对发生在南京的事件的记录:"决定南京命运的日子表明了两个明显的事实:① 南京防卫的失败;② 日本军队缺乏纪律、残暴和犯罪行为并不仅仅限于某些个人,而是整个军队,即全体日本人。"这就是日本军队未经宣战就对中国发动战争的方式。

二、辩方的辩护

（一）被告的辩护与回答交叉询问

1. 武藤章（摘选）（1947 年 11 月 13 日）

（1947 年 11 月 13 日，星期四）

现在我们传被告武藤，他将为自己作证。

（被告武藤首先进行了宣誓，并通过日本译员作证如下）

直 接 询 问

（由科尔辩护律师提问）

问：你是被告武藤章吗？

答：是，我是。

科尔辩护律师：我可以要求向武藤将军出示辩方证据第 2679 号吗？

（文件被递给被告）

问：你在看的这份文件是不是你的证词，并由你签过字和宣誓过的？

答：是。

问：我问你是否这里讨论的所有问题就你所知和信仰而言是真实的？

答：内容都是真实的。

科尔辩护律师：作为证据我提交辩方第 2679 号文件。

克拉默代理庭长：按照惯例接受。

法庭书记官：辩方文件第 2679 标为法庭证据第 3454 号。

（上述文件被标以法庭辩方证据第 3454 号，并作为证据接受）

科尔辩护律师：我将省略形式部分：

……8. 当时，松井将军并没有接到任何占领南京的命令。直到12月1日，才接到大本营攻占南京的命令。那时，松井将军命令上海的派遣军和第十军继续进攻南京。当时松井将军的总部在上海郊外，他大概在12月5日去了苏州。大约12月7日，新任司令官松井就职，并不再担任上海派遣军的司令官，因此只作为华中方面军的司令官指挥战事。

12月8日，接到我们的先头部队已越过磨盘山并已逼近南京的消息后，松井将军立刻下令：

（1）日军最前线部队必须保持在距南京城3到4公里的地方之内。

（2）为了劝南京城内的士兵投降，将派飞机空投劝降传单。

（3）假如中方投降，两军（上海派遣军和第十军）将从各部中选择两到三个大队进入南京城，而且他们将负责维持所辖地区的公共秩序。主要部队仍然将留在城外。关于外国公民的权利，将会得到保护。

（4）假如中国军队到12月10日中午仍然没有投降，那么，将下令进攻南京；但即使如此，部队进城后，也要遵守上述条令并维持严格的军纪和尽快恢复当地的和平秩序。

上述命令都是由参谋长冢田向两军军部下达的，当时，他在两三个参谋的陪同下亲自到南京城外。中国军队迟迟未降，10日进攻南京的命令就下达了，日军于13日越城而进入南京。

当时，松井将军正卧病上海，到苏州之后身体仍未痊愈。我只得留在苏州照顾将军。但作为陆军最高指挥官，他必须与海军最高指挥官一起参加12月17日的入城仪式，于是，在苏州郊区稻田里匆匆建起一个机场，将军于12月15日乘小客机抵达句容，然后乘汽车到达汤水镇。

12月17正式进城后松井将军首次听参谋长冢田说,大多数部队都违反司令官的命令进了城。而且,进城后还多次发生强奸和抢劫事件。关于此事,检方在对我审问时说松井将军就曾因为此事件受到其参谋本部的谴责,这种说法是完全错误的。我指的是松井将军本人对此类事件非常生气,以如下日文敬语来表达:"それをこて松井大将が'怒ちれた'"(意为"松井大将听到此事后感到愤怒")。

松井将军命令两军除了留下一些必要的防守力量,其余部队立刻从南京撤军,并严格遵守军纪。我知道两军都听从了将军的指示,但由于中国军队纵火烧房,并称之为"坚壁清野",而且当地也没有饮用水,所以两军撤离到城外的时间被拖延了一点。

如前面讲过的,当时我的职务是华中方面军参谋长助理,而此职责的作用就是协助参谋长,并主要起协调者的作用,协调其他机关的工作,例如,人事调整、后勤供给和武器装备的供应等,这样才能保证此类事情的顺利实施。

参谋长助理也只是部分地协助参谋长工作,自己根本没有决定权。而且,我的职责也不是维护军纪和道德。我在南京期间应参谋长的命令调查了南京城外营地的容量,并参与了日军撤离南京的行动。

至于松井将军,在南京待了四五天之后——在检察官的审问中我错误地把时间记成了一个星期——他于12月21日回到了上海的总部,随后,参谋人员也离开了,我也回到了上海。正式进驻南京后,由于第十军司令官柳川将军另有占领杭州的任务,他率第十军前往杭州,而驻守在上海附近的第一〇一师团也奔赴杭州。因此,松井将军立刻返回上海指挥部队行动。当时驻守杭州的中国部队不战而退,日军于12月24日没有发生流血冲突而占领杭州。

二、辩方的辩护　　201

9. 1938年2月初,大本营把华中的日军消减到大约6个师团,并撤销了华中方面军的上海派遣军、第十军,只留下了华北派遣军。然后,松井将军、朝香宫和柳川以及大多数参谋人员离开中国返回日本,只有畑将军留下任司令官。当时我仍留在那里作畑将军的参谋副长。

10. 1938年7月初,我调到华北方面军任参谋副长,我离开华中方面军前往北平。

……

2. 松井石根(1947年11月24～25日)

(1947年11月24～25日,星期一～星期二)

(被告松井首先宣誓,然后通过日语译员作证如下)

直 接 询 问

(由马蒂斯辩护律师提问)

问:松井先生,你是本次审判中的被告之一吗?

答:是的,我是。

马蒂斯辩护律师:请将辩方文件第2738号递交给证人,好吗?

(一份文件递给证人)

问:请你把文件看一下,并告诉法庭它是否为你的宣誓证词?

答:它是我的宣誓证词。

问:据我所知,宣誓证词里有一些错误,你想更正。

答:是的。有两处错误我想更正。

问:第一处在什么地方?

答:在第六段,宣誓证词英语文本的第12页,第二行"我在20日离开"应该是"我在21日离开"。第二处在第21页"我去了海军上将凯纳那里"应该是"我去了海军上将亚纳尔那里"。

问:将军,更改后,你的宣誓证词里提到的事情是真实的吗?

答： 是的。

马蒂斯辩护律师： 如果法庭允许，我想把它作为证据提交。

克拉默代理庭长： 它将被采纳。

法庭书记官： 辩方文件第 2738 号作为证据被采纳，证据号为 3498。

（上述文件被标以辩方文件第 3498 号，并被作为证据采纳）

马蒂斯辩护律师： 我将宣读第 3498 号证据，省略程序内容，从第一点开始。

（宣读）

1. 1937 年日本政府派遣部队到江苏南部的动机和目标

由于 1937 年 7 月中日两国在华北出现了不和，上海地区中国军队和民众中反日运动与日俱增。中国军队不顾 1932 年的停战协定，不断地在上海日本租界附近集结，威胁那里的日本军队和侨民，8 月 9 日，最后导致了大山中尉被暗杀，日本军队和侨民处在危险中。由于意识到为了保护日本侨民的生命和利益必须迅速加强日本的海军力量，日本政府在 8 月 15 日匆忙向上海派遣了由第三、第十一（缺编一个旅团）师团组成的派遣军。我被任命为司令官，部队由军舰在同年 8 月 20 日陆续被运往上海。派遣军的目标和任务是加强日本的海军力量，保护上海及周围地区日本侨民的安全。

2. 作为后备役军官，我被任命为司令官的原因以及当时我的思想状态

在我 40 年的服役生涯中，即从我在 1894 年进入预备军校起到 1935 年我被编入后备役，我担任过以下职务：参谋本部成员、参谋本部第二部负责人、第十一师团长、台湾军司令官等。在我的军事生涯中，我在华北和华南曾驻扎了大约 12 年，在此期间我不仅尽我最大所能促进中国和日本之间的合作，而且自从我年轻时代起，以及在我一生中我一直致力于日本和中国两国友好相处以及亚洲

的复兴。我在军队中的很大一部分工作都是为了这一理想的实现。

1937年,上海事件爆发后派遣军被匆忙派往那里。陆军大臣告诉我,因为前面提到的我的个人经历,已在后备役名单上的我被任命为派遣军司令官。当时日本政府对华政策是尽快就地解决该事件,为防止武装冲突的扩大,因此任命我去担当此职务。我总是坚信中日两国之间的冲突是所谓"亚洲家庭"兄弟间的争吵。对日本来说通过武力来营救日本侨民,保护我们受到威胁的权利和利益是不可避免的做法。这就像是兄长在长时间忍耐后痛打其年轻而又桀骜不驯的弟弟一样。这一行动是使中国恢复理智,不是出于仇恨而是出于爱。因此,当我担任上海派遣军的司令官后,我就立志在通过派遣军队解决中日之间问题的过程中,不要引起相互的憎恨,而是要带来两国间的友好关系与合作。因此,我命令我的军官要使他们的手下所有人完全理解远征的真正意义。下面是在部队出发时我给部队指示的要点:

(1) 在上海周围战斗的目的只是征服向我们挑战的中国军队,因此,中国官员和人民应尽可能地得到抚慰和保护。

(2) 牢记不要给外国侨民和军队带来任何麻烦。为了避免误解要与外国当局和军队保持密切联系。

3. 上海及其周围的战斗局势

上海派遣军在8月22日陆续到达长江口的马鞍岛,此时,(我们)收到报告说上海的军队和侨民处在危险中。因此,在24日黎明,匆忙让到达的军队在吴淞口及其沿岸登陆,并击溃了占据在那里的中国军队,与日本海军建立了通信。然而,根据报告中国军队在上海和在上海西部沿江的人数据估计大约有10万人,他们在各处对我们的登陆军队发起猛烈的进攻。在经历了15到16天的激烈战斗、付出了极大的牺牲后,派遣军终于成功地占领了沿江的阵地。但中国军队的反攻越来越猛烈,由于他们的军队得到来自南京和杭州的增援,兵力达到了30或40个师。为了对付这一挑战,我们派遣军的兵力也得到相应的增强。10月5日,第十军(超过3个师团)在柳川中将的指挥下在浙江省的杭州湾登陆与上海部队协调作战。在经过2个多月艰苦的战斗后,在10月底和11月初上海派遣军几乎没有能力将中国军队从上海及其周围地区赶走以保证日本侨民的安全。

在战斗过程中下列事情引起我的注意:上海及周边地区中国官员和人民的反日情绪非常强烈,蒋介石的卫队在反攻中最勇敢。由于退路被督战队切断,中国的其他部队也进行了顽强的抵抗,但最终被击溃。在他们撤退前,中国军队采用了所谓的"焦土策略"。他们要么炸毁要么烧毁主要的运输设施和建筑。一些中国士兵将军装换成便装,变成游击队向我士兵打冷枪,威胁到我们的后方。当地居民也与他们的军队合作,剪电报线,或安排信号火,不断破坏日本军队行动。我还知道英国、美国、法国等多国军队或公民同情中国军队,并故意向他们提供帮助,在许多方面妨碍我军行动。我深深地感到前面我讲过的中国人的对日态度——长期而苦难的战争已使华中的中国军民和日本军队水火不容,两国之间的敌意日益深重。同时,我曾命令我的士兵保护和善待中国老百姓,而且对于外国的权益要予以保护。上海南市之战没有给该区造成损害,就是我下达此命令的结果。

4. 华中方面军的组建和当时的情况导致了进攻南京的决定

1937年11月5日第十军在杭州湾登陆后,上海派遣军和第十军合并起来共建了华中方面军。当时我被任命为该军的司令官,同时也担任了一段时间的上海派遣军的司令官。华中方面军司令部管辖原来的上海派遣军和第十军的司令部,其职责是把两军的作战协同起来。然而,由于方面军只有7个参谋,它的职责就只能限于对两个司令部进行作战方面的指挥,而对于整个监督管理和医务事物则没有处理权。

因此,在我于12月7日被解除了同时担任的职务(上海派遣军司令官)后,我对前线部队的命令和监控就完全不是直接的了。

华中方面军在把中国军队赶出上海后,就占领了浙江省的嘉兴和江苏省的苏州、常州之间的地方,并力图在上海地区维持和平与秩序。

但中国军队以南京为基地,坚持进行大规模战斗。这些战斗当时在华北正如火如荼地开展,并且中国方面从其他地区集结起很多军队准备对在江苏和浙江的日军发起进攻。情况十分不利,假如不占领中国军队在南京周围的基地,就不可能维持和平秩序以及保护我们在华北地区的利益。结果,日军决定占领南京从而恢复江苏南部的和平秩序。大本营命令我们的华中方面军立刻和海军协作攻占南京,尽管阻力重重,我们的军队还是开始了对南京的进攻战。

5. 攻占南京时我们对于发生的所谓的抢劫和暴行所采取的措施

依据我国政府的"尽量使战争不扩大化"的政策,而且长久以来我一直有这种想法——尽量在日中之间实现合作和共同繁荣,于是我在南京之战中一直保持警惕,不要把这场战争变成对整个中国人民的战争。如前所述,我在上海的作战经验也使我愈发感觉到做到这一点的必要性。有关我在维持军纪和道德方面所采取的预防措施上,以及其他有助于强化纪律的行动,我就不多说了,证人中山的作证已经进行了详细的阐述。

尽管我在南京之战中小心谨慎,但在当时忙乱的情况下,可能有一些冲动的官兵干了一些令人不愉快的暴行。事后,我听说了士兵的不良行为,感到非常遗憾和难过。攻占南京时,我正卧病在

140英里外的苏州,根本不知道士兵违背我的命令所犯下的这些暴行,也没听到任何有关的报告。12月17日,进入南京城后,我才第一次从宪兵司令那听到此事。于是我立刻下令各个部门严查此事并对罪犯严惩不贷。

但有一个事实是毋庸质疑的,即在战争时期,中国军队和一些社会违法分子几乎总是会借混乱之机进行抢劫和施暴。南京陷落时,他们犯下的罪行不在少数,因此让日本官兵来承担所有的犯罪责任是有悖事实的。

12月17日举行了进城仪式,第二天,在宁静的气氛中,又在战地举行了对死难者的哀悼仪式。19日,我在十五六名军官的陪同下视察了南京城。当时,战火已熄灭,街道一片宁静,难民也已回到各自的家中。我们只看到大约20具中国士兵的尸体横在路面,城里的秩序已大致恢复。但在我们进入南京之前,所有的水电设施以及重要的市政建筑已被中国军队摧毁,当时没有火情,被火焚毁的房屋大约有五六十座。

简言之,南京陷落后到1938年2月,我在上海期间唯一听闻的就是,有谣言说1937年12月下旬在南京有一些非法事件发生,但我并未得到任何正式的报告。因此我有把握地说:战争结束时美军在东京的广播里声称发生了所谓的大规模屠杀和暴行,这一点检方在本法庭也声称发生了,但我却是从那次广播里第一次听说此事。听到广播后,我试图调查在我们攻占南京后我军的活动,但当时与此有关的人或死或被逮捕,而相关的档案都被付之一炬。不可能再回到10年前,来详细调查当时的情况了。

在南京战役中,有大量的中国老百姓和士兵遭到炮击和子弹的袭击而身亡或受伤,这种情况是有可能的。但我对于检方文件中所说的"南京之战中的有计划的屠杀"之说不敢苟同。很显然,文件中所述的"关于日军下令,并放任屠杀的行为"只能是诽谤。

至于当时的情况,不用说,作为华中方面军的司令官,我是尽心履行职责的,采取了很多措施来防止不幸事件的发生,并严惩罪行、赔偿损失。

然而,令我遗憾的是,由于紧张的战事,结果并不尽如人意(归根结底,原因在于:日军攻占南京时,我正在苏州卧病在床;而且我只在南京待了5天,就离开了;作为华中方面军的司令官,我对前线的官兵没有直接的指挥权)。

6. 南京陷落后我的行动

12月17日进入南京,待了5天后,由于要指挥在浙江作战的官兵,我经由水路于12月21日前往上海。在那里,我忙于处理战后诸事,例如,就有关普遍的和平秩序以及采取利民措施和当地的中国官员进行谈判;和英美两国的海军官员接触以及和其他外国军界和政界官员谈判以便协商解决在战争中发生的各种事情。这都是因为在占领南京后,以及我回到上海后,华中方面军接到大本营的命令,集中主要精力来确保整个长江南部和南京东部地区的安宁,特别是上海附近地区的安宁。

顺便提一下,当我回到上海听到有关南京城里的谣言后,在1937年底我派下级参谋官员到南京,下令对传说里的事情进行彻底调查,并严惩任何犯罪的人。但直到我离任,都未接到任何关于此事的真实报告。

除了在上述占领区维持公共秩序与和平外,我还认为有必要和蒋介石政府进行和平谈判。我敦促上海的重要中国官员为此做出努力,并派特使前往福州和广东进行斡旋,让他们与陈仪和宋子文取得联系。然而,由于2月底华中方面军的重组,我被解除华中方面军司令官的职务,返回日本。我现在仍然对我失去为实现我上面提到的目标而努力的机会感到遗憾。

7. 1929 年在柏林举行的武官会议的事实

1928 年 12 月当我被解除了参谋本部第二部负责人的职务后，我想到去亚洲和欧洲各国旅行，1929 年 1 月我开始了考察法属印度支那、暹罗、英属马来亚、印度和其他欧洲国家。1929 年 4 月当我经过柏林时，驻欧洲各国武官利用我到达那里的机会，聚在一起叙旧。这不是一次官方会议，也没有特别的目的。

聚会由驻德国武官尾村少将主持，聚会是社交性质的。不是我召集和发起的。另外，正如我前面所提到的，当时我已被解除了参谋本部第二部负责人的职务，只有中将的军衔，我并没有召集驻各国大使馆武官开会的权力。简而言之，那只是一次社交聚会，对当时的各种问题并没有做出任何决定。它只是一次非正式的圆桌会议，武官们对欧洲的局势表达了他们自己的看法。相应地，并没有会议记录，在我返回日本后也没有向我的上级提交报告。会议中，我坐在主宾席只是因为我是远道而来的客人。有关这一点，检方证据第 733 号与我向检方的陈述相矛盾，检方准备的调查记录的翻译可能有误。

8. 我被任命为军事参议官或内阁参议与政府外交政策的关系

军事参议官主要完成与军队的教育和训练有关的临时任务，他并不是能够随时干预任何事情的，特别是外交事务。由于当时日本国内外的政治局势，内阁参议官主要是作为咨询机构被任命的，没有实权。当我担任这些职务时，情况就是这样。有关中国、亚洲等问题，我的观点从不被采纳，我自己也从不提出自己的看法。

9. 我创建大亚洲协会的目的以及它的活动，特别是在北平我代表亚洲运动与秦德纯谈判的真实情况

多年来，我怀着遗憾的心情看到亚洲遭到欧洲和美国人的侵略，并一直祈祷由亚洲人重建亚洲。考虑到自满洲事件后中日两

国关系日渐疏远,我非常希望两国人民能够以大局为重,而不是情绪化地纠缠琐事,彼此误解。因此,为了在中国和日本对此感兴趣的人士中推进"大亚洲主义"运动,我在1933年与具有相同观点的人一道建立了大亚洲协会。它不是一个政治组织,而是某种研究社会文化的组织。它的目的是通过传播王道的原则重建亚洲——所谓的王道思想是中国和日本一代代传承下来的为在整个亚洲实现共存、共荣的一种理想——并在其和平发展过程中最终为整个人类做出贡献(辩方证据第 2234 号)。该协会的日方成员超过2 000人,但由于缺乏资金,它没能做任何特别的事情。

1935年和1936年我在华南和华北旅行时有机会亲眼看到中国,并计划与我在中国的老朋友努力使这一运动取得成功。多年来,中华民国的前总统孙文一直在中国提倡大亚洲主义。由于希望使中国的运动和我们的在实现共同目标上保持一致,1935年秋,我在北平和天津与对此感兴趣的人进行了会谈,1936年春,在华北的知识阶层中建立了中国大亚洲协会。的确,我劝说过当时的北平市长秦德纯。然而,几天前被法庭出示的秦先生的宣誓证词(辩方文件第2234号)内容与他当时的话和声明不一致。此外,我们的主张并非一定要把欧洲和美国人赶出亚洲。我所提倡的是对我们友好、在实现亚洲人民幸福的过程中与我们合作的欧洲和美国人,应该和我们一道实现共存共荣的理想。我当时发表的声明可以证明这点(辩方文件第2500、2501、2628号)。

10. 大日本兴亚同盟和大日本兴亚会的目标和活动

大日本兴亚同盟是在第一届近卫内阁时成立的,包括了与开发亚洲有关的各个机构。当时大政翼赞会刚刚组建,为了协调政府的外交政策,大日本兴亚同盟也被归属该协会,并受其监督。然而,由于国内和外交政策的发展造成内阁频繁更迭,大日本兴亚同盟被迫多次重组,活动范围也多次变化。它能做的只是与中国和

"满洲国"的各个文化机构进行联系,并要求它们的合作。除此之外,没有实现任何具体的目标。从其创建之初,我之所以成为该同盟的副总裁和顾问是因为我与大亚洲协会的关系。由于上面提到大日本兴亚会不断地变化,1944年小矶内阁时它被重组,改称为大日本亚洲开发协会。至于组织和活动,它受到政府监督和指导,但是该机构本身是文化性质的,完全是由感兴趣的平民组成的。然而,太平洋战争的进展、通信的困难以及国内外局势的严峻,从一开始就阻止了它的具体行动,结果它仅仅能够出版其机关报和向居住在日本的亚洲各国学生和侨民提供一些指导而已。

由于我过去与该协会的联系,我负责它的管理,但不久战争就结束了,在没有为它做出任何大的贡献的情况下,我不得不解散该协会。

11. "瓢虫"号事件和其他的外交事务

大约在1937年12月12日,我收到了报告,属于第十军的某炮兵部队在芜湖附近炮击了一艘英国炮舰。我命令我的参谋长立刻去调查,根据他的报告,大约在12月11日,中国军队开始用大小船只从长江撤退,他们许多船只欺骗性地悬挂外国旗帜。因此,第十军的柳川中将命令向载有撤退中国士兵的船只开火。12日,大雾笼罩着扬子江,陆军大佐桥本发现载有中国撤退士兵的船队,就开始射击。"瓢虫"号就在其中。因此,我立刻命令第十军的司令官向那里的英国海军总司令致以歉意。而我本人从南京返回上海后,不敢延误就亲自拜访了英国海军司令,并为此事向他表示了歉意。他完全明白我的意愿,并承诺将把我的歉意转达给英国政府。

"帕奈"号被轰炸是海军飞机误投炸弹的结果,而这些飞机不归我指挥,我与之无任何关系。但不管怎样,这是日军造成的不幸事件,我一回到上海就亲自拜访了美国海军司令亚纳尔并向他表示了歉意,因而获得了他对上述事件的谅解。

如前所述,我保护和平居民,并尊重外国的权益。上海和南京的战事结束后,我拜访了英国海军司令利特尔和美国海军总司令亚纳尔并向他们表达了建立友好关系的意愿,并对英美两国遭受的不幸损失表达了深深的遗憾。在此期间,我还拜会了法国大使和法国海军司令,并和他们就如何处理法租界和南市问题交换了意见,并达成了共识。

对于曾保护过南市居民的饶神父我表示了深深的谢意,同时也向他捐赠1万元作为补偿。我这样做,是为了缓解战争带来的影响。

12. 江南战场上两军的伤亡人数以及对死难者的哀悼

在上海和南京之役中死伤或因疾病而卒的日本官兵为2.1万人,加上伤、病的士兵,伤亡总数为8万多。我否认中国目击者所称的有许多大屠杀的案例,但我认为在那段时间里有许多中国士兵及平民受害者,他们中有许多人得了腹泻、痢疾、伤寒热等病,这些病当时在上海和中国军队中流行。实际上,日本军官和士兵染病的人数就到达了数百人,有100多人死于这些疾病。

在我看来,中国和日本两个民族应该像兄弟般地进行合作。他们互相争斗的确是一场大灾难,造成巨大的人员损失。我情不自禁地为这一悲惨的事件感到非常遗憾。我非常希望这一事件为我们两个民族的和谐生活提供一个机会,以及那些献出生命的人将起到新亚洲基石的作用。

回国后,我在本人临时居住地附近的伊豆山建造了一座庙,纪念两国受害者的灵魂,并祈祷他们灵魂的安息。另外,我在庙宇里用从长江南面战场上被鲜血浸染的泥土建造了仁慈的观音菩萨雕像,在观音德行的帮助下,像其他笃信观音菩萨的人一样,我日夜供奉，祈祷朋友和敌人的灵魂安息，祈祷东亚的黎明，祈祷世界和平的来到。

1947 年 10 月 14 日
（签名）松井石根

你可以反诘了。

克拉默代理庭长：诺兰准将。

诺兰检察官：如果法庭允许。

交 叉 询 问

（由诺兰检察官进行交叉询问）

问：松井将军，我想就你的宣誓证词（证据第 3498 号）提一些问题，并按照你的宣誓证词的顺序提问。现在你有你宣誓证词的日文文本吗？

答：我没有。

诺兰检察官：能给证人一份吗？

（文件递给证人）

问：你宣誓证词英文本的第 2 页第一段，说日本政府在 8 月 15 日匆忙决定向上海派遣军队，该派遣军由第三师团和第十一师团组成，后者缺编一个旅团。在你离开东京指挥上海派遣军之前，你要求派更多的部队与你一起去了吗？

答：我希望那些师团——师团数量有所增加。

问：数量增加到 5 个师团？

答：是的。

问：你为什么希望增加到 5 个师团？

答：当时有情报表明中国在上海及其周边地区的军队大约有 10 万人，因此我们相信，为应对局势，5 个师团的兵力派到那里将是合适的。

问：实际上，上海派遣军的兵力是逐步增加到 5 个师团的，是吗？

答：正如我在宣誓证词中所陈述的那样，开始只有一个半师团，但为了上海及周边地区的需求，上海派遣军逐步增加到 5 个师团的兵力，柳川军有 3 个师团，总兵力为 8 个师团。

问：上海派遣军是何时达到 5 个师团的兵力的？

答：在 10 月上旬达到 5 个师团的兵力。

问：第十军是在，或大约在 1937 年 11 月 5 日在中国登陆？

答：是的。

问：那支军队，第十军是由柳川将军指挥的？

答：是的。

克拉默代理庭长：我们休庭至 13∶30。

（12∶00 休息）

法庭执行官：远东国际军队法庭现在复庭。

克拉默代理庭长：诺兰准将。

（被告松井石根进入证人席，通过日语译员作证如下）

交 叉 询 问

（由诺兰检察官继续提问）

问：将军，在你的宣誓证词英文本第 3 页的第二段，你提到了你被任命为上海派遣军司令官的原因。在你的军事生涯中，你差不多在中国度过了 12 年，不是吗？

答：是的。

问：在此期间，你的职务是什么？请非常简要地告诉我们。

答：1907 年我作为助理武官被派到北京。大约 3 年后我被任命为驻上海军事官员而去了上海。在上海服务了 3 年后，我临时回到日本。在 1914 年我再次去了中国，并在那里待了 4 年半——更正——1915 年，就是袁世凯登基的时候。在此期间我与孙逸仙和国民党其他成员合作试图推翻袁世凯。

问：在这 4 年半的时间里，你的职务是什么？

答：我是驻上海的武官——军事代理人。

问：军事代理人，松井将军？

答：是的。

问：代理谁？

答：军事代理人是当时用的一个术语，指驻上海的日本军事官员。

问：在此期间，我想你访问过南京？

答：我去过那里——

克拉默代理庭长：准将先生，我可以打断你的话吗？武官和军事代理人在他们职责上有什么不同？

证人：武官与其所在的公使馆或大使馆一道工作，但我作为上海的军事代理人是直接受参谋本部控制的，独立的工作。

（由诺兰检察官继续提问）

问：你的职责是什么？

答：我的职责是上海的军事代理人。

问：在你的其他职责中，检查上海和南京附近地区的地形是不是这一职责的一部分？

答：是的，这是职责之一。

问：那么，是不是因为你对中国的了解才委派你在 1937 年任司令官的？

答：我不认为我对当地地形的了解对我的任命是一个重要因素。我相信之所以委以我此任是因为我和中国国民党领导人的友谊，这些友谊是我在两地访问期间形成的。

问：你对当地情况的了解对日后的战事很有利，对吗？

答：在有些情况下是的。

问：你在证词的同一页说，你希望尽快就地解决冲突，并防止武装冲突的扩大。我要提醒你一下，在你 1937 年离开东京之时，你曾宣布你想在占领上海之后继续攻占南京。

答：当时我确有此意。

问：是在你离开东京的时候吗？

答：是的。

问：至于你在你的宣誓证词第 3 页页尾提到的"爱的战争"，中国人对你的这些建议做出何种反应？

语言监督官：请法院书记官提问题。

诺兰检察官：如果允许，我收回问题。

问：中国人是不是一直在抵抗你的部队呢？

答：是的，但不是"抵抗"。从一开始，就是中国人袭击我们，他们先发动了攻势。

问：当你们发动攻势，他们做出回击，是不是呢？

答：当然。

问：在第 4 页，你提到派遣军，说他们是为了促进两国友好关系的。在那时，也就是 1937 年末，你不赞成和蒋介石将军继续谈判，是吗？

答：一方面，日军是对威胁我们的中国军队做出反击；另一方面，我们和蒋介石将军进行了幕后谈判，其目的在于促进和平，为此我们也采取了和平行动。

问：那时，你建议你的政府不要和蒋介石将军打交道吗？

答：没有。

问：你表达过强烈的反对吗？

答：正如我所告诉你的，我原来的想法是尽快和蒋介石将军进行和平谈判，我没有表示这样强烈的反对情绪。

问：那么你的观点是尽快结束在中国的战争。

答：我的想法是尽快地在沪宁地区击溃反抗我们的中国军队，立刻进行和平谈判。

问：在击溃他们之后？

答：是的。

问：松井将军，在你的宣誓证词第6页，倒数第7行，你用英文这样陈述"意识到诸如英国、美国、法国等等国家的军队和国民出于对中国军队的同情，有意给他们提供帮助，从而在很多方面阻碍我们的军事行动"。在你的陈述中，"等等国家"指的是哪些国家？

答：那时几乎所有的在上海或在上海附近的欧美国家都同情中国。直接对中国提供援助的国家是德国，中国军队就有许多德国顾问。

问：你提到过的这些国家与日本交战了吗？

答：没有。

问：你的意思是他们不同情日本的上海派遣军？

答：他们不仅对中方充满同情，而且对中方提供实际的援助。毫无疑问是精神上的援助、道义支援，他们甚至提供实际的物质援助。

问：那么，他们究竟给了哪些援助呢？

答：假如让我实话实说，这种援助很多。举一两个例子，例如，英国给上海近郊的中国军队供应食物和武器装备。当日军袭击吴淞口的中国炮兵阵地时，一艘法国战舰故意进入日军的战舰行列，从而阻挠日军袭击吴淞口。

问：你知道法国战舰要开往哪里？

答：它原来停在黄浦港，日军袭击吴淞口时，它立刻出港，驶入长江。

问：在你的宣誓书证词第7页第4段，你提到中国中央军的组织问题。

法庭执行官：准将，听不清楚，我建议你重复你的问题。

问：我说的是，在你宣誓证词的第7页第四部分，你提到了中国中央军队。

法庭执行官：那应当是"华中方面军"。

问：（继续）对不起。在那一页上，我读给你听，"然而，既然它——

即司令部——只有 7 名参谋人员，它的职责就限制在对两支部队的司令部发布行动指令，而对于整个军队的管理和医疗事务没有处理权"。对于你所说的"对整个军队的管理和医疗事务没有处理权"，我的理解是，它在这样的一些方面，诸如物资配给、人员配置、所付工资以及医疗服务方面没有处理权。

答：我的意思就是这样。

问：另外，你在下面一段，即第 8 页的上方，你说你和前线官兵之间的关系，特别是在命令和监督方面，完全是间接的。你的意思是你是通过上海派遣军和第十军司令官来行使指挥权吗？

答：是的。

问：是不是因为第十军和上海派遣军隶属你的指挥？

答：确实如此。

问：答案是肯定的吗？

语言监督官：是的。

问：在你的宣誓证词的第 9 页，大约在此页中间，你说一些兴奋的年轻军官在南京犯下了罪行。你如何解释这个问题？

答：是的，我是这样说的。我不是亲眼所见，但我从记者那儿听说了这些事。

问：那么，这些令人不愉快的罪行是什么呢？

答：强奸、抢劫、暴力掠夺物资。

问：还有谋杀？

答：也有。

问：你是从谁那里听到这些报告的？

答：从宪兵那儿。

问：你向我们解释说，南京陷落的时候，你正在 140 英里远的苏州卧病在床，因而对于日军在南京犯下的罪行一无所知。你是如何知道南京陷落的？

答：从一些报道那儿获悉。

问：谁告诉你的？

答：军队指挥官。

问：他是谁？

答：从上海派遣军指挥官那儿获得的报道，那时指挥官是朝香宫将军，也从第十军指挥官柳川中将那得知此事。

问：事实是：这两个军事长官帮助你获悉整个军事行动的进展情况，是吗？

答：是的。

问：你告诉我们，进入南京后12月17日你才从宪兵司令那儿听说了有关发生在南京的暴行。在进入南京之后你还从其他人那里听说过什么消息吗？

答：当我到日本领事馆时，我听到了一些报道——从领事那儿听到的性质相仿的报告。

问：你为什么不把它写入你的宣誓证词呢？

答：因为我听到这些情况的时候，不是把它作为正式报告来看的。我只是在和他交谈的过程中，把报道当传言来听的。

问：他告诉你外国公民向南京的日本领事馆提出抗议吗？

答：没有。

问：你听说了些什么？

答：从南京的日本领事那儿，我听说进入南京的日军军官和士兵就是犯下罪行的人。

问：他有没有提到任何军事单位？

答：这些传言，对这些传言我们的交谈没有涉及细节问题。

问：你们什么时候进行谈话的？

答：我想大概在11月或12月的18日或19日。

问：你在南京的时候，有没有从你的方面军指挥官或是师团指挥官那儿听到任何消息？

答：什么样的消息？

问：关于日军对中国人施加暴行的报道。

答：是，没有。

问：证人中山作证时，你就在这个法庭上，他是华中方面军的情报官员。

答：是的。

问：你也听他说了，除了从外交部门获得情报之外，你也从你方面军指挥官和师团指挥官那里获得了情报。他说错了吗？

答：我认为中山所说的和你所言有差异。我是从方面军司令官，从两军指挥官那儿接到消息，但是我没有从师团指挥官那里获得情报，他们不受我的直接管辖。

问：那么，在你进入南京城之后，你确实从在南京的日本两支方面军指挥官那里获得了情报。

答：是的。

问：你也没有把这个情况写在你的宣誓证词里。是不是因为这是随意的交谈呢？

答：不。我从两军指挥官那里得到的报告是关于一般战事的。我没有收到任何关于日军暴行的报道。

问：在 12 月 18 日或 19 日，谁是你的参谋长？

答：我那时的参谋长已经死了，现在我记不起他的名字了，他是少将。

问：他接替了饭沼中将的官职。

答：饭沼是华中方面军的参谋长，而上海远征部队的参谋长是由参谋本部新任命的，并直接到上海的。

问：根据证人饭沼的证词，我的理解是他大概在攻陷南京之时辞职了，是这样的吗？

答：不，直到攻陷南京后，他一直都是上海派遣军的参谋长。

问：是的。

答：之后，在翌年的2月，那时军队重组，饭沼被解职，并返回日本。

问：不管他是谁，不管他的名字是什么，攻陷南京之后，你的参谋长难道没有告诉你——你麾下军队犯下的罪行吗？

答：他确实告诉我了，说这是他从宪兵那里获得的报告。

问：他的名字是冢田吗？

答：是的。

问：从证人日高作证记录的第21453页，我们得知外国公民关于日军在南京犯下的罪行的报告，已送往东京外交部以及驻南京的部队。假如他们被送往南京的部队，会被送到哪里呢？

答：这些报告应当被送往上海派遣军总部，也就是，朝香宫将军的司令部。

问：证人中山在证词记录的第21927页说——他认为外国公民的报告是发给上海派遣军特务部门的，而在1937年12月17日前这个特务部门在哪里呢？

答：总部在上海，但我认为一部分已迁到南京。

问：上海派遣军的总部也在南京吗？

答：就在南京城内。

问：第十军的总部在哪里？

答：有一段时间，我认为是在南京，但它后来迁到了浙江杭州。

问：什么时候迁走的？

答：我记不得确切的日期了，大概在20日左右。

问：你在宣誓证词第9页下方告诉我们：听到日军犯下的暴行后，你立刻命令在每个部门彻底调查此事并严惩犯罪人。他们把你要求的调查结果汇报给你了吗？

答：正如我告诉你的，每个部门，每个具体的部门，都不会向我直接报告。假如我收到任何报告,那必定是来自两个方面军的指挥官。

问:我完全清楚这一点。对于你下令的调查,你从两军的指挥官那儿收到什么信息呢?

答:直到我于次年2月离开上海,我也没有收到任何报告。

问:你有没有要求他们向你报告呢?

答:是的。

问:你得到什么答复呢?

答:答复是这样的:"我们正在调查之中,调查一结束,我们立刻回复。"

问:那么,直到你1938年2月离开中国前,你都没收到任何报告?

答:是的。

问:东京的参谋本部有没有就你的部队在南京所作所为与你交流过呢?

答:关于我军的作战行动?

问:关于你的军队的行为。

答:我记不得参谋本部同我交流过。

问:你是否知道任何来自东京的人和你在中国认识的人通过话?

答:我一无所知。我只记得,在1938年1月底,东京参谋本部派本间少将到我的总部,他说东京当局对有关日军在中国犯下暴行的报告深感忧虑。

问:但那是1月底。我说的是12月和1月初。你收到过任何政府官员或者是东京军事长官对南京事件的控诉吗?

答:没有。

问:有没有消息传到上海派遣军指挥官朝香宫那里去呢?

答:来自哪儿的消息?

问:东京。

答:我也根本没有听说过此事。

问：那么，你有没有听说过他通过其他渠道得到相关的信息吗？

答：没有。

问：12月17日的仪式过后，你把你的部下都召集起来，他们是些什么军官？

答：那不是在17日，而是在18日。那一天，我把所有驻南京的日军军官召集起来并举行一个纪念仪式。我的目的是尽可能地把所有部门的军官召集在一起，因此我命令所有的军官必须到场，我相信所有联队以上的军官都到场了。

问：为什么把他们召集起来呢？

答：因为在12月17日我的参谋长告诉我来自宪兵的关于南京事件的报告，我把这些官员召集起来就为了直接下达命令。

问：你知道暴行在南京持续了多长时间吗？

答：不知道。但我知道自我们进入南京城后，大多数暴行就开始了。

问：你也听到了证人马吉在第3922页、证人贝茨在2644页的证词，他们说南京陷落后暴行持续了6周，你知道此事吗？

答：在审判之前我就听说了他们的证词，但我不相信。

问：在你的宣誓证词的第10页，你说当南京陷落时中国军队犯下的罪行也不少，你是如何获悉此事的？

答：我是从参谋中山和领事日高那里获得此消息的，他们都是我派到南京做调查的。

问：你什么时候收到调查报告的？

答：我记不得是什么时候了，大概在1月中旬。

问：他们在报告中提到日军犯下的罪行吗？

答：提到了。

问：那么，请告诉我们他们说了些什么。

答：那不是个书面报告。他们只是向我作了口头报告，所以我记不得报告的详细内容了。

问：把你记住的说一下。

答：因为他们是在事件发生之后才去南京调查的，而且他们没有在现场抓到正在犯罪的人，因此进行调查十分困难，调查也不确切——我无法得到一个准确的报告。

问：你有没有命令他们回去再做一个准确的报告呢？

答：当时事件已经发生，参谋本部和外务省的领导几乎不可能进行确切的调查，唯一可行的办法是命令每个部门的指挥官就他们本部门的情况进行调查，但是这些情报要花时间搜集和整理。

问：当你离开中国时，还没有得到确切的信息，是吗？

答：是的。

问：前几天，证人冈田在证词记录的第32747页上说，他于12月18日在南京首都饭店和你进行过谈话，你告诉他由于你的不经意使南京城凄风苦雨，你感到十分抱歉。你是这样对他说的吗？

答：是的。如证人所说的，我无意占领上海，也不想通过武力占领南京。我原本希望和平占领南京，我确实不想把南京变成一片血海，对于发生的事情，我非常抱歉。那就是我对冈田所说的。

问：这就是你所说的"对南京造成的最悲惨的影响"，是吗？

答：是的。

问：在你的宣誓证词中，你提到的12月19日的视察，你有没有去过难民营？

答：没有。

问：那么，你没有像证人冈田在宣誓证词里所说的那样与难民进行谈话？

答：那不是在难民营，而是在山顶的一座庙里——我已经忘记在哪里了——在那里，我见了很多难民并和他们说了话。

法庭执行官：休庭15分钟。

（从 14∶45 休庭到 15∶00，然后，审判继续进行）

（远东国际军事审判继续进行）
法庭执行官：诺兰准将。
（诺兰检察官继续提问）
问：松井将军，休庭期间，我们讨论了你所说的"由于你的军队给南京造成的悲惨影响，你表示关注"。证人中山在记录第 21893 页中这样说，你曾通知参谋长冢田将军向全体官员发布命令，命令中包括了以下文字："南京是中国的首都，因而，我们对南京的占领将是一件国际事件。对此必须做出周密的计划，以便使中国对日本的武威更加折服。"你曾发布过这样一个命令吗？
答：是的。
问：让我们提一下证人日高，我知道，他是驻上海的日本领事，是吗？
答：他是大使馆的评议员。
问：驻上海的吗？
答：在此事件之前，大使馆设在南京。
问：事件爆发之后，大使馆迁到了上海，是吗？
答：是的。
问：他就是收到驻南京的外国公民控诉的官员吗？
答：是的。
问：他就是你派去调查的人吗？
答：是的。
问：你什么时候派他去进行调查的？是 1938 年的 1 月吗？
答：是的。
问：你曾告诉过我，他的报告是口述性质的，是吗？
答：是的。

问：他曾经告诉过你，他收到驻南京的外国公民的控诉吗？

答：我没有听说过此事。但我派日高去调查的目的，主要是调查此次事件对南京的外国使馆造成的破坏及损失，并尽可能地赔偿由于这种破坏对外国人所造成的损失。

问：也包括对中国人造成的损失吗？

答：是的。

问：他的调查是不是基于外国公民的抗议报告中所提供的情况？

答：我不知道他使用了何种方法，因为他没有向我报告。但我猜想他是根据难民区的外国人的报告而进行调查的。

问：是的，你知道这些报告是存在的，是吗？

答：那时我没有听说过有这样的报告，即现在你们掌握的报告。

问：那么，你为什么猜测他的调查是基于外国人的报告进行的？

答：在法庭上我被告知这些报告都被送到日本大使馆，我才这样猜想。

问：在你的宣誓证词第 10 页，就在那页中间，你提到，当你视察这座城市的时候，"我们只看到 20 具中国人的尸体横陈在路面"。你看到多少具平民——包括妇女和儿童的尸体呢？

答：我没有看到任何其他的尸体。

问：我之所以问你这个问题，是因为在你的问讯记录中（检方证据第 257 号），在记录的第 3461 页，你被要求回答这个问题："你说自己是在 17 日到了南京，你曾看到任何平民，包括妇女和儿童的尸体吗？"你的回答是这样的："那时他们的尸体都已被清理了。我只在西门附近看到几具中国士兵的尸体。"我可不可以这样理解，当你到南京的时候，死难平民，包括妇女和儿童的尸体已经被搬走了。

答：我不知道中国妇女和儿童在南京城被杀害的事实，但是——

问：但是你为什么说当你进城的时候，她们的尸体都被拖走了呢？

答：我不知道自己是否这样说了，当时，我自然而然想到她们的尸体被拖走了。

问：是这样的。在你的宣誓证词的第 10 页，你说南京陷落后你一直在上海待到 1938 年 2 月，并说"我唯一听到的是有关 1937 年 12 月在南京发生的非法行径的谣传，然而我没有得到任何官方的消息"。这些谣言是从哪儿来的？

答：当时谣言不仅在中国人中散布，也在各种国籍的外国人中传播，我是从一些听到谣言的人那里得知的。

问：松井将军，也能从报纸上得这些消息吗？

答：这些谣言也可能出现在中国报纸上，但当时我不太相信，假如我的记忆无误，这一类事情有可能出现在报纸上。

问：你有没有在任何外国报纸上看到这类消息。

答：可能会有一些，但据我的仔细观察，在当时的中外报纸中，我并没发现什么。

问：你听到被告南告诉本法庭——他在第 20015 页说南京大屠杀在世界各大报纸都有报道，你读过任何这样的报道吗？

答：没有。假如这种消息被报道的话，也不会晚到在我离开上海之后，因为在上海，我没有注意到这些。

问：1938 年 1 月你在上海和阿本德先生有过会谈，是吗？

答：是的，我见过他两次。

问：是你请他来的吗？

答：当时听到各种各样的消息，于是我和阿本德先生会谈，希望能从他那里获悉消息，也想把我所知道的消息告诉他。

问：换句话说，你想平息当时广为流传的谣言。

答：在这种情况下，"平息"不是一个恰当的词，我的愿望只是确保事实真相得以报道。

问：我使用这个词的原因是因为你在宣誓证词第 3463 页用过这个词，在编号为 257 号的法庭证据中，你在问讯中被要求回答这个问题：

南京陷落后,你首次见到阿本德先生是什么时候?你的回答是:我是在中国见到他的,我第一次见到他是在南京陷落1个月之后。第二个问题是:是阿本德先生要求会见你的吗?你的答案是:不,是我要求他会见我的,因为我听到很多谣言,我希望在他面前用事实平息谣言。松井先生,当时你是不是这样说的?

答:是的。

问:当你和阿本德先生会谈时,你提到的谣言指的是什么?

答:正如你——检察官先生所指出的那样,我指的是所谓的日军在南京犯下的罪行,我的愿望是告诉阿本德先生真相。因为我认为,虽然当时在上海有很多外国记者,但阿本德先生是最值得信赖的,所以我和他见了面。

问:是谁说日军犯下了罪行的?

答:至于谁说的,我也说不清楚。但应该说谣言最初是某个中国人的戏言,而这个谣言又由一些中国人和外国人加以传播。

问:撇开谣言的玩笑一面不说,究竟是谁告诉你这些谣言的?

答:至于是谁,我也记不起来了,但他是我的一个部下。

问:是你手下的指挥官吗?

答:是的。

问:所以,你就去告诉阿本德先生以免使真相不会遭到误解。

答:是的。

问:当时,你不是没有收到你手下调查人员的调查报告吗?

答:是的,但我收到一些零星的报告。

问:零星的报告,从谁那里获得的?

答:我指的是从宪兵那里获得的信息。

问:你收到不止一个情报吗?

答:不是我自己直接收到的,而我的部下每天都能收到。

问:自从南京陷落后,每天都能收到?

答：是的。

问：这些报告想必是转到司令官你那里去的吧？

答：因为宪兵不是我的直接下属，而是军指挥官的下属。所以这些报告都是发给那些指挥官的，而不是发给我的。

问：军队指挥官收到这类宪兵情报之后是如何处理它们的呢？

答：在事实真相被揭示之后，冒犯者必须在军事法庭受审。

问：等等，让我们再回去一下：你提到从下属那里获得了零星的报告。你指的是你的参谋人员，即司令官的参谋班子吗？

答：是的。

问：那些报告是直接交给你的吗？

答：一般来说，维持军队内部的纪律和道德感是师团指挥官的职责。军指挥官监督他们，并在权限范围之内设立军事法庭。我在军指挥官之上，我的方面军总部没有任何法律机构，也没有直属的军事警察和宪兵。因此，报告都不是直接汇报给我的。更恰当地说，那些报告是为了引起我的注意及供我参考。

问：你的司令部的参谋人员是否不断收到宪兵的报告？

答：更准确地来说，我派我的部下去调查这些事情，于是他们到宪兵那里去调查，是去获得情报，而不是想从宪兵那里获得报告。

问：调查完之后，他们带着报告回到司令部了吗？

答：你知道当时的局势，战争正在进行，军队不断运动，要获得你渴望的信息可不容易。因此，交到我这儿的报告零碎、抽象就是很自然的了。

问：喔，没有人把南京带走，它仍在那儿。我想搞清楚的是：你手上究竟有什么报告——有关在那座城市所发生事情的报告？这些报告是你的部下从宪兵那里获得的。

答：这些事情过去很久了，而且这些信息也是从不同的情报来源间接得到的，也就是说，从不同的人那里得到的，由于部队不断地运动，有些继续追击中国军队、有些回到了中国北部、有些被派往浙江,要想确认这些情报变得很难了。因此,我不可能获得任何含有具体事实的报告。

问:我能不能问问你是如何在1938年1月告诉阿本德先生真实的情况的呢?

答:我和阿本德先生的交谈是以宪兵给我的报告为基础的。

问:几分钟前,你说纪律和道德是你下属指挥官的职责。

答:是师团指挥官的职责。

问:你是不是日本华中方面军的司令官?

答:是的。

问:你是不是在向法庭表明,你的指挥权不包括对下属执行纪律的权力?

答:作为华中方面军的司令官,我被赋予对所辖的两个军发布命令的权力,但我没有直接处理这两支军队的纪律和道德问题的特权。

问:但你有权力确保纪律和道德在你所辖的单位内得以维持。

答:更准确地说,是义务而不是权力——义务或是责任。

问:是的。这也就是你在进入南京后,你把部下召集起来的原因?

答:是的。

问:你不是在说,执行纪律的权力不是你指挥权中所固有的?

答:我不,我不是在企图逃避我的所有责任——作为占领南京时华中派遣军司令官指挥下属的责任。然而,我只想告诉你我对我所辖的两个军的纪律和道德没有直接关系。

问:是不是因为在你所辖的两个军都有一个指挥官,而你是通过军指挥官来执行纪律指令的呢?

答:我自己没有执行纪律的权力,也没有进行军事审判的权力。这些权力都集中在军指挥官或是师团指挥官的手上。

问:但你有权力下达命令,在军或是师团进行军事审判。

答：我没有任何法律权力发布此项命令。

问：那么，你如何解释，你对南京大屠杀的罪人下令进行严惩的努力呢？你如何解释作为华中方面军司令官，你在你的权力范围内所采取的一切措施对罪行进行惩罚呢？

答：作为最高统帅，我除了对我的下属军指挥官和师团指挥官表达我的意愿之外，别无其他权力。

问：我认为一个军事首领可以通过命令向他的下属军官表达意愿。

答：不，这在法律方面是行不通的。

问：那么，当你想让你的下属做些什么的时候，松井将军，你是如何做的呢？

答：我拥有的权力是指挥我所辖的两军的整个作战规划。这就是全部的权力。因此关于纪律和士气的问题，是个很难回答的问题，我不能在此时做出任何断言，也不能在这里做出任何准确的断言。

问：我不是想同你辩论。但是假如你在日本的上司对你的军队在南京的所作所为不满，他们找谁负责呢？

答：正如我已经说过的那样，很难决定这个法律问题，我也不知道那时东京参谋本部的长官是如何考虑的。然而，对于这个问题，我只知道无论我在上海还是回到日本，都没有受到参谋总长和陆相的斥责。

问：那么，你能告诉我为什么本间将军于1938年2月初去了上海？

答：军队高层对于日军在南京陷落之时的所作所为非常担心，又有很多疑虑，这是很自然的。我对此也是一样疑虑，因为我命令我的军官对其所辖的部队进行调查，实际上也是出于同样的担心。

问：换句话说，你告诉他们要遵守纪律，是吗？

答：你说的"他们"指的是什么？

问：我指的是听你指挥的下级军官。

答：是的。

问：好的，本间将军到你的总部来了吗？

答：是的。

问：他有没有告诉你东京收到的谣言和报告了吗？

答：没有，他没有对我提及任何细节问题。

问：他和你说的大概是关于日军在南京的所作所为方面的，是吗？

答：是的。

问：谁告诉他这件事的。

答：你说的告诉他是什么意思？

问：据我所知，由于高层领导担心日本军队在南京的所作所为才派本间将军到中国的。

答：是的。

问：他是在哪里获得相关的信息的？

答：从我在这次审判中第一次听到的情况判断，我猜想他是从外交部送到军队的报告中听说过这些事的。

问：松井先生，你能确信你没有向东京的总部寄过报告，是吗？

答：你指的是在南京的罪行？

问：是的。

答：没有。

问：事实上，你没有把任何引起你注意的情况向东京的高层汇报。

答：我可能在回东京后把这些情况向参谋本部汇报了，但之前我确实没有发出任何官方报告。

问：你有没有提交任何非官方报告呢？

答：是的。就我所知，我没有利用我作为派遣军司令官的身份向上司正式或非正式地报告。

问：虽然你知道确实发生了一些事件，你却没有向东京报告，是吗？

答：假如有必要就关于军队的纪律和道德进行报告的话，权力或者是责任并不在派遣军司令官的手中。

问：那么，它在哪里呢？

答：我认为它存在于师团指挥官手里。

问：军指挥官在哪里呢？他们难道没有责任？

答：从法律上很难说，在我看来，责任存在于师团指挥官的手里，而他们的职责就是通过他们的顶头上司——即军指挥官向上级报告情况。

问：再问你最后一个问题：师团指挥官是通过军指挥官再通过方面军的司令官向东京报告的吗？

答：我也不能从法律角度极为肯定地说，师团指挥官是通过他们的顶头上司——即军指挥官报告这种情况，还是通过方面军的司令官向上报告，让我在法律上做出这样的断言很难。

问：那么，在任何情况下，他们都是通过华中方面军司令官向上报告吗？

答：我不知道这在法律上是不是正确的，事实上，这些报告也不是通过我上报的。

法庭执行官：休庭到明天 9:30。

（1947 年 11 月 25 日 9:30 开庭）

1947 年 11 月 25 日

日本东京都旧陆军省大楼内远东国际军事法庭

根据休庭通知，审判 9:30 开庭。

出庭：除了尊敬的法官韦伯——英联邦澳大利亚的公民，尊敬的法官帕尔——来自印度的公民外，其他法官全部到庭。

起诉部门，一切如常

辩护部门，一切照旧。

（英译日、日译英口译由语言部门负责）

法庭执行官：远东国际军事法庭开庭。

（松井石根被告，回到证人席，通过日语翻译进行作证如下）

克拉默代理庭长：诺兰准将，在你继续前，我这里有一位本庭法官向证人所提的问题。假如你没有权力就遵守纪律问题发布命令，请解释你在宣誓证词第9页上的最后一句话，我读给你听："12月17日进入南京后，我第一次从宪兵那里听说这些事，就立刻命令各部进行彻底调查严惩罪犯。"你如何解释这句话？

证人：在这句话里，我的意思是：我把各部门的下属军官召集起来，表达了我要求士兵遵守纪律的愿望，并命令他们采取妥当措施。

语言监督官：不应是"下属指挥官"，而是"下属的军指挥官"。

克拉默代理庭长：但我认为你在昨天的证词说你没有权力发布命令。

证人：当时，作为地方指挥官，我被赋予协调、指挥两军协同作战的权力。

语言监督官："地方指挥官"应该由"方面军指挥官"代替。

证人：（继续）因此，我不能说军事纪律的维持和军事战略没有任何关系。而这两者是紧密结合在一起的，我认为，我确实有权力干预与军事纪律有关的问题。从严格的法律意义上来说，我认为自己不具有下达具体命令——具体的关于维持军事纪律的权力，直到今天我都一直坚信这一点。

克拉默代理庭长：诺兰准将。

诺兰检察官：如果法庭允许。

（由诺兰检察官继续反诘）

问：松井将军，在你的宣誓证词的第14页，你提到了1929年的柏林会议。当时，你刚辞去参谋本部二部部长的职务。我说那个部门的主要工作是搜集除了中国以外的资料，是不是呢？

答：它的职责是一般的考察。

语言监督官：日本法庭书记官。

没有更改。

诺兰检察官：他回答了吗？

语言监督官：是的。

法庭书记官：你能不能在我们翻译的时候重复一下问题呢？

（最后一个问题又被书记官宣读了一次）

语言监督官：证人只是这样说："这是一般的考察"，"职责"代表了我们的翻译。

问：你说你在1929年1月考察了一些国家，它们是哪些国家呢？

答：穿过法属印度支那、泰国、缅甸，我到了欧洲，在那儿，我又考察了意大利、法国和其他国家。

……

上午11:05重新开庭。

法庭执行官：远东国际军事法庭现在开庭。

克拉默代理庭长：诺兰准将

诺兰检察官：如果法庭允许，我只问一两个问题，不会占用太多的时间。

（诺兰检察官继续交叉询问）

问：松井将军，在你的宣誓证词英文本的第20页，你提到了"瓢虫"号事件。而昨天你很勉强地告诉我们你要对所有的军事行动负责任。我提醒你英国炮艇"瓢虫号"受到炮击的事件就属于这个范畴。

答：我也这样认为。

问：那么，你对炮艇受到炮击事件也要负责任了。

答：我会毫不犹豫地对整个事件负全部责任。

问：我注意到你命令第十军的指挥官向英国海军指挥官表示了歉意，我也注意到你对"帕奈"号事件不负任何责任。但是你为什么就该事件去见海军上将亚纳尔先生呢？到美国海军司令那里去难道不是日本海军司令官的责任吗？

答：我去拜访海军上将亚纳尔的主要目的是讨论美国在上海地区的权利和利益。

语言监督官：上海-南京地区。

答：虽然是海军要对炮艇的被炸负责任——"帕奈"号是美国海军的舰艇，而我就在那个地方指挥陆海军的战事。因此我感觉虽然它不是我的直接责任，但根据日本武士道的精神，我也要对海军上将亚纳尔表示一下我的一点歉意。

问：事实上，海军部门也在你的指挥范围之下，是吗？

答：不，不是这样的。它们是独立的，它们受海军部的直接管辖。

问：谁对海军各部队发布作战命令呢？

答：是海军舰队副司令官长谷川先生，那时他是日军舰队在中国水域的指挥官。

问：他要听从你的指挥吗？

答：不，他是独立的。

问：那么，既然海军部队不在你的管辖下，你如何指挥你们的联合行动呢？

答：为了指挥与相对独立的海军进行联合行动，我们采取相互协作的方式。

问：在第 21 页底部，你提到曾给上海的饶神父捐款 1 万元，这些钱的来源？

答：1 万元是个小数字，我深感愧疚。但我没有用自己的钱，这是司令部的官方基金。

问：在 1941 年——这也是我想讨论的最后一个问题——你对之后的日美谈判的态度如何？

答：当我在南京-上海战区对中国作战的时候，美国官员的态度多少是中立的，相对而言，他们没有什么可责怪我的。改正：他们的态度没有什么可令人指责的。因此,当我遇见海军上将亚纳尔的时候,我告诉他将来无论在上海或太平洋任何地区发生什么,我们军人应该精诚合作,维持太平洋地区的和平,海军上将亚纳尔对此态度表示完全赞同。

问:那是你1941年的感觉吗?

答:不,那是我当时的感觉。

克拉默代理庭长:好的,有人刚刚给我递上来另一个问题。

你是否知道有日本士兵因为南京罪行被他的上司严惩而不是仅仅被斥责?换言之,你知道有任何士兵被军事法庭审判并判刑吗?

证人:在这一点上,塚本——原上海派遣军法务部长,以及小川关治郎——原第十军法务部长就曾调查过。根据他们的证据,被军事法庭审判的官兵达一百多人。

克拉默代理庭长:你对他们受审的数字和记录不清楚吧?

答:当时我就听到两三个犯人在上海受审。我回到日本后,试图调查这一事情,但是存疑的资料都被烧掉了或丢失了,我不能把此事调查深入,更无法确认一些事实。

克拉默代理庭长:我的问题指的是在南京所犯罪行。

证人:是的,我在回答中指的就是南京的罪行。

克拉默代理庭长:马蒂斯辩护人。

证人:我想——

克拉默代理庭长:没有问题。

证人:——补充说这些犯的罪行是强奸、抢劫、暴行和谋杀而受到审判。

克拉默代理庭长:洛根辩护人。

洛根辩护律师:我想代表木户问一些问题。

法庭执行官:是交叉询问吗?

洛根辩护律师:是再直接询问。

克拉默代理庭长：好吧。

（由洛根辩护律师问话）

问：松井先生，这是给你看的最后一份文件，证据第3500A号，文章刊登在1941年的《大亚洲主义》，你说起日本的亲英美派，包括天皇身边的宫廷官员吗？

答：我认为宫廷人员不一定是亲英派或亲美派，但是其中可能有些人属于这一类。

问：那么，你把谁包括在亲英美派中？

答：我不想具体地说某某是亲美的、某某是亲英的，但我认为那些与英国和美国有密切联系的人应该是受到亲英或亲美的意识形态的影响，这是不可避免的。

问：你了解当时掌玺官的观点吗？

答：我从未与他直接讨论过这一问题，因此我不是很了解。

问：你有没有听说他当时持什么观点？

答：嗯，当然，人们说过各种事情，有各种各样的传言，因此我确实无法肯定。但总的来说，通过我自己的观察，我觉得掌玺官比我这样的人更有点亲英和亲美，但他同时是一个爱国的日本人。

问：谢谢你，将军。

克拉默代理庭长：马蒂斯辩护人。

马蒂斯辩护律师：不再进行再直接询问。

克拉默代理庭长：请被告回到被告席座位。

（证人退席）

（二）辩方证人出庭作证与回答交叉询问

1. 青木武(1947年5月2日)

（1947年5月2日，星期五）

（辩方证人青木武到庭，首先进行宣誓，并通过日语译员作证如下）

直 接 询 问

（由罗伯茨辩护律师提问）

问：请说出你的姓名和住址。

答：我叫青木武，家住神奈川县叶山町堀内七六一番地。

罗伯茨辩护律师：可以把第 1291 号辩方文件给证人过目吗？

（交给证人手中一份文件）

问：请核对一下这份文件，看它是否就是你的宣誓证词。

答：（检查一遍）这是我的宣誓证词。

罗伯茨辩护律师：我把它当证据提交。

韦伯庭长：按惯例采纳。

法庭书记官：第 1291 号辩方文件将采纳为第 2526 号证据。

（上述相关文件被标上第 2526 号证据，并作为证据被采纳）

罗伯茨辩护律师：我开始宣读第 2526 号证据。

（宣读）

　　我是第二联合航空队与中国派遣军之间的联络官。我于 1937 年 9 月中旬抵达上海。我是第三舰队的参谋，同时兼任上海派遣军参谋。

　　我的职责是向海军提供情报，并向海军传递陆军方面提出的要求。同时，我还是陆军内部的海军专家，为了便于保持联络，我在机场和第三舰队司令部之间作定期往来飞行。

　　1937 年 12 月 12 日，我们收到陆军方面轰炸中国船只的请求，船上载有从南京逃跑的中国士兵。据报告，7 或 8 艘满载中国军队的大型商船溯江而上逃跑，陆军请求海军航空队协助对此加以阻止。我通过电话向航空大队转达了这个请求。航空大队同意派数架飞机完成这个任务。

　　当时根据陆军报告，南京附近水域没有外国船只。但后来报告说,这次行动造成了严重的后果。

1937年12月14日,我首次听说"帕奈"号军舰被炸。第一份报告上说,一艘外国船只可能被炸,当我抵达上海就报告中提到的情况进行调查时,我就知道这些情况。在上海,我发现"帕奈"号是被误炸,误把它当成了一艘企图逃离南京的中国船只。在随后飞行员的报告中指出,对他而言,轰炸"帕奈"号是一个明显的失误,他原本没有打算轰炸外国船只。他确信"帕奈"号只是一艘逃离南京的中国船只。

至于提到的飞机用机关枪开火一事,飞行员的报告中否认发生过这种事。在执行这类轰炸任务时,用机关枪攻击目标是不符合惯例的。

第三舰队司令和航空大队司令发出非常严厉的命令,要求严加小心避免炸到外国船只,这件事被认为是件极其令人遗憾的事件。有鉴于此,那些被认为疏忽大意或玩忽职守的人将受到惩罚。

你可以开始反诘了。

韦伯庭长:萨顿检察官。

萨顿检察官:如果法庭允许,检方不想反诘了。因为"帕奈号"事件的有关证据已经有美国海军调查委员会的报告,见庭审记录第3517至3530页的263号证据以及桥本审问笔录摘要,出现在庭审记录的第3466页的258号证据和庭审记录第15678页的2188号证据。

韦伯庭长:罗伯茨先生。

罗伯茨辩护律师:我现在传证人哈里斯先生,他会提供更多的证据——我请求按惯例让证人退庭。

韦伯庭长:按惯例证人退庭。

(证人退庭)

2. 三并贞三（1947年5月5日）

（1947年5月5日，星期一）

直 接 询 问

（三并贞三作为辩方证人，首先进行正式宣誓，经日语翻译作证如下）

（由罗伯茨辩护律师进行）

问：请说出你的姓名及住址。

答：姓名是三并贞三，地址是大阪府三岛郡味生村大字新在家三番地。

问：可以向证人出示第1221号辩护文件吗？

（文件被递交给证人）

问：（继续）请告诉我们那是否是你的宣誓证言。

答：是的，这是。

问：签名及印章都是你的吗？

韦伯庭长：他是如何签名的？是MITSUNAMI还是MINAMI？

问：我了解到在日语中这两种都可以。

我提供第1221号辩护文件作为证据。

韦伯庭长：按惯例采纳。

法庭书记官：第1221号辩护文件被标以证据第2530号。

（上述文件被标以辩方证据第2530号，并被采纳为证据）

罗伯茨辩护律师：让我来宣读第2530号证据：

（宣读）

我是一名前日本海军少将。我自1937年（昭和十二年）7月12日至同年12月以第二联合舰队司令官的身份服役。以下为事实的陈述，当时我是上海地区第二联合舰队司令官，与此事实有直接关系。

我们于1937年（昭和十二年）9月18日收到有关中国空军将会开始对我们发动攻击的情报。我们计划在敌人准备对我们采取行动之前对敌施行反进攻。但由于机场情况恶劣,我们除了推迟计划外别无选择,延至9月19日那天才实施行动。

然而,中国空军正如我们所预料的那样,在18日对我们的阵地进行了突袭。19日我们的飞机同敌人在南京上空展开了两场空战。我们的飞机在这场战役中摧毁许多敌机,但我们也损失了3架飞机。结果,我们获得了南京地区上空的控制权。

同年9月20日,我们实施了一次空袭,袭击目标是南京政府各大机关、参谋部和无线电台。21日由于天下雨,我们取消了袭击。22日,我们空军对诸如航空局、防空委员会办事处、中央党部指挥部、狮子山阵地等军事设施展开了三轮袭击。

为了指导这些袭击,我召集指挥官——我认为开列出来的勘误表上有个错误。应该是指挥官而不是中佐——中原,他住在南京有许多年了。他查阅南京城地图,为机组人员校对袭击目标的位置,这样就不至于发生错误,轰炸效果很好。我又一次下令机组人员实施俯冲轰炸,尽管我们在这种特别行动中将不得不面对许多障碍。

我们对中立国的权利和利益特别给予了注意。这里举这样一个例子,我们陆军在对靖江的进攻中要求我们对中国部队发动一次空袭,攻击长江众多船只上撤退的中国军队,但我们没有这么做,因为有英国的商船正停靠在附近。

9月19日,第三舰队的司令官又事先通告第三国的外交官,我们将在南京进行一次空袭,同月20日,我们又将空袭事先通告给中国的非战斗人员,并警告他们采取避难措施。

接下来,我想提及误炸"帕奈"号的事件。

"帕奈"号是在12月12日大约13:00遭到轰炸并沉没的。很明显这是一次误炸。它沉没的那天,我们还未意识到我们炸沉了"帕奈"号这一事实。直到12月13日被美国舰队司令部告知,那时我们才第一次得知我们误炸了那艘船。

第三舰队司令部立即派遣快船载着军医、医药设备和其他东西去现场。舰船也被派去参加救助船上的人。我们又马上派参谋长去美国舰队司令部表达我们的歉意。

作为当时的联合舰队的指挥官,我为该事件承担了全部责任,并通过电报向海军部长和海军军令部长提交了非正式辞呈。结果,我被训诫,并受命于1937年(昭和十二年)12月15日从战区返回,同时被任命为第二舰队指挥官。——那应该是航空母舰而非航空机队,对此也将列出一份勘误表。〔"苍龙"号和"龙骧"号航空母舰〕

1938年(昭和十三年)5月5日,"苍龙"号旗舰受命作战,因此"龙骧"号航空母舰成为旗舰,我属下的司令部全体人员受命保持原状。1938年8月11日"龙骧"号航空母舰也受命出发进入战区,我是唯一一个受命留在后方的人,被任命为海军军令部的观察员。

直到1940年(昭和十五年)12月16日我才被调入第一预备役部队,我一直都未进入过战区。我相信这些行动——未派我到战区去,是因为我的上级为了"帕奈"号事件而对我进行的惩处。

你可以进行质证了。

韦伯庭长:塔夫纳检察官。

塔夫纳检察官:如果法庭允许的话,检方将不会对此证人进行质证,因为检方有第955号证据,即庭审笔录的第9,456页;第956号证据,即庭审笔录的第9,458页;以及第957号证据,即庭审笔录的第9,460页。检方可以依据这些证据。

罗伯茨辩护律师:证人可以按照惯例退庭了吗?

韦伯庭长:根据相关规定退庭。

(证人退庭)

3. 日高信六郎(1947年5月5日)

(1947年5月5日,星期一)

(日高信六郎作为辩方证人首先宣誓,并通过日语译员作证如下)

直 接 询 问

(由马蒂斯辩护律师提问)

问:请说出你的姓名和住址。

答:我叫日高信六郎。家住东京都世田谷区松原町三丁目一六三零番地。

语言监督官:根据证人所言,应为第一零三零番地而不是第一六三零番地。

问:我想让你看看第1165号辩方文件,这份文件将递给你。请你告诉法庭,那是否是你的宣誓证词。

(该文件被送到证人手中)

答:这是我的宣誓证词。

问:宣誓证词内容真实吗?

答:是的。

问:无误吗?

答:无误。

马蒂斯辩护律师:我把这份文件作为证据提交。

韦伯庭长:按照惯例接受。

法庭书记官:辩方文件第1165号被标上证据第2537号。

(上述文件被标上证据第2537号,并作为证据被采纳)

马蒂斯辩护律师:省略程式化套语部分内容,我宣读这一证词。

(宣读)

1. 1937年4月30日至8月16日,我任驻南京大使馆参赞。后来,从同年8月29日到1938年3月3日,我在上海出任同样的职务。1938年3月17日,我被任命为总领事,负责驻沪总领事馆的工作,直到同年12月12日奉命回国。

在沪期间,我曾四次前往南京:第一次是1937年12月17日、18日,去参加日军入城式和对日军服务的答谢;第二次是1938年[1]12月25日、26日;第三次是1938年2月1日至8日,最后一次是1938年3月27日、28日,是去参加维新政府成立仪式。

2. 我认识松井将军有很长时间了。尤其是1932年他作为全权大使参加日内瓦裁军会议期间,我作为日本代表团的一名随员,与他生活在一起。

当松井将军以上海派遣军司令官的身份抵达上海时,我于1937年9月10日在吴淞第一次见到他。在1938年2月,松井将军回家之前,在吴淞期间我经常拜访他。

3. 松井将军一直以来都是中日合作的支持者。他了解中国文化,对中国以及中国人民有着很深的感情。这些在我与他谈话时经常流露出来。

韦伯庭长:马蒂斯辩护人,先别往下念,翻到第1页第二段"1938年12月25日、26日"这句。

马蒂斯辩护律师:很明显,年份应该是"1937"年。看来应该加以修正。我没看到勘误表。

(继续宣读)

9月10日,我与他在吴淞谈话时,他说了下面几点打算:

(1)公正对待战俘。

(2)对一般的居民采取公平态度。

---

[1] 原文如此。

二、辩方的辩护 | 245

对此,他打算以派遣军司令官的名义公开发布。

(3)对部队所征用的粮食和其他商品付给合理的价钱。

对于已经逃跑并已不在当地的居民如何进行赔付,他表明了自己的各种想法。他指出,应该就此事向公众发布通告,让他们放心。另外,我还记得当他与我或使馆及海军其他人员谈话时,经常流露出对中国人民的关切。

他对外交关系一直特别留意,常常征求总领事冈崎的意见。与此同时,他注意与外国新闻记者保持联系。他多次专门会晤《纽约时报》特约记者阿本德和《伦敦时报》记者弗雷泽。

我知道,在进攻南京时,松井将军采取了以下几个步骤:

(1)他把标有外国大使馆和外国使团以及涉及外国权利和利益的南京城地图复制了许多份,把它们分发给各支部队。日本大使馆协助绘制了这些地图,这使得我有机会目睹此种地图。

(2)地图上将中山陵、明孝陵用红色圆圈围住,表示它们绝对严禁破坏。松井将军的一位参谋官告诉我,这是遵照松井的意愿办的。

(3)这几个地方附近禁止鸣枪。我是后来听野田谦吾亲口说的,他是进入附近地区的一个联队的指挥官。

(4)在向南京发起攻击之前,松井将军在上海告诉我们,他打算让部队停在城外,引诱中国司令官投降,他只想派遣那些纪律非常严明的最好的部队入城。

(5)松井将军从上海开始发动南京攻击战后,我于次年1月1日在上海再次拜访他。当时,他非常痛心地发现他的一些部下干了坏事。我发现在此之前,他一直不知道这一真相,这一点当时给我的印象非常深。我从松井本人以及他的参谋官那里得知,他曾以司令官的名义发出过严厉警告和训令谴责那些干坏事的人。

4. 至于参谋人员和其他总部的军官所做的部署,我碰巧知道主要情况是这样的:

（1）从各个方面来看，善待战俘在他们的考虑之列，他们为建立适当的战俘营正在协商。

（2）进入南京城后，日本宪兵当时的态度实际上是公正的，在外国人和中国人中他们的口碑都不错。

起初他们人数不多，包括指挥官只有14人。12月17日那天，我听说将在几天之内再投入40名临时宪兵。

（3）我既未听说也未看到过这些军参谋人员下令粗暴对待外国人，或侵犯外国人权利和利益、滥用中国人财产之事。

（4）松井将军提出张贴通告禁止进入外国大使馆和使团以及其他涉及外国在沪、宁的权利和利益的财产地，我们外交官员协助了这项工作的开展。

（5）特别是部队的参谋官员在调查和处理涉及外交关系的案件时竭尽了全力。例如，一名参谋官员曾陪同一个外交官前往美国国旗事件发生地芜湖展开现场调查。当他们发现涉案部队已经调离后，他们继续追查这些当时正在进行作战的部队，并在杭州追上它们，用两个星期的时间完成了该事件的调查。

5.（1）直到现在，每当中国发生内战或动乱时，或中国与其他任何国家发生任何事变或战争的时候，日本外交当局都会在现场不仅力争保护日本人，而且还保护外国人以及他们的权利和利益。我们同时还注意保护中国人，公正地处理他们的财产。

在这次事件中，我们从一开始就自然地依照这些政策进行工作，即便政府方面还没有就此发出专门的指示。司令官松井将军认可我们的建议和意见。

（2）在进攻南京期间，日军入城时，10多名前南京总领事馆的人员与他们一道被派进城。他们与日军一道为保护外国侨民和外国权利和利益携手开展工作。他们还奉命尽力善待中国百姓以便维持公共秩序。所有这些人在这些方面都尽了自己最大的努力。

举例如下。

（a）最初南京与外界的联络极端困难。因而在入城后不久,他们使用新闻记者的电台向上海发送有关外国人平安无事的报告。

（b）他们与军方合作,对需要保护的外国人权利和利益以及其他方面事项立即展开调查,并竖立"严禁入内"的警示牌。

（c）他们雇佣领事馆警察来保护和方便外国侨民。

（d）他们指示总领事馆工作人员要善待中国百姓,特别是要保护平民。正是由于他们都曾在南京工作过,对这座城市平时的状况非常了解,使他们得以成功地履行了自己的职责(他们有时在难民区门口设下监视哨,如在金陵大学)。

（e）有关所谓日军士兵所干坏事的报告由外国侨民递交给总领事。绝大多数这类报告源于道听途说,不过,由于总领事没有足够的时间对它们进行逐件调查,这些报告就被发往东京外务省(我在上海看过一些报告的副本)和南京占领军。看来在东京的外务省把这些报告向陆军省进行了通报。

（3）那段时间我曾数次前往南京,我每次去都从总领事那里听说过这些报告。我看到了当时的现状,并与外国侨民进行过交谈。我就这些问题向外务省提交过一份书面报告。1938年1月底,在我奉召回国的时候,我还就同样的报告向外相广田和外务省其他官员作过口头汇报。后来我听说,每次官员们当场提交报告,东京当局都随时要求军方加以注意。正因为如此,诚如我前面所说,大本营有时直接就此问题向在场的军官发出命令。另外我还知道,1938年2月上旬,当时还是参谋本部办公室主任的本间少将去了南京。他告诉我,尽管他此行的目的主要涉及外交关系问题,但也还包括与中国人有关的其他一些问题。

（4）南京陷落后不久,我派奥村秘书乘海军飞机前往南京和芜湖。他从芜湖返回时带上了一名受伤后住在一家医院的美国记者和"瓢虫号"军舰的那位受伤的副舰长。我也采取措施允许几名外国记者根据自己的意愿顺江而下来上海。

南京刚陷落时，整个城市一片混乱，后逐渐恢复平静。尤其是1938年1月1日，中国市民成立了自治委员会，开始管理城市，并在日军和民众之间发挥了调解人的作用，日军和民众之间相互误解和猜疑减少了。1938年3月底，维新政府成立并开始治理扬子江下游的这片地区之后，普通民众的生活大有改善。

南京沦陷前后的事态如下：

（1）上海周边地区的战场上，中国军队抵抗的激烈程度远远超过日军的想象，当地的反日情绪非常强烈。

派往当地的日军在数量上远远少于中国军队，其目的是为了保护日侨以及日本的权利和利益。因此，战斗异常激烈，日军伤亡也很大。这自然激起了日本军人的斗志（起初日本军人对中国人的厌恶并没有如此强烈）。

（2）相应地，出乎我们预料的是，从一开始被当作俘虏而抓获的中国士兵就极少（大部分人不是战死就是撤退）。

（3）为了延缓日军的进攻，中国军队从一开始就实施所谓"焦土政策"，放火焚烧房屋和军火库，强迫居民撤离。因此，开战初期日本人就几乎没有与居民友善接触的机会，日军和中国居民这两者之间的关系自然变得越来越紧张，相互猜疑也越来越重。

（4）正是由于中国军队和当局的宣传使得反日情绪普遍高涨。即便是留在占领区内的少数老人、妇女和儿童也像特务一样，趁着夜色搞破坏或袭击日军。这种行为在很大程度上牵制了日军的行动。日军起初打算善待平民，把他们与军事人员严格区别开来。不过，事实上，面对居民的这种态度，日军也产生了敌对情绪，采取了多疑和小心提防的态度。

（5）中国军队在上海周边地带进行了顽强的抵抗，前线战场呈胶着状态。据说,如果中国军队被击败,他们将在上海至苏州一线组织防御,恢复抵抗。在这种情况下,有必要摧毁一切中国军队以便给上海周边地区带来安全。为达此目的,11月初日军以新近在杭州湾登陆的部队作为增援。与此同时,中国军队被击溃了,日军不等其恢复元气就展开追击,并立即进入南京。正如松井将军曾向我们预言的那样,日军不可能首先包围南京,然后对其实施攻击和占领。这样做的结果就带来了混乱。

正是由于上述情况,在通往南京的公路边,不仅军火库、房屋或燃料被运走或焚毁,而且日本的军需供应也跟不上。12月份天气非常寒冷。日军诸部队的日用品、食物和燃料是各自在战场上分散筹集的。

即便是在南京,那些遗留下来的军营或其他大楼都没有被褥和其他设施,在当地如何安置日军变得异常困难。

南京沦陷时彻底陷入无政府状态。沦陷之后,我在城中直接观察到的情况如下:

(a) 在溃败前,当南京守备司令官撤退时,所有军事和民事机构的官员们都潜逃了。南京成了一个没有市政府、没有警察、没有负责人的城市。所有日常行政管理所必需的市民、土地和建筑的资料全都被带走,警察解散了。街面上看不到一个警察。只能看到每个外国大使馆或使团雇佣的二三名警察在那里守卫。与南京不同的是,在其他城市更多的时候情况是这样的:当中国军队撤退之后,部分民事官员或当地知名人士留下来,他们作为中间人在到来的日军和当地普通百姓之间协调关系。

(b) 在南京沦陷前,外国大使们、公使们、领事们以及其他外交官员全部都离开了这座城市,没有任何个人获得授权能够就保护外国侨民的权益与日军进行正式谈判。"所有外国记者均渴望离开南京以便给各自的报社拍发电报。南京沦陷后的几天之内,他们乘坐由南京日军提供的交通工具全都离开南京去了上海。我 12 月 17 日去南京时没有发现一名记者。"

(c) 南京人口据说是 100 万,但在南京陷落时已经减到 20 万,其中大部分是下层人士,且都已经迁入所谓的"安全区"了。区外中国人的房屋实际上都已空空如也。难民的管理由 20 名外籍人士个人组成的一个委员会负责。

日军没有正式承认上述安全区,理由是:① 从技术上讲,认为一旦在城内开战,难以保证这个地方的安全;② 中国高级军官和他们的参谋人员住在那一带;③ 该委员会对安全区外的那些溃兵和其他不良分子没有足够的控制能力,同时也缺乏足够的能力保持其"中立性"(据认为,在这些方面上海安全区与南京安全区有所不同,而且它也得到了日军的认可)。

日军坚持这样一原则:区域内没有任何敌对部队和军事设施的地方将不会受到攻击。而当南京被占领时,该区域事实上既没有战斗也没有伤亡。

(d) 当南京陷落,中国军队撤退时,大量军人厚颜无耻地抢夺平民的衣服(有些平民被杀),并把它穿在身上。他们假装平民进入安全区。这个情况是由时在南京的美联社记者麦克·戴维艾斯和时在上海的《纽约时报》记者阿本德告诉我的。这些事自然成了日军担心和怀疑的理由。

8. 上海安全区(所谓"饶神父安全区"):随着上海周边战事的展开,同时估计到中国军队会撤离,一个由饶神父领导的、由英国、美国、法国等国人士组成的国际委员会成立了。该委员会打算在取得中日双方的同意之后,在南市地区(上海南部的一个中国城区)划定一块安全区。其目的在于,一旦战事波及这一地区,安全区就准备收留中国人。最初,饶神父由《曼彻斯特导报》记者田伯烈陪同来见我,并告诉我这件事。在驻沪总领事冈本和冈崎的协助下,我采取措施将这一计划付诸实施。陆军司令官松井和海军司令官长谷川从一开始就对此事持欢迎态度。此项计划得到了两位司令官和中国方面的认可。当时,松井将军还向委员会捐款1万元,从经费上资助这一计划(海军司令官长谷川也捐助了钱款)。

此外,外相广田也于12月8日给饶神父寄去一封信,表达了日本人对这项人道主义工作的赞赏和尊重,同时衷心祝愿他取得成功。这项计划能够得到日本当局的认可,有以下几点原因:

① 该地区是一个纯粹的中国城,而且很明显饶神父和委员会其他成员全都是毫无偏见、毫无利害关系的人士。

② 一旦战事爆发,该委员会将收容和保护中国非战斗人员,在战争结束之后的一段很短时间里,还将继续进行救济和保护工作。这一地区的管理和监督权将完全由日军掌握,但该委员会同意对此不加干涉。

③ 鉴于紧临该地区的法租界当局愿意与该委员会合作,委员会被认为有足够的实际能力保持"中立"。

④ 从位置上来判断,尽管该地区附近有战事,这个地方是有可能维护"安全"的。

在上海战事的最后阶段,战斗波及了这个地区的边缘。好在没有炮弹落入区内。退入安全区内的中国军人全都被委员会解除了武装。日军没有进入安全区。一切平安无事。数千房屋和25万中国人也因此得以拯救。详情都写在委员会编的一个小册子中。

你可以进行反诘了。

伊藤辩护律师:如果允许,我想一个问题,一个补充性问题。
韦伯庭长:你代表谁出庭?
伊藤辩护律师:我现在代表被告松井。

直接询问（继续）

（由伊藤辩护律师先提问）

问：具体来说，与芜湖美国国旗受侮事件相关的事实有哪些？

韦伯庭长：我认为我们不需要听取更多的情况了。

佐伯辩护律师：我是佐伯律师，代表被告武藤出庭。我想问证人一个问题。

直接询问（继续）

（由佐伯辩护律师主持）

问：你见过时在南京的参谋副长武藤吗？

答：我在上海的时候见过武藤多次。

问：在保护外国权益和利益方面，参谋副长武藤采取了什么样的态度，这方面的一些情况你记不记得？

答：我经常就这个问题与武藤进行交谈，得知他在考虑这个问题时异常谨慎，并在我依照职责处理这方面问题时给予了非常大的方便。

韦伯庭长：塔夫纳检察官。

塔夫纳检察官：如果法庭允许，除了某些供认对起诉有价值外，这份宣誓证词的陈述与我们已掌握的与南京暴行有关的大量的口头证言和文件证据完全不一致，我们认为对这份宣誓证言进行反诘或向法庭提交这份证据的全部内容简直就是浪费时间。

不过，我们特别想提请注意第 306 和 323 号证据，它们是南京国际委员会秘书斯迈思博士向日本大使馆外交官提交的每日报告；威尔逊大夫的证据，庭审笔录第 2533 页；菲奇先生的证据，见庭审笔录第 4462 页；贝茨博士的证据，见庭审笔录第 2644 页；马吉的证言，见第 3904～3922 页。

我还想提交关于这个问题的外交函件汇集，即第 328 号证据。有关保护外国大使馆的问题，我要提交第 2577 号庭审记录。

韦伯庭长：你提交过与此有关的松井和武藤审讯笔录吗？

塔夫纳检察官：我们提交了松井的部分审问笔录，即第 257 号证据，在庭审笔录第 3453 页；武藤部分的审讯笔录，即第 255 号证据，在第 3433 页。

韦伯庭长：我代表法庭问一个问题。

1938 年 1 月 1 日，证人发现直到这个时候松井还不清楚南京占领军的不良行为。这一点给证人留下了极其深刻的印象。证人是什么时候听说这件事的？他都听到了些什么？

证人：1 月 1 日，我去松井那里给他拜年，在那种场合下，按照日本传统，大家相互之间举杯祝酒。我没有向松井将军提出问题，但在交谈过程中他说他的一些部下干了一些恶劣的坏事，这非常令人遗憾和不幸。

韦伯庭长：他明说干的是什么坏事吗？

证人：没有，没有明说。

伊藤辩护律师：不再直接问了。可以照例让证人退庭吗？

韦伯庭长：他按照惯例退庭。

（证人退庭）

4. 塚本浩次（1947 年 5 月 6 日）

（1947 年 5 月 6 日，星期二）

这次我相信昨天生病的证人现在已做好准备，可以站在证人席上作证，马蒂斯辩护人将对证人进行介绍。

（塚本浩次作为辩方证人，首先进行正式宣誓，经日语译员作证如下）

直 接 询 问

（由马蒂斯辩护律师进行）

问：请说出你的姓名和住址。

答：我的姓名是塚本浩次。

马蒂斯辩护律师： 我请求向证人出示第1074号辩方文件。

（一份文件被递交给证人。）

问： 你看一下刚才递给你的文件，并告诉法庭那是否是你的宣誓证词。

答： 没错，这是我的宣誓证词。不过我希望作一些更正。

问： 什么更正，塚本先生？

答： 第3页的第8段："这种罪行主要是抢劫、盗窃等，而强奸和伤害的案件则很少。"此处，这句话应该被更正成下面的话："这种罪行主要是抢劫、强奸等，而盗窃和伤害的案件则很少。"

问： 还有别的更正吗？

马蒂斯辩护律师： 显然如果法庭允许的话，辩方想提供的不是此文件的全部，而是——

答： 我还想从我的宣誓证言中删除掉第7段。

马蒂斯辩护律师： 此文件第7段，即英文译本第2页末开始以及第4页的全部不提交法庭。宣誓证词的其余部分作为证据提交法庭。

韦伯庭长： 萨顿检察官。

萨顿检察官： 检方反对宣誓书中的第三部分，并提议将其删除，因为证人只是给出文件的大意，但没能拿出原件，并对此作出令人满意的解释，是违反规定的。

马蒂斯辩护律师： 我认为那段话陈述了一个事实。主题是他签署了一份描述性文件，他不打算提供具体的内容。

韦伯庭长： 如果它说的只是"有关军纪的命令"，那你是对的，但他是对命令的结果进行阐述。你也许不用提供那段话。

马蒂斯辩护律师： 把第3段也删除掉。现在我要宣读第1074号辩护文件了。

韦伯庭长： 证据在规定的范围内被采纳。

法庭书记官： 第1074号辩护文件被采纳为第2548号证据。

（上述文件被标上辩方证据第 2548 号，在所示范围内，并被采纳为证据）

马蒂斯辩护律师：省略掉形式部分和被删除掉的部分。（宣读）

直到 1943 年 8 月退役之前，我是一名陆军法务官。我在上海派遣军中的经历如下：

1937 年 8 月 15 日被任命为第十军法务部长。

1937 年 8 月 30 日是上海派遣军的法务部长，同时也是检察官。

1938 年 2 月 9 日是检察官、预备法官以及华中方面军法官。

1939 年回国。

随着上海一带战役的结束以及我们军队对中国部队追击的开始，作为法务部长，我的工作压力大了许多。进入南京后我同样地非常繁忙。在正式入城的那天，我记得已经审了大约 4 件案子。

我确信自己按照松井司令官的命令并遵照战地服役规则，非常严厉地惩处了那些违犯军纪的人。上海派遣军法务部的态度是如此严厉，以至于一些部队对我们严厉的惩处手段以及对微小过错的严密审查作出了尖锐的批评。我是通过陆军省法务局大塚操中佐得知这类批评的，他当时前来和我们建立联系。不过，我严格按照军法，并遵从松井司令官的意图来行使自己的司法职责。

进入南京城后，日本部队犯下了违法行为，我记得已经对这些事件进行了深入审查。我还记得松井司令官将所有军官召集在一起，告诉他们这类事件的发生，并下达了严厉的命令以严格维持军纪。

有四五名军官卷入上述案件，而其余都是士兵犯下的轻微罪行。这种犯罪主要是抢劫、强奸等，而盗窃和伤害的案件则很少。据我所知，由这些行为引起的死亡案件非常之少。我记得有一些谋杀案，但没有有关处置纵火犯或处理大屠杀罪犯的记忆。上述罪行是在不同地方犯下的,但我相信有相当多案件发生在南京的难民区内。

法务部门没有实施搜查罪犯的权力。犯罪分子在遭到直属于陆军统帅部的宪兵搜查和逮捕后被送到法务部。然后我们搜集证据,在此基础上对他们进行起诉。

你可以进行交叉询问。

韦伯庭长: 萨顿检察官。

萨顿检察官: 如果法庭允许。

交 叉 询 问

由萨顿检察官主持。

问:你是什么时候到南京的,待了多长时间?

答:我相信我是在1937年12月17日或18日左右进南京城的。我于1938年8月离开南京。

问:你在1937年12月以及1938年1月审查了多少案件?

答:我记不清楚了。

问:你能给我们有关这方面一个数字的概念吗?

答:我想大概是10起案件左右。

韦伯庭长: 现在我们休庭至13:30。

(12:00休庭)

下 午 开 庭

法庭照例休庭,于13:34复庭。

法庭执行官: 远东国际法庭继续开庭。

韦伯庭长: 萨顿先生。

交 叉 询 问

(由萨顿检察官继续进行提问)

问:南京是于1937年12月13日陷落的,不是吗?

答：我不记得确切日期了，但我相信是在那天左右。

问：松井将军是何时进入南京的？

答：我不知道。

问：当松井将军入城时你在南京吗？

答：尽管我出席了日本进入南京的入城仪式，却无法确切回想起——当我进城时松井将军是否肯定在南京。

问：我是问你，当松井将军进城时你是否在南京？

答：我相信他在南京。

问：松井将军是什么时候把他的所有军官召集到一起的？

答：对此我记不清了，但我相信是在日军进入南京城后的某个时候发生的。

问：这是在松井将军胜利入城后多久发生的事？

答：我相信是发生在同一天。不过，我对此并不确信。

问：我启发一下你，松井将军是12月17日进城的。这使你的记忆有所恢复吗？

答：尽管我不知道松井将军进入南京城的确切时间，不过据我回忆，进入南京的入城仪式是在12月17日举行的。

问：而就在同一天，松井将军召开了一个由手下所有军官参加的会议，正如你宣誓证词中第6段所表明的那样，对吧？

答：据我回忆，那发生在举行入城仪式后的某天。

问：松井将军说士兵们犯下了什么非法行为？

答：我认为那时他没有说过——即日本军队进入南京前后——任何具体的违犯法律的行为，但他泛泛地说起在日军离开上海以及进入南京的期间发生的事情；据我回忆，由于所发生的事情，他说日军将来应该更加谨慎些。

问：你在宣誓证词第6段里说，进入南京之后日军犯下了非法行为，而松井将军将他的所有军官召集在一起，并告诉他们发生了这种行为。我再问你：松井将军说日本士兵犯下的是什么非法行为？

答：我不记得他所说的任何具体例子。不过，他说种种强奸和屠杀事件有可能——可能发生过。因此部队应该更加谨慎小心，以免再发生那些麻烦事件。

语言监督官：对"屠杀"一词进行更正，应该是"掠夺或抢劫"。

译员：证人进而说"因此应当在部队施行更严格的纪律，以免再发生那些事件"。

问：强奸和抢劫行为早就发生过吗？

答：松井没有确切讲起任何——在南京犯下的具体行为，但他大致讲到有关部队在从上海出发以及到达南京这段时间里所发生的事情，他说诸如强奸和抢劫的犯罪行为发生在过去——过去的某个时间。因此他说应该更加小心从事，以免再发生那些事件。

问：你在宣誓书中说："进入南京之后日本军队犯下了非法行为。"这种行为是什么？

答：部队进入南京之后，发生了包括抢劫、强奸等案件在内的各种事件，因此松井说军队——军队应当更加小心谨慎以使那些事件不再发生。包括抢劫、强奸、盗窃等在内的各种事件是在进入南京之后发生的。

问：松井将军是从谁那里获得关于这些非法行为的消息的？

答：据我回忆，因为我曾是法务部长，告诉了他已经发生的事件，因此我相信他告诉我——他就我向他报告的事情给了我一些指示；但我并不知道其他事情。

语言监督官：不过，我并不确知他是从哪里得到消息的。我相信有可能是从这次——我对他所作的有关过去犯罪行为的报告，但我并不确定。

问：你是何时告诉松井将军其士兵在南京所犯下的犯罪行为的？

答：我不认为我向他报告了日军进入南京时的事情。不过我确实相信——我确实回忆起来我曾经告诉他在那之前发生的事情,就是在日军进入南京之前。

语言监督官:"那些事情"意思是各种非法行为。

问:除了你报告给松井将军的有关日军在南京非法行为的信息外,日本驻南京领事难道没有提供给他那方面的信息吗?

答:我不知道。

问:松井将军几乎是一进南京就得知他的部队已经在南京犯下暴行,而这一信息是由在南京的日本外交官和领事提供给他的,这难道不是事实吗?

答:我对此一无所知。

萨顿检察官:这一问题是基于对松井将军的审讯,它的编号为证据第 257 号,在庭审笔录第 3453 页上。

问:你在宣誓证言第 8 段里声称,你审判的案件中有许多是发生在南京的难民区内。这些地方是由国际委员会管理的南京安全区吗?

语言监督官:萨顿检察官,那部分不在这份宣誓证言的日文版本中。

韦伯庭长:它在哪儿。

萨顿检察官:那是宣誓证言英文版本中的最后一句,第 8 段的最后一句话。

语言监督官:是的,它是在英文版中而不在日文版中。我们会以自己的方式翻译你的话。它不在宣誓证词当中。

韦伯庭长:它是第 8 段的最后一句话。

答:我想是这样。

问:从 1937 年 12 月 16 日到 1938 年 2 月 2 日,难道该委员会不是几乎天天都在向驻南京的日本领事馆报告吗?

答:我对此并不知情。

问：这些报告揭露了那段时间内日军在南京所犯的425组案件，其中很多组包括了30多件个案，不是吗？

答：我不曾听到过这方面的任何情况，也不曾看到过什么——我也不知道此事。

萨顿检察官：问题是以庭审笔录第4536页上的第323号证据为基础的。

问：南京安全区的国际委员会主席拉贝先生难道没有就士兵们在该城犯下的罪行亲自向南京的日本当局每日报告？

答：我不曾听说过什么。不过现在我愿意在得到许可的情况下对此说些话。我会得到许可吗？我可以得到许可吗？

韦伯庭长：萨顿检察官，你的看法呢？

萨顿检察官：我更想让你回答我的问题。

问：南京安全区国际委员会秘书斯迈思博士在12月剩余日子里以及1938年1月份期间，难道不是差不多每天都向日本驻南京领事馆提出两个抗议？

答：我没有从任何人那里听说过这种事。

问：你知道金陵大学的副校长贝茨博士在日军进入南京后的3个星期里几乎天天向日本大使馆提交一份打印报告，讲述他所知道的前一天发生的犯罪情况吗？

答：我从未听说过有关这一事实的任何情况。我们完全忽视了那些事。

译员：请注意更正：这是我们根本不知晓的事情。

问：贝茨博士不是还与驻南京的领事人员，特别是与福井领事、田中副领事以及福田进行经常性的会面吗？

答：我不知道。

问：这些领事馆官员不断地承诺说南京的局势会得到改变的，这难道不是事实吗？

答：我不知道此类事情。

问：你知道日本大使馆的领事日高昨天作证说，安全区给领事馆的报告被送给了驻南京的军队吗？

答：我不记得是否发生过这种事情。

问：你不知道你是否收到报告，还是说不知道报告是否被送到呢？

答：对那一特定事实我毫不知晓。我也没听说过此事。

问：起诉日本士兵在南京犯下的全部罪行是你的职责吗？

答：那不是我的职责。

问：你与那些罪行有关的职责是什么？

答：我的职责是回答司令官发出的与法律有关的命令，并处理由包括宪兵司令在内的部队指挥官转交给我的刑事案件。

问：你难道不是法务部的主管？

答：法务部主管没有——无权对犯罪进行这样的起诉。

语言监督官：没有直接起诉犯罪的权力。

译员：证人说是"直接的责任"。

问：我曾问过你的这些报告，你不了解或关注过这些报告所揭露的罪行，是这样吗？

答：对，正如你所说的。

问：在南京除你们部门之外还有其他什么审理士兵案件的部门吗？

答：你是问我除法务部外，是否还有别的部门可以处理那些事情？

问：对。

答：直属于司令官的宪兵队负责总体处理——处理由不同部队指挥官转交给它的案件。

语言监督官：一般说来，由直属于司令官的宪兵队指挥官或是其他部队指挥官向我们提交犯罪案例，然后我们决定是否起诉这些罪犯、违法者，并采取合适——恰当的措施。那是通常的程序。

问：案件是由你们部门来审理的吗？

答：是的。

问：你们部门有机会审理过因焚烧南京基督教青年会房屋而引发的案件吗？

答：我记不清了。不过，我想没有这种机会。

伊藤辩护律师：我反对这个问题，因为证人在他的宣誓证词中清楚地表明自己从未处理过纵火案。

问：你得知日本士兵焚烧了南京的圣公会建筑吗？

答：不，我没听说过。

问：它引起你对日军占领南京后在该城焚烧基督教信徒传教团建筑的关注吗？

答：没有。

问：你知道1937年12月在日军占领南京后，那里不同地方的教堂建筑和教会学校被纵火焚烧的消息吗？

答：据我回忆，我想我不曾听到过。

问：你对1938年1月1日俄国大使馆被日本士兵纵火焚烧而引发的案件进行过调查或是起诉吗？

答：我根本不记得有这样一回事。

问：关于你在宣誓证词第8段所提到的大屠杀，你知道有一次从安全区带走1500名难民，每百人一组地捆绑在一起，押出去，枪毙，他们的尸体则被扔进一个水塘里吗？

答：我至今从未听到过这样的事情。我相信这事可能不是真的。

萨顿检察官：这一问题是根据庭审笔录第2566至2567页菲奇先生和许博士的证言为依据的。

问：你对有关1937年12月16日一千多个中国平民被押到城外长江边，被日本士兵用机关枪扫射的情况进行过调查吗？

答：没有。

萨顿检察官：此问题是以庭审笔录第3898页马吉先生的证言为

依据。

问：你曾有机会对1937年12月15日1300多名平民被用绳子捆在一起从难民营带走，押出去枪毙的案件进行过调查吗？

韦伯庭长：伊藤辩护律师。

伊藤辩护律师：我反对该问题，因为证人在他宣誓书中的第8段非常明确地申明，他没有惩处过纵火犯或处理过大屠杀罪犯的记忆。

韦伯庭长：我认为你只是在要求他重复他在第8段里所说的话。你可以向他提示他所说过的话，但不能以要求他重复自己在询问中早已说过的话的方式进行提问。

问：你没有收到有关12月15日将警察从司法院带走，押出去枪毙的消息吗？

答：我想没有这样的事件。

问：你对日本军队被授权搜查、并枪杀前中国士兵提出过意见吗？

答：我想没有这样的案件。

问：难道你不知道这是日本军官指挥部队有组织地这样做的吗？

答：我从未听说过那事。

问：鉴于我向你所提问题及有关证据，你的记忆仍然只有在1937年12月份及1938年1月份这期间你所审理的10桩案件吗？

答：我认为在你所引用证人报告与我实际亲自处理的案件之间没有任何关系。

语言监督官：是我实际亲自处理的10桩案件。

萨顿检察官：反诘结束。

韦伯庭长：伊藤辩护人。

伊藤辩护律师：我希望获得对证人再进行直接询问的许可。

直接询问（继续）

（由伊藤辩护律师进行）

问：证人刚才说在1937年12月至1938年1月间你处理了约10桩

案件。所谓10桩案件,你的意思是那是涉及10个人的10桩案件,还是指那10桩案件牵涉有更多的人?

答:所谓10桩案件,我的意思不是说一件案子只牵涉一个人。那是每件牵涉到几个人的案子——是涉及数人的案件。那自然意味着涉及的人数超过了10个人。很明显,人数要大于案件的数目。

问:你审理和惩处这些作为非法行为提交给你的案件了吗?

语言监督官:换言之,你对所有得到你关注、或是提交给你的案件都进行审理了吗?

答:除了一些未被起诉的案件外,我记得多数案件都得到了审理和惩处,或是处置。

问:如果你记得的话,请说明你在南京任职期间处理、审理和惩处罪犯的大概人数。

答:关于我在南京处理的案件,我想知道你指的是什么时期;从什么时间到什么时间?

问:你在南京服役期间,你还能说出来吗?

答:我记得我是从1937年12月到1938年8月间被派驻南京的。

问:那么,请说出你在那一特殊时间内所审理和惩处的人数。

韦伯庭长:不用回答。

萨顿检察官:检方反对该问题,因为该问题与反诘无关。

伊藤辩护律师:问完了,阁下。

洛根辩护律师:阁下,证人可以按照惯例退庭吗?

韦伯庭长:证人根据惯例退庭。

(证人退庭)

5. 中山宁人(1947年5月12～13日)

(1947年5月12～13日,星期一～星期二)

(中山作为辩方证人再次到庭,在此之前曾宣誓并通过译员作证

如下）

韦伯庭长：你的姓名、住址？

证人：我名叫中山。住东京都南多摩郡多摩村关户五三七番地。

直 接 询 问

（由伊藤辩护律师提问）

伊藤辩护律师：第1345号辩方文件送到证人手上了吗？

（一份文件送给证人。）

问：那是你的宣誓证词吗？

答：是的。

问：宣誓证词需要改动吗？

答：是的，有一处需要更正。

问：在哪里？

答：宣誓证词第16段写道，松井将军12月14日收到有关占领南京的消息。应该更正为"12月13日"。

问：其余部分真实无误吗？

韦伯庭长：第16段，我记下了。

译员：第16段，先生。

伊藤辩护律师：现在作为证据，我提交辩方第1345号文件。同时，我提交第1345号辩方文件也是为了解释宣誓证词中提到的缺少的那份文件。

译员：为了解释宣誓证词中漏掉的那份文件，我提交第1345B号辩方文件。

韦伯庭长：按惯例采纳。我建议你提交第1345号辩方文件。你提交了吗？

伊藤辩护律师：是的，提交了。

韦伯庭长：按惯例采纳。

法庭书记官：第1345号辩方文件标为第2577号证据。

（上述文件被标以第 2577 号辩方证据，并作为证据被采纳）

韦伯庭长： 现在，我知道你希望再提供一份文件，它与宣誓证词中哪些段落有关？

伊藤辩护律师： 第 11 段和 18 段，先生。

韦伯庭长： 那些文件都有证明吗？

伊藤辩护律师： 有。

韦伯庭长： 既如此，你最好同时也提交证明。

伊藤辩护律师： 这些证明编订到第 1345B 号辩方文件中了，它也是我准备提交的证据。

韦伯庭长： 按惯例采纳。

法庭书记官： 第 1345B 号辩方文件编为第 2578 号证据。

（上述文件被标以第 2578 号证据，并作为证据采纳）

伊藤辩护律师： 我想向法庭宣读第 2577～2578 号证据。

韦伯庭长： 在进行前，我们必须先核实一下。在这方面我想请美方辩护律师向日本辩护律师提供更多的帮助。美国辩护律师出现在法庭上主要就是为了这个目的。

伊藤辩护律师： 庭长先生，实际上原本由马蒂斯辩护人宣读这份文件，不过他因公务，今天缺席，由我代读。

韦伯庭长： 我们会尽力而为，开始宣读宣誓证词即第 2577 号证词。

伊藤辩护律师： 谢谢庭长先生。

我从第三段开始宣读：

（宣读）

3. 我任华中方面军参谋时的军衔是少佐。1937 年 11 月到 1938 年 3 月，我一直担任该职，这期间我从事的是情报工作。

4. 华中方面军大约组建于 1937 年 11 月 5 日。

为了保护上海及其周边地区的日侨，组建于 1937 年 8 月中旬的上海派遣军与中国军队在上海一带及华中地区作战。不过,由于敌人实力很强,再加上地形上的因素,日本方面在战场上并未取得有利的进展。有鉴于此,大本营新组建了第十军(柳川平助军团),该军为了配合上海派遣军的进攻,在杭州湾北岸登陆。华中方面军由这两支军队组合而成,上海派遣军和第十军名义上归其统一指挥。

5. 松井石根大将被任命为华中方面军司令官,同时兼任上海派遣军司令官。

华中方面军参谋人员如下:

参谋长:冢田政少将

参谋副长:武藤章大佐

其他参谋人员:

公平匡武中佐

中山宁人少佐

二宫义清少佐

吉川武上尉

除上述人员之外,还有一位空军参谋,名字我忘了。另外还有3名副官。

参谋部总共只有7人。其余几人的名字我全忘了。华中方面军总部仅由上述人员构成,没有其他的机关和人员。

6. 华中方面军司令官奉命执行以下使命:

华中方面军司令官将上海派遣军和第十军置于其统一指挥之下,并管辖军需保障工作。该方面军的首要任务是协调两军具体行动。至于部队的实际使用和指挥,实际上是由上海派遣军和第十军司令官承担。因此,上海派遣军和第十军设有完善的机构:军械处、财务处、军医处、法务部,此外还有参谋部和副官处。而华中方面军司令部则没有此类机构。

7. 为了说明华中方面军为何在组织方面如此不够完善，有必要对上海派遣军和第十军所赋予的职责加以澄清。

上海派遣军的职责是"夺取重要的上海一线及其北部地区，保护帝国侨民。"

第十军的职责是"从杭州湾北岸登陆，协助上海派遣军行动"。

此外，帝国大本营还决定，华中方面军在长江三角洲福山、苏州和嘉兴一线以东开辟战场。

组建华中方面军的唯一目的就是为了把承担以上职责的两支部队置于统一控制之下。正是基于这一点，华中方面军组建完善的司令部被认为是非常没有必要的。因为这支部队只是为了短期目标而组建，而且其作战区域也很狭窄。

8. 我们得到情报，中国军队从上海撤退后在南京周边地区集结了大量兵力，准备反攻。

1937年12月1日，帝国大本营发布如下命令："华中方面军应在海军配合下占领南京。"即便是在这道命令发布之后，华中方面军的总部仍保持相当高效率，它的指挥系统还像以前那样运转。

9. 松井将军在收到上述命令后的第二天，向这两支部队发出命令，其内容大致如下：

(1) 上海派遣军主力沿无锡—丹阳—句容公路向南京进攻；

(2) 第十军沿湖州—广德—芜湖公路向南京攻击前进。

(3) 第一〇一旅团在松江一带为进攻杭州作准备。

(4) 第十一师团和第三师团之步兵第一旅团负责维持上海市及其周边地区的公共安全。

10. 华中方面军司令部在上海以北约10公里的一个地方一直驻扎到1937年12月15日。并在当天移驻苏州。当时，松井将军卧病在床，但仍在病榻上处理所有重要军务。

12月7日，朝香宫亲王作为上海派遣军司令官抵达战地前线。

松井将军被解除了兼任的职务,此后,他就只负责华中方面军的指挥。

11. 到苏州后,松井将军对参谋长冢田将军说:"因为南京是中国的首都,我们占领该城将成为一起国际事件。如何利用日本军威更进一步使中国折服,如何让大部分中国民众更加信赖日本,这些都必须要仔细加以研究。"这个指示由参谋长传达给我们这些参谋官。我们把松井将军的指示精神记在心头,立即展开研究。有关国际法和国际惯例的问题,我们请教了斋藤良卫博士。最后,我们拟定了这样一道命令,要点如下:

(1) 华中方面军准备占领中国首都南京城。

(2) 上海派遣军和第十军将按照写在另一份文件上的《占领南京城作战方案》占领南京。

在初稿第一条原来有这样的提法"敌国首都"。不过,松井司令官将其改为"中国首都",这一改动基于他自己对中国的看法:从总体上讲它不是我们的敌人,只不过有部分国民是我们的敌人。

《占领南京城作战方案》中的第2条与下列问题有关:

(1) 在开进到城外3到4公里处时,这两支部队都要停止前进,为占领南京城作准备。

(2) 12月9日,通过飞机向南京城里的中国士兵散发劝降书。

(3) 如果中国军队投降,就从每个师团中挑选2到3个大队外加独立的宪兵队,派他们进城。他们将负责守卫作战地图上标明的区域。对在一份单独文件上专门标明的那些外国人的权利和利益以及所有文化机构,必须要特别加以妥善保护。

(4) 如果中国军队不接受我们的劝降,12月10日下午将发动进攻。在这种情况下,日本各作战部队进入南京城也必须依照上述要求行事。尤其必须严格维护军纪和道德,必须迅速恢复公共秩序。在拟定上述命令的同时,一则名为"关于占领、进入南京城之守则及戒律"的通知也已写成。它由参谋部起草,目的在于使所有部队都能完全明白松井将军的意图。

上述通知的要点如下:

(1)帝国军队占领进入外国首都,在我国历史上没有先例,将永载史册。全世界都会以苛刻的目光注视着这件大事。基于以上情况,绝对禁止所有部队强行冲进该城;绝对禁止部队之间的争斗,绝对禁止任何不法行为。

(2)每个作战单位应该极其严格地维护军纪与道德,这样中国士兵与平民才会敬畏日本军队的威严,才会归顺日本军队。因此,任何情况下都不容许出现有损日军名誉的行为。

(3)绝不允许任何部队靠近任何外国人权利和利益所在地,尤其是在所附的一份示意图上所标明的那些外交机构。除非有绝对必要,各部队一律不准进入外交使团所在的任何中立区,所有必要的地方应设置岗哨。

而且各部队严禁进入南京城外的中山陵、明孝陵和其他爱国革命家的安息地。

(4)进入城内的单位必须经过师团长的专门挑选。占领南京城,尤其是占领城内所有外国权益所在地的守则应提前发到每个单位,以避免不论何种原因产生的错误。如有必要,应设置岗哨。

(5)对那些抢劫或即便不小心引发火灾的官兵一律予以严惩。

在部队进城的同时,必须派遣大量宪兵和助理宪兵进入南京城,以制止一切非法行为。

12. 所有外国人权益的信息,均以我从各国驻上海领事馆或领事那里收到的答复为根据,我是通过日本驻沪总领事向他们询问相关情况的。随后,我用红墨水全都把它们画在地图上,以资辨认。

至于教育机构,除中山陵、明孝陵外——其位置众所周知,均经日本外交机构调查并向我作了通报。通过这种方式,我把所有这类目标全都非常清楚地画在地图上以使全体日军得以最大限度地认识它们。

13. 所有这些占领南京后的命令、通知和地图都由参谋长塚田、参谋公平中佐和我本人于12月8日向上海派遣军司令部进行传达,另一名参谋于同一时间向第十军传达,以便全军能够很好地了解以上的命令、通知和地图。12月9日,句容航空部队还向城内中国军队空投散发了劝降书。

当时,松井将军在苏州养病,参谋副长武藤章大佐陪在身边。

在传达完以上命令后,参谋长和我们全体参谋官驻留汤水镇。

14. 12月10日,参谋长冢田少将和我在中山门外等待举着停战旗的中国军队信使,一直等到大约13:00,最终这名信使还是没来。有鉴于此,大约从14:00开始,我们对南京发起总攻。尽管中国人依仗城墙进行了顽强的抵抗,但日军于12月12日12:00左右成功地夺取了南京城。由于担心部队会出现混乱,参谋长冢田将军让其随从参谋通知两支部队严格遵守以上各项命令。但是,大部分前线部队在我们不知情的情况下已经入城。我后来听说,在我们得到消息以前,他们已进入城内。我后来才听说,他们入城是敌人的顽强抵抗被粉碎后带来的一种自然而然的结果。另一个原因是,由于城外所有的营房和学校都被中国军人或平民破坏或烧毁,日军没办法扎营。此外还有一个原因,城外水很少,即便有,也根本不能饮用,我是后来才知道这件事的。

15. 12月13日,为了确认已经占领南京的事实,我经中山门入城。为松井将军的正式入城作准备,我分别于14日、16日两天再次视察南京。我穿过中山门,沿主干道先后来到国民政府大楼和首都饭店。

我走的这条线路就是松井将军入城时准备走的线路。除中山门附近散落着一些沙包外,我在路上没有见到尸体。我看见城内机场附近,也就是城南地区有烟雾升起。但首都饭店及其周围,也就是城北地区,没有受到严重破坏。国民政府大楼根本未受到损害。首都饭店尽管从外表上看不出受损,但由于中国军队似乎在这里待过,其内部受到极大的破坏。16日上午,在司令部副官处的领导下,首都饭店被打扫得干干净净。大家还克服困难为松井将军即将下榻的房间做了必要的准备。不过,据说参谋长以下的全体人员要准备露营。

16. 12月14日,松井将军得到占领南京的消息。尽管他的病尚未完全痊愈,但他还是在参谋副长武藤大佐的陪伴下于15日从苏州乘小型飞机飞抵句容机场,并从那里转乘汽车来到汤水镇。

12月17日,举行了胜利入城仪式。松井将军与海军司令官长谷川中将一道入城。他下榻于首都饭店。入城式结束后,松井将军召集全体参战军官开会,命令他们更加严格地维护军纪和道德。他还下令对城内部队进行调整。要求不必要的部队驻到城外去。他下令严格执行早先发布的命令,因为他从宪兵队那里收到一份有关其下属部队违反军纪和道德的犯罪报告。

冢田将军立即下令手下参谋官为弄清各部队驻扎位置到城外去巡视。结果发现,部队驻扎地点极不合适。鉴于这种情况,12月19日决定将第十军调往芜湖一带,上海派遣军只留下第十六师团保卫南京,其他均逐步调往江北沿岸和上海地区。此次调防要逐步实施。

17. 12月18日,举办了一场战死军人和死难者追悼仪式。在纪念仪式上,松井将军强调不仅仅是日本死难者的灵魂,而且中国死难者的灵魂同样也应得到祭奠和安息——这是建立中日和平友好的基础,也是本人一再强调的大东亚主义精神的真正实质。他下令参谋长为纪念讲话作准备,等等。

不过,没有足够的时间照此去做。因此决定,纪念中国死难者亡灵的仪式另找机会进行。松井将军对此极为遗憾。在回日本后,他在热海市附近的伊豆山上修建了一座神殿,为战死的日中两国军人的灵魂祈祷,这座神殿现在还在。

18. 由南京安全区国际委员会管理的所谓贫民区,根据国际法它未被正式承认为一个中立区。但这些地方可以被认为不会有什么问题。因此,即便是在占领南京之后,日军依然决定保护这些地区,并由军队将其隔开,由军队守卫。当时考虑,没有特别批准,就连士兵也不准进入这些地区。

后来,我们听说国际委员会对日军士兵在安全区内犯下的暴行提出过抗议。不过,他们的抗议没有送到华中方面军司令部。姑且承认那里有过这类非法行为,也应该向日本领事馆提交抗议,它负责在特务机关与上海派遣军之间进行联络,后者直接负责南京的警备工作。此外,华中方面军没有从上海派遣军那里收到任何情报,因而司令官松井和参谋部对上述抗议均不知情。

如果真有日本士兵干出非法行为,这类行为必定会受到调查,并受到军事法庭的审判。调查和审判的结果也肯定会向华中方面军司令部汇报。

松井将军携手下参谋官回到上海后,他听到了驻南京日本部队存在非法行为的谣传。松井将军感到非常不安,命我转发如下指示:

据传日军在南京有不法行为。正如我在入城式上所指示的,为了日本军队的荣誉,任何情况下都不容许发生这种事。尤其是,朝香宫亲王担任我们的司令官,就必须更加严格地维护军风军纪。任何胆敢胡作非为的人必定会受到严厉的惩罚。对于已经造成的破坏,应该想办法补偿或归还。

据此，我于12月26日或27日前后离开上海去南京，向上海派遣军参谋长传达了上述指示。

韦伯庭长：萨顿检察官。

萨顿检察官：这些都没有明证……

语言监督官：请稍等，萨顿检察官。

伊藤辩护律师：（继续）据报告，上海派遣军参谋长和全体参谋人员不分昼夜地在南京所有大街上巡视，以使当地的军风军纪得以很好地维持。

语言监督官：萨顿检察官，你插话时别人正在读证词。我们没听清你说的话。能重复一下吗？

韦伯庭长：你指的是第10页倒数第2行，对吗？

萨顿检察官：第10页，不错，以"据传"开头的那一行。

语言监督官：哪一行，先生？

萨顿检察官：第10页靠近最后的那一行。

语言监督官：萨顿检察官，你要指明这份宣誓证词中的哪个段落，请告诉我们它在哪一行而不是页码。"第10页"对我们翻找毫无用处。

萨顿检察官：第18行。

语言监督官：谢谢，那一段的倒数第2行。

萨顿检察官：如果法庭允许，我反对的是松井的这些指示缺乏明证，这说明我们得不到它们的文本形式。

伊藤辩护律师：庭长先生，请允许我解释。确实没有书面指示，它们都是口头发布、口头传达的。

韦伯庭长：接着宣读。

伊藤辩护律师：（继续）

19. 在南京入城式举行前后，我前往南京并进行了视察。除下关附近有100具尸体,亚细亚公园附近约有30具尸体,且看起来都像中国士兵外,我这几天没有见到一个死人或被屠杀的中国平民的尸体。

我听说南京约有5 000名战俘。但从两支参战部队得到的情报来看,这些人从未遭受过什么大屠杀,他们在江对面逐步被释放。

20. 松井将军一直竭力避免与外国发生摩擦,下令保护外国人权益。参谋部也尽可能在各种场合向这两支部队传达了这些命令。尽管如此,从这两支部队送上来的情报中,我还是了解一些侵害外国人权益的情况。由于这些侵犯外国人权益的事件要通过国际协商加以解决,因此不可能由两支部队的司令部来处理。由于这个原因,这类情报才送到了华中方面军。在保护外国人权益的问题上,我们在中国战场上感到非常为难的是,中国士兵和平民盗用美国、英国、德国和其他国家的国旗。他们以这种方式妨碍日军行动,这种情况非常普遍。比如,尽管根据以前调查的情况来看,很明显扬州当地没有外国人权益存在,但扬州却挂有英、美和德国的国旗。这些自然引起我们的怀疑,通过查实得知是中国人在盗用外国国旗。

以上只不过是这类事例中的一起罢了。中国战场上出现的这种事,江面上、陆地上都有,我经常收到这类报告。因此,我们不得不经历这种麻烦事,即日本士兵无法相信是外国国旗,不敢肯定它们是不是外国人权益。我们相信,南京发生的侵害外国人权益的案件必定经过了上海战争损失调查委员会的处理,并得到解决。该委员会由陆军、海军两方及当地外交机构人士组成。

21. 我知道"瓢虫号"沉没的有关情况。我收到情报,说一艘英国炮舰在芜湖江域附近遭到第十军的一支炮兵部队炮击。大约是在12月14日,参谋长命令我前去调查实情。

我立即赶往第十军司令部展开调查。最终查明事实如下：

12月11日，第十军司令部向芜湖进发。在南京附近展开激烈战斗，中国军队乘坐事先动员来的各种各样大大小小的船只从江面上撤退。柳川中将意识到这种情况，通过电报向炮兵第13联队长官桥本大佐下达命令："不论国籍，一律加以炮击！"

他下达这道命令的理由是，他明白这些船只正搭载中国溃兵撤退，船上还悬挂着外国国旗。桥本大佐接到命令后立即赶往南京方向，但11日却突然返回芜湖，占领阵地。第二天上午，透过江面上的浓雾，他看到几艘载有中国溃兵的船只，于是下令向他们开炮。现在知道"瓢虫号"也在这些船只当中，全怪这场大雾才使桥本误炸了外国船只。

我把以上调查结果报告给参谋长冢田，后来又向松井将军作了汇报。

松井将军命令参谋长冢田向第十军司令官转达他的口信，要他立即给英国海军司令致歉。我在松井将军身边听到这件事。后来我还听说，松井将军从南京返回上海后立即拜会英国海军上将利特尔，向他表示深深的遗憾。这位上将对此事表示理解，并答应向英国政府转达松井将军的道歉。

22. 轰炸"帕奈号"一事主要由海军方面负责调查。我只知道事件大概情况，从未了解详情。关于此事，我也得到情报称，松井将军从南京返回上海后向美国海军总司令亚纳尔上将表示了遗憾。

23. 松井将军于12月17日进入南京城，12月20日在参谋长陪同下乘驱逐舰前往上海。其他成员，包括参谋副长武藤大佐，则于21或22日乘临时修复的火车抵达上海。松井将军如此匆忙返回上海是因为帝国大本营命令他于12月底对汉口地区发起攻击，因此，他不得不指挥作战。

24. 在占领南京前,华中方面军未设审判机构,自然也就没有军事法庭。12月20日左右,日军的分布情况是这样的:上海派遣军总部驻扎南京,第十军司令部驻扎杭州地区,华中方面军总部驻上海。12月底,根据大本营的指令,在华中方面军成立了法务部,军事法庭也随之成立了。

各军附设的法务部是一个独立的司法机构,它归属各军司令官领导,从不受华中方面军法务部长官的指挥,不过军事法庭的审理结果还是要向他汇报。

各军参谋长无权指挥法务部长官,但可以管理法务部的事务。各军参谋副长对任何有关法务部的事务均无权过问。

情况就是这样,参谋副长以下的参谋对军事法庭的判决或法务部的事务完全不知情,除非他们从法务部长官那里得到某些专门的情报。

25. 我从华中方面军参谋的位置退下来以后很长一段时间,所谓的"南京事件"才在世界上开始谣传。诚如我以上所述,我曾多次前往南京调查,但我从未听说到过像谣传所描述的那样重大事件,也从来没有看到过与事件相关的任何情况。

韦伯庭长:休庭15分钟。

(14:45开始休息到15:00,之后继续开庭)

法庭执行官:远东国际军事法庭现在复庭。

韦伯庭长:证人哪里去了,证人应该在开庭时重新回到自己的席位上。

今天太松散了。想不到此刻不得不浪费了时间。这是件非常严肃的事,一点也不好笑。我们将对某些人采取更严厉的措施。

(中山作为辩方证人重新归位,并作证如下)

佐伯辩护律师:我是被告武藤的辩护律师。有关被告武藤我有几个简单的问题要向这位证人进行直接询问。

直接询问（继续）

（由佐伯辩护律师提问）

问：从总体上来说，华中方面军参谋副长的职责是什么？被告武藤章担任什么职务？

答：参谋副长是参谋长的助手，其主要职责是根据参谋长的命令补充人员和军需品。

问：参谋副长有权作决定或下命令吗？

答：我前面说过，他只是参谋长的助手，没有作决定的权力。

问：从12月17日入城仪式到21日或22日这段时间，武藤在南京期间都做了哪些事？

答：首先是检查工作，接着部署南京城外的部队，尽力阻止城里日军士兵出城——还到城外营房视察，尽力制止士兵出城。

译员：请纠正一下：他尽了很大努力尽可能地去为城外的日军部队安排住宿。

答：（继续）他吩咐我这位高级参谋，要我注意保护外国利益，重视其他涉及外交关系的事务。

问：你被任命为华中方面军高级参谋官有什么特殊原因吗？

答：应该这么说，因为我在美国和中国学习过，武藤大佐认为我的背景最适合处理外交问题。

佐伯辩护律师：问完了。

伊藤辩护律师：检方可以开始询问了。

韦伯庭长：萨顿检察官。

萨顿检察官：如果法庭允许。

交 叉 询 问

（由萨顿检察官提问）

问：第十军，即柳川平助军团是什么时间在中国登陆的？

答：1937年11月5日。

问：松井将军是不是1937年10月30日被任命为华中方面军司令官的？

答：能不能再说一遍？

（日语书记官把提问再读了一遍）

答：是。

问：随后他就不再担任上海派遣军司令官了？

答：是这样。

问：松井将军在华中方面军司令官位置上干了多长时间？

答：大约10个师团。

问：你显然没有听懂我的问题。我是问你松井将军在华中方面军司令官位置上干了多长时间？

答：松井将军起初是上海派遣军司令官，后来还同时兼任华中方面军司令官，再后来仅任华中方面军司令官。

韦伯庭长：你真的想知道松井在司令官位置上待了多长时间？

问：所有参与占领南京战役的日军部队是否都由松井将军指挥？

答：不是这样。

问：松井在1938年2月被畑俊六将军取代之前，已不再继续指挥占领南京的部队了，是吗？

答：占领南京期间，松井只担任华中方面军司令官，随后被畑俊六将军取代。

问：日军1937年12月13日入城后，南京的中国守军还在抵抗吗？

答：12月几日？

问：13日。

韦伯庭长：13日。

答：日军于13日早晨，更准确地说是在12月12日子夜夺取南京城。日军攻占南京城是在12月12日夜间，如果要我说得更准确一点，是在 12 月 13 日凌晨。据信，13 日上午还有战斗。这是因为日军攻占城墙后乘胜追击中国逃兵。

问：南京陷落后，城里停止了所有武装抵抗，难道这不是事实吗？

答：是的，我想 13 日上午就停止了武装抵抗。

问：松井将军在哪——你曾说松井将军的司令部设在首都饭店，他离金陵大学校园有多远？

答：我记得它在金陵大学以北约 2 公里远的地方。

问：他离最近的难民区有多远？

答：我想——我记起来了，大约有 1.5 公里。

问：离松井将军司令部最近的是哪一个难民区？

答：在我的记忆中，南京只有一个难民区。

问：20 万难民全都挤在这一个难民区内？

答：地方很大，不挤。

问：金陵女子文理学院在你所指的难民区内吗？

答：是的。

问：松井将军在南京停留了多长时间？

答：占领南京后大约 1 个星期。

问：你在宣誓证词说，他 17 日到 20 日离开南京。我是否可以这样理解，你想对那份证词加以修正？

答：我取消"1 星期"之说。我说错了，我在宣誓证词所言才是对的。

问：我提请你注意松井将军在法庭证据第 257 号审问笔录中的说法，我从中引一句："我 17 日进南京，1 周后回到上海。"

这能让你的记忆恢复吗？

答：松井将军在南京到底停留了多长时间，我没有很确实的记忆。但是凭我的记忆，他在南京停留的时间就是我证词中所说的那么长时间。

问：1937年12月，你哪几天在南京？

答：占领南京前后，我在南京郊外一个名叫汤水镇的地方。我第一次进城是在13日，14日、15两天也在城内。

问：你是哪一天视察的南京？

答：天天都在视察。

问：视察过哪些地方？

答：我记不清街名或城区名，但包括城里、城外，我全都视察过。

问：你有机会到金陵大学校园视察过么？

答：至于金陵大学，我猜你指的是金陵女子文理学院。如果是指后者的话，我去过。你指的是后者么？

问：我问的是金陵大学，它与金陵女子文理学院不是一个学校。

答：我从未到金陵大学巡视过。

问：你是否有机会到金陵女子文理学院视察过，该校——

答：去过两次。

问：该校有2万多妇女和姑娘在此避难，是吗？

答：我不清楚到此避难的妇女和女孩的确切人数，但确实亲眼见到她们在那里避难。

问：你在城内多少个地方看见过尸体？

答：两个地方。

问：你白天黑夜都巡视过吗？

答：是的。

问：晚上有几次？

答：在我的记忆中有2次。

问：你在城内哪两个地方看见了尸体？

答：第一处在下关，位于南京市郊。第二处在亚细亚公园。

问：也就是说，你见过有尸体的地方真正在城内的只有一个地方，是这样么？

答：说得再准确一点，我在南京城内从未见过一具尸体。

问：你在城外这两个地方见到的尸体是平民还是士兵的？

答：是士兵的尸体。

问：也就是说无论城内还是城外，你没见过一具平民尸体？

答：我从未见过。

问：你在宣誓证词第 8 页这样说。

语言监督官：请说出段落位置。

萨顿检察官：第 15 段第 2 段。

问：（继续）"我亲眼见到，中山门附近除散落着一些沙袋外，没有尸体。"沙袋里面没有装尸体吗？

答：这些沙袋里面没装尸体。

问：我引用的那句话，你想表达什么意思？

韦伯庭长：我听明白了，不知萨顿检察官明白没有？

问：你查看过南京的小街小巷吗？

答：查看过。

问：去过江边大道吗？

答：去过。

问：是沿南京城外的长江江岸走的吗？

答：是的。

问：长江岸边有数千具被日军枪杀的平民尸体，你知道吗？

答：绝对不知道。

问：你看到过日本士兵在大街押送绑在一起的中国平民吗？

答：没有。

问：你不知道成群平民，每群一千多人被日军从安全区抓走，押往长江边用机关枪扫射的事吗？

答：我在任何时候都从未看到，或听说过这种事，我绝对不相信那会是真的。

二、辩方的辩护

萨顿检察官：这些问题有马吉先生、许传音博士的证词作根据，分别见法庭庭审笔录第 3898 页和第 2563～2564 页。

问：松井将军首次得到其手下部队在南京犯罪情况的报告是什么时候？

答：在入城后不久就收到了第一份报告。

问：他是从什么人那里得到手下部队在南京犯罪的报告的？

答：我想是从宪兵队那里得到的。

问：报告中所说的松井部队所犯罪行是些什么类型、什么性质的犯罪？

答：我记不清。

问：除了从宪兵那里得到自己部队的犯罪报告外，他还从别的地方收到过这类报告吗？

答：我想他收到过。

问：那松井从哪里得到另外的报告呢？

答：从手下的司令官、师团长那里，还有外交机构那里。

问：进入南京的那天，他从手下的司令官、师团长那里收到多少件这类犯罪报告？

答：我记不清。

问：你知不知道松井收到这些报告时，武藤是否与他在一起？

答：我没有这方面的记忆。

问：你说他从外交渠道得到过相关报告。你是指在南京的领事馆官员吗？

答：是的。我指的就是留在日本驻南京领事馆的日籍人员。

问：福田笃泰是向松井将军呈递报告的外交官之一吗？

答：我不知道福田是不是逾期留在领事馆的人员之一。

问：那驻南京副领事福井是向松井将军呈递报告的外交官之一吗？

答：我没有这个记忆。

问：你认识总领事日高信六郎吗？

答：是的，我认识。

问：12月17日那天及随后几天，他不在南京吗？

答：我想他在南京。

问：外国侨民向（日本）总领事递交的那些有关日军不法行为的报告，没有送给东京军方或南京部队吗？

答：我想这些问题向上海派遣军特务机关报告过了。

问：南京安全区国际委员会每天向日本领事馆递交有关日军南京暴行报告，有时一天同时递交几份报告，这不是事实吗？

答：是这么回事，我很久以后才听说过此事。

问：金陵大学贝茨博士和拉贝先生、马吉先生及其他一些人士没有另外向领事当局递交日军南京暴行报告吗？

答：我后来从别人那里听说过此事。

问：1937年12月17日，南京安全区国际委员会秘书，向日本大使馆的福田先生递交过一份内附日军暴行一览表的报告，这不是事实吗？

答：我不知道这件事。

问：1937年12月18日，松井将军在南京的时候，南京安全区国际委员会主席拉贝先生，给日本大使馆递交一份报告，表示希望引起二秘福井先生的注意，难道这也不是事实吗？

韦伯庭长：萨顿检察官，这不可能，这样想当然问他，他怎么会知道所有细节呢。除非他曾是领事馆的一名工作人员。你的问题只不过使我们想起这些证据。你没有抱着获得答案的目的向他摆出你的证据；你的目的只是为了提醒我们这些控告证据的存在。尽管了解这些证据也很有益处，但这些本应该在结案作陈述总结时才用。

问：南京大使馆将他们从外国侨民那里获得的情报向军方报告过吗？

答：正如我前面讲过的，我认为这些报告肯定向上海派遣军和特务机关送过，但很可惜，没送给华中方面军。

问：由谁负责把这些报告转交给华中方面军？

答：我认为由上海派遣军参谋部负责。

问：外交机构的人员没有趁松井将军在南京时，把报告直接呈送给他吗？

答：没有。

问：我提请你注意，在松井将军审问笔录证词第 257 号中，他交代说：他刚到南京就听说过手下部队犯下众多暴行的报告，还说是从日本驻南京外交官们那里听来的。这不是对事实的准确陈述吗？

答：我不熟悉详情，因为我并不总在松井将军身边，但就我所知道华中方面军没有从外交渠道收到过这类报告。

问：你见过市内起火吗？

答：见过。

问：你在南京期间在哪几个不同的地方看到起火？

答：就一个地方，在南京城南机场的西面。

问：城内还是城外？

答：城内。

问：在南京期间你只看到一个地方起火？

答：没错。

问：你在证词第 20 段中说，华中方面军收到了有关侵害外国人权益的情报。你收到了多少起南京外国利益遭侵害的投诉？

答：两起。

问：这两起或其中一起投诉涉及 1938 年 1 月 1 日俄国大使馆被烧毁一事吗？

答：与它没有关系。

问：那它们与南京城中的基督教男青年会大楼或教会大楼、教会学校失火有关系吗？

答：我甚至从未听说过教会学校被烧毁之事。

问：你没听说过俄国大使馆失火的事吗？

答：我听说过。

问：1937年12月21日，22名外国侨民曾联名向领事馆提出申诉，要求制止遍布全城的大火吗？这份申诉书给你过目了吗？

答：没有。

萨顿检察官：这个问题有第323号证据之第20段作根据。

韦伯庭长：我们休庭到明天上午9:30。

（从下午16:00休庭至1947年5月13日9:30）

1947年5月13日，星期二
日本东京都旧陆军省大楼内远东国际军事法庭

（按照休会规定，9:30审判开始）

出庭人员：

审判人员：照旧。

检方：照旧。

辩方：照旧。

（英日互译由语言组负责。）

法庭执行官：远东国际军事法庭现在开庭。

韦伯庭长：占领军的官方报纸、日本新闻界的风向标《星条旗》报再次发表有关庭审的报道，其中严重的误传是如此之多，如要加以纠正必须重写。法庭并没有指责被告方不合作。"不合作"这个词谁都没有用过。有人认为是庭长说的，但我从来没有用过这个词，法庭也没有新闻报道中所说的那种判决。法庭没有向被告律师提供任何保证，也没有要求他们提供什么保证。法庭记者统统都是美国人，他们对庭审的报道非常忠实，这一点应该指出。我知道，已经报道出来的新闻是不会加

以更正了。但我呼吁盟军统帅对军事法庭加以保护,使其免遭歪曲的报道。假如我的国家知道,官方占领当局的报纸被允许散布谣言借以贬低法庭在日本民众心目中形象的话,我确信那她就不会同意参加本次在东京进行的审判了。

萨顿检察官:作为被告方证人中山被传唤,回到证人席并通过日语译员继续作证如下:

交 叉 询 问

(萨顿检察官继续提问)

问:你昨天作证说,被告武藤章要你注意保护外国人利益。那你把收到的南京外国人利益受侵害的抱怨向他汇报过吗?

答:我汇报过。

问:武藤章向你提到他收到过有关在宁外国人利益被侵害的控诉吗?

答:武藤大佐从未告诉我他自己曾直接收到过任何报告。不过,我现在说的只涉及我们进入南京后不久的事。换句话说,我说的是发生在1937年我们进入南京时的事。

问:你在南京及其周边视察时,你与武藤在一起吗?

答:他一次也没有陪同过我。

问:你知道他是否视察过南京及周边地区?

答:我不知道。

问:1937年12月武藤在南京有多长时间?

答:我相信是从12月15日到20日。

问:他没在那里停留10天?

答:我刚才说过,他于12月15日到20日之间在南京,总共6天。我所指的南京既包括城外,也包括城内。

问:在武藤审问笔录第255号证词中,他说他在南京停留10天,12月24或25日离开。这能唤醒你的记忆吗?

答：就在即将攻占南京之前，武藤大佐与松井将军一道在15日那天抵达句容机场。我相信他是于21日或22日与我们一道乘火车离开南京的。

问：在第255号证词中，武藤还交代，参谋长冢田给他讲过日军士兵在南京干过偷盗、杀人、人身攻击和强奸之事。你听说过这些事吗？

答：首先，关于杀人的事，我从未听说过。至于偷盗，我不知道用这个词是否合适。不过，我确信这种事会有一些。

语言监督官：我不知道你是否称之为偷盗，但我确信发生过抢劫。

答：（继续）第三，关于攻击妇女，我认为在一段时间里，在有限的范围内可能会有几宗案例。

问：在你的宣誓证词第18节中，你提到由南京安全区委员会管理的所谓"贫民区"。它与南京安全区国际委员会是同一个机构吗？

答：我认为它们是一样的。

问：你说没有特别通行证就不允许士兵进入这些地区。难道没有士兵不分白天黑夜屡次闯入安全区并从中带走妇女和女孩供自己淫乐吗？

答：我认为这不是真的。

萨顿检察官：这个问题是以金陵女子文理学院舍监陈夫人的证言为依据提出的。见庭审记录第4465、4466页。

证人：这个中立区或难民区由我们的军队保护，其出入口设有岗哨，未经上级军官允许，士兵不能进入难民区。因此，如果真有士兵进入中立区，我确信是为了这个目的——他们在执行警卫任务。

问：你在自己的宣誓证词第18节中还提到"后来我们听说国际委员会对日军在这些安全区内犯下的暴行提出了抗议"。你什么时候听说的？

答：战争结束之后。

问：总领事日高在第2537号证词中证实，从南京外国侨民那里得到的有关日本士兵胡作非为的报告由总领事馆呈送给东京外务省,并送达驻在南京的部队。他还证实外务省提请陆军省注意这些报告。东京当局就这些报告询问过华中方面军吗?

答:根据我的记忆,没有这种事。不过,南京陷落一个月之后,本间少将被派往华中方面军,我确信他向参谋长抱怨过为什么部队纪律不只是有一点废弛。但是,这种不满仅仅只是一个部队纪律方面的问题,与大屠杀或抢劫一点关系都没有。

问:宣誓证词第19节中,你提到南京的战俘。被俘中国士兵享受战俘待遇吗?

答:是的,他们享受到了战俘待遇。

问:是否设立过战俘营?

答:有,他们是后来建的。

问:武藤在审讯笔录中交代,由于对华冲突官方称之为事变,所以终于在1938年决定中国被俘人员不作战俘看待。你同意这种说法吗?

答:中日冲突是件非常不幸的事,很复杂。因此,尽管我们未能在前线按国际法正式给予俘虏以战俘待遇,但我确信这些俘虏实际上享受到了国际法条款所规定的战俘待遇。因此,武藤大佐所言只是关注此问题的国际法地位方面。而实际情况却是:在华中,俘虏被当作战俘优待。不仅如此,那些真正理解中日冲突由来的俘虏,后来还被中国军队的正规部队所征召。当然这是汪精卫政权手下的军队。

问:1937年和1938年为什么要在华中地区建立战俘营?

答:详情我不清楚。但我确实清楚,上海郊外有2到3座战俘营。

问:搜查放下武器的中国士兵,找到后将他们枪杀,这难道不是华中方面军的政策吗?

答:华中方面军从未采取这种政策。考虑到日中两国人民的基本现状,华中方面军司令官松井将军真诚地认识到,日中两国人民必须和平共处。这才是真相。每当我想到日本部队向南京推进过程中,松井将军所付出的种种心血,我都禁不住感到印象深刻。

问:难道南京安全区国际委员会没有安排,掩埋投降后被日军枪杀于扬子江边的3万多具中国士兵的尸体吗?

答:我从未听说过这种事。不过,也可能是下面这种情形被人误解、曲解。而且还像你曾讲过的那样,这种事被传播到外部世界去了:中国溃军的几名士兵携带武器躲入安全区,他们被强行带走,其中部分人受到了军法审判并被处决。这件事可能被极大地夸张,并以极度夸大的形式在外界传播。

问:有多少人在被枪决前受到军事法庭的审判?

答:我记不清人数。

问:在宣誓证词第19节中,你陈述过:约有5 000名俘虏被释放到扬子江对岸。到达江对岸的不光是这些俘虏,还有被日军枪杀在江南岸而后漂浮到对岸的中国士兵的尸体吧?

答:不是这样的。当时南京及其周边地带有几万日军部队,由于粮食不足,日军无法满足中国战俘的供应,因此帝国大本营当时的政策就是不扩大中日冲突;来自大本营的命令要求华中方面军一旦夺取南京,就把兵力集中在那些已经控制的地区;因而,我确信所有战俘被释放到扬子江北岸符合这个政策。

问:你是什么时候辞去华中方面军参谋职务的?

答:由于华中方面军于1938年3月正式解散,我自然就离开了参谋的位置。不过,我在新组建的华中方面军继续当参谋官,一直干到1939年3月。

问:你在宣誓证词最后一节中说,所谓南京事件是在你辞职后很长一段时间才在世界上谣传开来。事实上在你辞职前这些报告已经传播到外界,难道这不是真的吗?

答:我相信在我任职于华中方面军期间,外界已经公布了这些报告。不过,我本人直到战争结束之后才听说这件事。

问：1938年1月，美国政府依据从美国驻华大使馆收到的详细报告，通过驻日大使格鲁就日军在南京的暴行向日本外相广田提出强烈抗议，你不知道吗？

答：现在回想起来，我对你说的这件事有点模糊记忆。但考虑到当时的国际形势，我认为这是一种宣传手法，也没在我的大脑中留下什么印象。

问：你宣誓证词中最后一节中所指的某种谣言是否就是指格鲁大使的那些抗议书？

答：对我来说，把这些抗议书当成谣言不予理会，这样做是不礼貌的。但在我看来，南京事件可以分成四个部分——必须根据以下四点加以考虑：

（1）屠杀平民。我确信这一点没有根据。

（2）屠杀战俘。这一点我同样认为也是没有的事。除非我所作的陈述被外界误会。

（3）侵害外国人权益，尤其是外国财产。我认为这种侵害案件确有几起。不过，很难说这到底是日军还是中国军队干的。这种说法不清的侵害案有好几起。

（4）强奸、侮辱妇女和女孩之事。我认为这种事有几例，但程度有限。出了这种事，我表示遗憾。

让我在法庭面前来表述这种观点是非常不合适，但是，我希望今后不要再发生此类事件。

问：你所认为的在世界上流传的谣言，包括德国驻华大使呈送给德国外交部的那份详细记录1937年12月8日至1938年1月13日南京所发生事件的报告吗？

韦伯庭长：伊藤辩护人。

伊藤辩护律师：这个问题在直接询问中没有提到。

答：对此我一无所知。

韦伯庭长：萨顿检察官，你想听证人对此问题的陈述吗？他确实在为松井将军辩护。他站在松井一边，他的主要意思是想告诉我们，松井尽了最大努力来制止日军犯罪，保护中国人民。事实上，经我的一名同事提议，我正要就此问一个全面性的问题，辩方律师反对无效。

萨顿检察官：我的问题是以庭审记录中的第329号证据为依据的。

问：南京那段灾难性的日子清楚地表明"纪律缺乏、暴行和犯罪行为，不是个别人的问题，而是整个日本军队，也就是说，所有日本人的问题"，德国外交部的报告中没有说过这段话吗？

答：事实上，司令部已尽一切努力去制止此类事件的发生。我相信，只有历史才会对日本军队的纪律究竟松弛到什么样的程度给予一个公正的评判。

语言监督官：整个日本军队。

萨顿检察官：我的质证到此结束。

韦伯庭长：证人，你已经把松井将军为制止南京日军犯罪行为并惩罚肇事者，所采取的一切措施都告诉了我们吗？

证人：我相信我陈述了大部分事实。还有一个事实，请允许我陈述。1937年底，闯入外国建筑，尤其是总领馆、使团和大使馆，并实施抢劫的既有日军士兵也有中国士兵。

韦伯庭长：你今天上午说过，一些躲进安全区的中国士兵经军事法庭审判后被处决，是以什么罪名审判的？

证人：此案的细节我不清楚。不过，如果这些士兵没有投降且还留着武器就躲进安全区的话，即便是指控他们将来意欲图谋不轨，他们也不再享受辩护的权利。另外，我还回忆起当时上海派遣军发布了一则公告，敦促逃到安全区的中国士兵投降。我刚才讲过士兵抢劫外国建筑，关于这个情况，松井将军得知后立即把我从上海他的司令部派往南京进行调查。再有，在得知外国外交使团的汽车被盗后，上海司令部立即购买了一打新轿车，送给南京外交使团作为损失补偿。

韦伯庭长：军事法庭庭审记录在什么地方，你知道吗？

证人：尽管我不知道详情，但我相信它们在上海派遣军上海司令部手中。

韦伯庭长：松井被畑俊六取代是因南京所发生的暴行，而对他进行的一种惩罚吗？

证人：不是，不是这么回事。自从松井将军被从预备役名单中遴选出来担任日军司令官后，他已经树立了自己的声望，因此一般认为由一名现役将军来取代他是适宜的。我就是这么想的；还因为松井将军多年与他人相处融洽。

再次直接询问

（伊藤辩护律师提问）

问：证人，你昨天说你知道俄国大使馆被烧毁一事。那你对火灾起因作过调查吗？

答：我调查过。

问：调查结论如何？

答：调查结论是，火灾起因依然不明。我们不清楚这是否源于一次纯粹的失误，还是由于使馆的看守人故意纵火所致。我知道当时俄国使馆内有一名看守。我确实不——在我的记忆中一点也没有俄国政府因此次火灾，而曾向日本进行过交涉的印象。

伊藤辩护律师：我的问题问完了。

证人可按惯例退庭吗？

韦伯庭长：证人按惯例退庭。

（证人退庭）

6. 小幡实（1947 年 9 月 18 日）

（1947 年 9 月 18 日，星期四）

直 接 询 问

韦伯庭长： 首先传证人小幡实到庭，他的证词包括在第1361号辩护文件中。

（小幡实作为辩方证人，首先正式宣誓，经日语译员作证如下）

直 接 询 问

（由哈里斯辩护律师进行）

问：请说出你的姓名和住址。

答：我的姓名是小幡实，我的住址是大分县宇佐郡柳浦町二六零番地。

哈里斯辩护律师： 可以向证人出示第1361号辩护文件吗？

（递给证人一份文件）

问：请检查该文件，并说明它是不是你签名的宣誓证词。

答：毫无疑问是我的。

问：它是真的，且正确无误吗？

答：除了我的职业之外，其他都是。我的职业现在是农民。

哈里斯辩护律师： 我将更正后辩方文件第1361号作为证据提交。

韦伯庭长： 按照惯例采纳。

法庭书记官： 第1361号辩方文件作为证据采纳，证据为第3192号。

（上述文件被采纳为第3192号证据）

哈里斯辩护律师： 我现在宣读第3192号证据：

战争结束时我是陆军的一名大佐。现正负责承担遣返工作的舰船。我同桥本欣五郎大佐非常熟悉。

1937年8月，当桥本大佐被军队征召，并成为第十三野战重炮联队的联队长时，我被任命为他指挥之下的一名大队长。从那时起直到他于1939年4月从中国返回日本，我总是和他在一起。

当他于1937年12月11日抵达芜湖以西约8英里（3里）的地

方时,桥本大佐从柳川司令官那里接到如下命令,因而立即返回芜湖:

桥本部队指挥官应指挥其联队会同一个战区炮兵大队及一个步兵大队,对芜湖附近运送中国士兵的船只及沿扬子江上行的舰只进行攻击。该命令约于凌晨 2:00 到达。接下来桥本大佐下达给我的命令是:"畑少佐应指挥其部队会同一支炮兵大队,占领芜湖码头的一处位置,并对逃逸的中国舰队进行攻击。"该命令约于 5:00 送达。

遵照桥本大佐的命令,中村中尉将首先进入到下游约 2 000 米的一个地点,他通过望远镜只要一看见逃逸的敌舰就挥动一块手帕。当我看见中村舞动的手帕,我就向这些船开炮。

由于天还没有亮,光线很暗,中村中尉挥舞着手帕,我通过望远镜看见一支由五六艘舰船组成的船队聚集那里,并停泊在相距约 50 米远的地方。我马上开始对这支船队开火。我们之间的距离大约 4 000 米。

那天扬子江上有非常典型的浓雾,因此甚至在破晓之后也很难看清船只,我只能辨认出载着中国士兵的舰船。

我们发射了二三十发炮弹后,一艘舰船冒出了一道黑色浓烟。浓烟完全笼罩之后有一艘船朝我们驶来。看见船朝我们驶过来,我们认为他们打算投降了,于是完全停止了对它的炮击。当船靠近时,船身才变得清楚。当它来到不足 3 000 米的地方时,我们才发现它竟然不是一艘中国军舰。起先是大雾而非距离使我们难以辨认出这船只不是中国军舰。

停火之后以及在等待船只抵达码头的时间里,我们才通过船上的旗帜发现它原来是艘英国船,它两次被直接击中。

一名佩戴参谋军官徽章的海军少将、该舰舰长、副舰长和另外一名军官上岸来,要求谈判。

我们这边有桥本大佐、中村中尉、我及一名翻译一同参加此次谈判。他们问的第一个问题是我们为什么向他们开火。对此问题，桥本大佐马上回答说："我们向舰船开火是因为它们运载中国士兵。"他们下一个问题是我们为什么向英国舰船开火。桥本大佐又马上回答说：由于大雾，我们不能看到并认出它们是英国舰船。

因为炮击已导致一人死亡，英国舰长要求我们参加葬礼祈祷。我们派一名代表参加此次葬礼仪式。葬礼是在公共礼堂举办的。

这艘英国船是"瓢虫"号。后来我得知"瓢虫"号事件一事通过外交谈判的方式得到解决，但有关它的具体情况我一无所知。

桥本大佐和桥本部队无论如何与美舰"帕奈"号的下沉也没有任何联系。我们桥本部队从未见到过"帕奈"号。

桥本部队驻于芜湖，离南京14至15里（约37英里）远。南京陷落后不久，该部队受命推进至汉口，因而从未参加过对南京的进攻，也没有进入过南京或其附近的地方。

桥本部队没有进攻汉口，也未进入汉口或其附近的地方。桥本部队没有进攻广州，也未进入广州或其附近的地方。

你可以进行反诘了。

韦伯庭长：塔夫纳检察官。

交 叉 询 问

（由塔夫纳检察官进行询问）

问：小幡先生，我可以认为炮击"瓢虫"号是发生在南京以北约37英里的地方吗？

答：是的。

问：发生在早晨几点钟？

答：我相信是9:00左右。

问：你曾经陈述说中村中尉位于长江下游离你炮台2 000码的地

方。你给他下达了什么命令，或者说他接到了你宣誓证词所未提到的什么其他的命令？我本该说的是"米"，而不是"码"。

答：没有给他别的命令。

问：现在，假定他的位置在长江下游2 000米的地方，那他离"瓢虫"号有多远？

答：大概有2 400或2 500米远。

问：那么小幡先生，如果你看到中村中尉在离你2 000米远的地方挥舞一块手帕，据你所知会有什么东西妨碍他辨认出战舰上的旗子或是船身？

答：是雾，那里有雾。

问：中村中尉在挥舞手帕时向你做了报告，还是打了信号向你表明这是艘外国的舰船——第三国的舰船？

答：不，他没有。

问：一经发现外国舰船就可以开火，这一事实难道不是他未能给你任何这类警告的原因吗？

答：不是这样的。

问：你说除了你在宣誓证词中提到的那些命令外没有给他下达其他任何指令。现在我问你关于向第三国舰船开火的事，你收到了什么指令？

答：我没有收到有关向第三国舰船开火的命令。

问：对此回答我无法理解。

（法庭书记官宣读了最后一句答话）

问：（继续）你在自己的宣誓证词中提及桥本大佐收到一条命令。你见到那条命令了吗？

答：是的。

问：你是以什么方式，或者说是怎样收到那条命令的，通过传令兵还是怎样？

答：是通过口头方式。

问：口头？

答：是的，口头。

问：从谁那里？

答：从桥本大佐那里。

问：但我以为你是说你见到了那条命令。如果你见到了，那它肯定已经写在书面上了。

答：我收回我所说的关于见到它的话。

问：你现在声称没有见到那条命令吗？

答：是的。

问：那么，如果桥本大佐接到一条关于可向任何国籍船只开火的命令，有关于此他没对你说什么吗？

答：是这样。

问：你知道做了调查——

译员：更正：划掉"是这样"、"如你所说"。

问：（继续）你知道一个名叫中山的人对此事做了调查，他向你谈起过吗？

答：我不知道中山这个名字。

问：那么，有调查此事的人来咨询过你吗？

答：没有人咨询过我。

韦伯庭长：我们将休庭到1：30。

（12：00 休息）

（下午开庭）

法庭执行官：远东国际军事法庭现在开庭。

韦伯庭长：被告星野因与其辩护律师讨论问题，获法庭许可将在今天下午整个开庭期间缺席。

（小幡作为辩方证人，继续站在证人席上，通过日语译员作证如下）

交叉询问

（由塔夫纳检察官询问）

问：小幡先生，休息之前我问了你一个问题，是有关于你在宣誓证词第1页所叙述的，桥本大佐从柳川将军那里接到的命令。我想确认你是否见到了那条命令，或者说那是不是一条口头命令。

答：命令是口头传达的。后来我看到了一位秘书所写的命令。

问：你意思是说此命令是以口头方式下达给桥本大佐的？

答：我不知道他是如何收到这条命令的——即他收到此命令的具体情况如何。

问：你在稍后一天看到命令的抄件时，关于对任何国籍的舰船开火，命令说什么了吗？

答：我没有见到来自军指挥官柳川的命令——来自柳川将军。

问：因此你对相关的事实情况一无所知？

答；是这样，我不得而知。

塔夫纳检察官：现在，如果法庭许可的话，我想提交两份证据：第2188号证据，庭审笔录第15678页；第954C号证据，在庭审笔录第9452页。

如果阁下允许的话，再没有别的问题了。

哈里斯辩护律师：我想问证人一些问题。

再次直接询问

（由哈里斯辩护律师询问）

问："瓢虫"号是什么型号和吨位的舰船？

韦伯庭长：在你开始进行之前，哈里斯辩护人，我觉得这是个该向证人提出的问题：即从2 000米远的距离，他看见中村中尉挥动一条手帕了吗？那时仍是黎明前夕，天还没亮吗？

证人：我是通过一架望远镜看到的——通过双筒望远镜。

韦伯庭长：但你在夜里，就是在黎明之前、天还未亮的时候，能通过那种方式看见吗？日本人难道有这种性能的仪器？

证人：我是在天亮之后看见他的。

韦伯庭长：那显得与你的宣誓证词相抵触。你本应有机会对此进行解释的。

哈里斯辩护律师：你能向法庭解释一下——

韦伯庭长：你在第7段说——我来宣读一下因为它是用英文写的："天尚未破晓放亮，中村中尉挥动了手帕。我通过望远镜看见一些东西。"

证人：如果距离约有2 000米远的话，笼罩地面的雾气还是相对比较小。

韦伯庭长：但黎明之前天还没亮。你想让我们看一下日语原文吗？

证人：不，阁下。

韦伯庭长：你应该说那个问题；你不对那个问题提问吗？

哈里斯辩护律师：阁下，可以把那一问题归诸语言小组吗？我相信日本人说的是天还没完全亮。我可能错了，但我被告知那位日本人是这么说的。

韦伯庭长：我们将向摩尔少校提出此事。现在，我代表一位法庭官提出另一问题：柳川将军仍然活着么？

证人：我不知道。

韦伯庭长：另一位法庭法官询问：既然舰船上的旗子要比手帕大，那为何你看得见手帕而看不见旗子呢？

证人：手帕是在离我2 000米远的地方挥动的，而舰船则至少有4 000米远。此外，地面上的雾气相比水面上的雾气要轻些。

韦伯庭长：好，哈里斯辩护人，继续进行你的询问。

（由哈里斯辩护律师继续询问）

问：请证人回答我刚才问到的有关舰船型号及吨位的问题好吗？

答：尽管我记不清了，但据我回忆那是一艘炮艇。

哈里斯辩护律师：没有别的问题了。证人可以退庭吗？

韦伯庭长：证人按惯例退庭。

（证人退庭）

7. 石射猪太郎（1947 年 10 月 3 日）

（1947 年 10 月 3 日，星期五）

传证人石射猪太郎到庭。

（石射猪太郎作为辩方证人到庭，首先进行宣誓，并通过日语译员作证如下）

直 接 询 问

（山冈辩护律师提问）

问：请问你的姓名和住址。

答：我叫石射猪太郎，现住东京都北区西原町一零七二番地。

山冈辩护律师：第 2149 号辩方文件交到证人手上了吗？

（文件送到证人手中）

问：那是你的宣誓证词吗？

答：没错。

问：全都真实、准确吗？

答：是的，真实无误。

山冈辩护律师：我现在提交辩方第 2149 号文件作为证据。

韦伯庭长：按惯例采纳。

法庭书记官：辩方文件第 2149 号将作为第 3287 号证据被采纳。

（上述文件被标以辩方证据第 3287 号，并作为证据被采纳）

山冈辩护律师：我现在开始宣读第 3287 号证据，省略程式化套语部分：

（宣读）

  1. 我于 1915 年 11 月 11 日进入外交机构。先后在中国、欧洲和美洲各地以及东京外务省任职，1937年5月11日出任东亚局局长，一直到1938年11月8日。之后，我相继担任过驻泰国公使，驻巴西、缅甸大使，1946年8月7日卸任。

2. 大约在我被任命为东亚局局长2个月之后，1937年7月7日卢沟桥事变爆发。大约在12月13日，我国军队胜利进入南京。有鉴于此，我国驻南京代理总领事福井淳从上海返回他在南京的岗位。他从南京向外务省递交的第一份报告就是有关当地我国军队暴行的。这份电报报告随即被转交给陆军省军务局局长。当时，外相对此事感到警觉和担心，敦促我迅速采取一定的措施查禁此类不光彩的行径。我答复福井淳，该电报报告的副本已经转交给陆军省，我还准备在即将举行的陆军省、海军省和外务省联席会议上告诫军事当局注意这类行为。

这次联席会议很快就在我的办公室举行了（这类会议在东亚局局长的办公室不定期举行。起初参加会议的有陆军省、海军省的局长们以及外务省主管东亚的局长。然而，后来的惯例是陆军省、海军省军务局第一课的课长，外务省东亚局第一课的课长代替各自的上级与会）。在会上，我提出了南京暴行问题，提醒陆军省军务局第一课课长注意"圣战"的崇高理想以及"帝国军队"光荣的名声，要求他立即采取严厉的措施加以制止。军方代表理解我的感受，答应了我的要求。会后不久，外务省就收到了驻南京代理总领事的书面报告。该报告系一份有关我军暴行的详细记录，由在南京的第三国侨民代表组成的一个国际安全委员会起草，用英文打印。我驻南京总领事得到了该记录的副本，并把它寄往外务省。我仔细阅读了这份报告，并就此扼要地向外相作了汇报。征得外相同意，在随后的一次联席会议上，我向陆军省军务局第一课课长出示了这份报告，并重申了我的要求。作为答复，军方代表告诉我，他们已经向南京占领部队发出了严厉的警告。从此以后，暴行案例越来越少。

如果我记得不错的话,次年即1938年1月底左右,大本营还向南京占领军派出一名特别代表。后来我们听说这位代表就是本间少将。此后,南京暴行就绝迹了。

3．目前在外务省的文件中没有找到本宣誓证词中所述电报和报告,其原件连同副本均在战争期间由于大火而丢失。

4．我得知,广田外相曾经请求杉山陆相针对南京暴行事件迅速采取严厉措施。这个情况是广田外相当时告诉我的。与此同时,我也向陆军省相应的部门发出过同样的请求。

如果法庭同意,我想还有请其他辩护律师进行进一步的直接询问。

韦伯庭长：你是被告松井的辩护人,是吗？

伊藤辩护律师：是的,先生。我想询问证人。

直接询问（继续）

（伊藤辩护律师提问）

问：证人先生,你在宣誓证词中提到,攻陷南京后不久,你收到驻南京代理总领事发出的一份关于日军所犯暴行的电报。那么,这份电报我想应该是用日文写成的,是这样吗？

答：电报是用日文写成的。

问："暴行"一词是如何用日文表达的？

答：当时对于这类行为没有通用的或专门的词汇。

问：我想问一下,就"暴行"一词而言,它指什么？

答：指日军进入南京城后干出的包括强奸、纵火以及掠夺在内的行为。

问：攻陷南京后,在外务省、陆军省、海军省联席会议上是否讨论过外国人权利遭侵犯的问题,比如"帕奈"号、"瓢虫"号事件以及其他问题？

答：联席会议上当然讨论过"帕奈"号、"瓢虫"号问题。

问：本间少将去南京难道不是为了就如何调整日军行为与外国人利益这两者之间的关系做一番调查吗？

语言监督官：为阻止今后再次发生侵犯外国人权利和利益的事，研究如何去做，采取什么方式和方法，这难道不是本间少将访问南京的主要目的吗？

答：怎么说呢，本间少将被派往南京的任务详情我不清楚。但就我所知，我也是从陆军省听来的，本间此行的目的是为了更加严厉地执行军纪。

问：你在宣誓证词中说，你们经常与陆军省军务局第一课的课长讨论问题。显然，这难道不是你证词中的一个错误吗？

答：你是说主管军务局第一课的那个人名字的问题吗？

伊藤辩护律师：庭长先生，为了唤醒证人的记忆，我想请他看看第3031号证据。

语言监督官：第3031号法庭证据。

（一份文件递到证人手上）

问：看一下这份文件，你就会明白，海军省军务局有第一课、第二课，但陆军省军务局则没有此类第一课、第二课。

答：我使用"第一课"这个词可能有误。但我记得主管该部门的那个人和他的名字。

韦伯庭长：他叫什么名字，在哪个部门任职？

证人：他是柴山兼四郎大佐。

韦伯庭长：你从驻南京代理总领事那里收到暴行报告，大约是在哪一天？

证人：准确日期我不记得，但我确信是在日军进入南京后不久。

韦伯庭长：那联席会议的日期呢？

证人：这个我也记不准，但我相信是在我们收到电报报告的一两天后。

韦伯庭长：行了。

山冈辩护律师：如果法庭允许，可以开始反诘了。

交 叉 询 问

（由柯明斯-卡尔检察官提问）

问：石射先生，你说联席会议后不久，你收到了由在南京的第三国侨民代表组成的国际委员会所起草的、一份详细记录我们军队暴行的报告书，是用英文打印的。事实上，难道你没有收到过有关此事的一系列报告么？

答：收到过。

问：在同一段最后一句中，你说从那时起，也就是那位军方代表告诉你他已经发出过警告后，暴行案例减少了。你是否知道，事实上，从这些报告中可以看出，直到1938年2月的第一个星期结束之前，暴行仍在继续，与以往一样糟糕？

答：是这样，我记得很清楚。我在宣誓证词中所指出的是，这类案例减少了——比起日军刚占领南京，刚进入城内时大规模实施的暴行要少多了。

问：有一份日期为1938年2月2日的报告说，在1月28日、29日、30日和31日这4天中，发生在南京的强奸、杀人、纵火和抢劫案不少于76起，你是否收到过这份报告？

答：我既记不清收到这份报告的日期，也记不清报告里所指的是哪一时间。不过，我确实记得曾经收到过一份文件，说这类案例有70多起。

韦伯庭长：军方代表告诉过你究竟是哪一天东京向南京占领军发出警告的吗？

证人：我能问一下你所谓军方代表是指什么吗？

韦伯庭长：你在宣誓证词中用"军方代表"这个词。我想你应该知道它的意思。至少你所说的翻译成英语就是这样。

证人：我想这个人的名字刚才提到过,是柴山兼四郎大佐。

韦伯庭长：语言组,你们能否把下面这句英语宣誓证词用日语向他重复一遍:

"作为答复,军方代表告诉我已经向南京占领部队发出严厉警告。"

译员：庭长先生,日语中没有对应的"军方代表"一词。

韦伯庭长：我请你用日语读刚才他的那句英语宣誓证词,就是读那份原始的证词。

证人：我在该处提到的军方人物是指柴山兼四郎大佐。

韦伯庭长：他是否告诉过你给南京占领军的警告是何时发出的?

证人：我没听说过。

韦伯庭长：是12月、1月还是再晚些时候?

证人：具体日期我没法把握,但我可以肯定地认为是在外务省讨论这一问题后不久。

韦伯庭长：就在福井报告后不久,是吗?

证人：我认为就在收到驻南京代理总领事福井的报告后不久。之后这个问题拿到外务省和联席会议上讨论。因此,我认为,时间就在我提出警告的第一次联席会议后几天或不久。

(由柯明斯-卡尔检察官继续提问)

问：你被问的不是那个问题。庭长问的是,军方代表即你提到过的那位大佐,他是什么时候告诉你已经向南京占领军发出警告的?

答：我没有听说过大本营是何时向南京军事当局发出警告的。

问：军方代表给你透露这个消息是在哪次联席会议上——从你的宣誓证词来看,似乎在第二次会议上?

答：我记不起来到底是在第二次还是第三次联席会议上,因为这类会议很频繁。

问：但你说是在你收到国际委员会的报告后立即就报告?

答：在我的宣誓证词日语内容中,我没有使用"立即"这个词。我想，我说的是"不久"、"随后"或"时间不长"这些意思。

问：多长时间之后？

答：由于时日太久，我已无法准确记清。

问：两天还是三天后？

答：我认为不可能快到两三天之后。

问：这类联席会议多长时间举行一次？

答：这类会议定期或不定期举行，不过据我现在回忆，应该是一个星期一到二次。

韦伯庭长：你是否认为代理总领事的报告在呼吁进行即时的关注和行动？

答：是的。

韦伯庭长：这份报告是否立即得到关注，有关方面对此立即做出了回应？

证人：在收到这份来自南京的报告后，我立即将它转交给军方。后来——我所谓后来是指2天到3天后——我在我的办公室主持了一次有军务局课级负责人参加的联席会议，传达了这件事，引起了他们对这起严重事件的关注。

韦伯庭长：考虑到这份报告的性质，你认为是否已即时发出了警告？

证人：这只是我的猜测，但我认为军方很快就着手处理这件事了。

柯明斯-卡尔检察官：阁下，我读过宣誓证词，军方代表应该说过，在第一次、第二次联席会议期间发出过警告。

韦伯庭长：他们对待这份报告的严肃程度可以从他们采取什么样的行动，以及何时采取行动上看得出来。他的证词中对此没有透露任何消息。

问：那个军方人物，也就是你说到过的大佐告诉过你这个警告是发给谁的吗？

答：我没听说过收件人是谁。

问：后来当国际委员会的报告通过驻南京领事馆源源不断送达后，你采取了哪些进一步的措施？

答：检察官先生，你使用了"源源不断送达"，或"这类报告源源不断送达"这样的词语，但在我记忆中，这些报告是被捆在一起送来的，只送来一到两次。

柯明斯-卡尔检察官：这里我想请法庭参见第323号证据，它们都是从这些报告中精选出来的。最后一份报告编号为第58号，标明日期为1938年2月2日，我曾向证人提到过的，内有76起详细案例报告的就是这一份，其中有些案例不止涉及一人。

问：当你后来收到这些报告时，你是否明显感到上面提到的军方发出的警告没起作用？

答：是的。我有这种印象，最高军事当局发布的警告没有完全起到作用。

问：换句话说，你是否怀疑他们根本就没有发布过这一警告？

答：不，我没有产生过这种怀疑。

问：现在，当你看过所有这些报告后，你是否认同一位德国先生对这些报告整体印象的描述。这些报告中也包含这位先生提交的一些报告，见第329号证词第8页最后两段——我念给你听：

"南京遭受的那些致命的日子表明……，军纪丧失、暴行和犯罪不是个别士兵的行为，而是整个军队，也就是说，所有日本人的行为。"

山冈辩护律师：如果阁下允许，我反对仅仅以这个问题作为该证人的总结陈词。

韦伯庭长：正如我们所知道的那样，根据检方的证据，那只是那个德国人的看法，这也可以告诉证人，以表明他们（检方）知道多少和他们做了什么。

问：（继续）在让证人回答问题之前，我再读下一句：

"这部野兽机器以反共产主义的斗士自居,还对外声称是为了中国的变革和解放,真是莫大的讽刺!"

你看过所有那些报告后,内心是否也产生了这样的印象?

答:你所指的那个德国人写了些什么,我现在一点也记不起来了。我脑海中唯一还有的印象是,这些暴行非常严重。

问:你把你所收到的所有报告都向广田外相做了汇报吗?

答:你是指那些与76件案例有关的文件吗?

问:那份文件再加上其他各种文件,即领事向你递交的所有国际委员会的文件。

答:是的。所有关于这些报告都呈送给外相了。

柯明斯-卡尔检察官:我的问题问完了。

韦伯庭长:我代表审判庭部分法官提几个问题。午饭之前就可以回答完。

本间少将什么时候离开东京,什么时候到达南京?抵达的具体日子要说明确。

证人:我记不清具体的日期了。

韦伯庭长:谁是日本军队的最高负责人?谁派本间去南京的?

证人:这个我不清楚。

韦伯庭长:在本间之前,东京方面是否曾经派别人到现场调查过?

证人:根据我的记忆,我没有听说过有这事。

韦伯庭长:本庭休庭至下午13:30。

(从12:00开始休息)

(下午1:30,法庭复庭)

法庭执行官:远东国际军事法庭现在复庭。

韦伯庭长:经法庭同意,被告贺屋与律师讨论问题,将不出席整个下午的庭审。

柯明斯-卡尔先生。

（石射猪太郎作为辩方证人回到证人席，并通过日语译员作证如下）

交 叉 询 问

（由柯明斯-卡尔检察官继续提问）

问：石射先生，你在外务省工作过，是否在那个专门研究与日本有关的外国新闻部门工作过？

韦伯庭长：山冈辩护人。

山冈辩护律师：这个问题不在直接问讯的范围之内，如法庭同意，我对此表示反对。

韦伯庭长：如果我的理解不错的话，我相信这个问题还是限定在南京暴行这个主题范围之内的；我不知道是否这样。

柯明斯-卡尔检察官：是的，当然是这样的。

韦伯庭长：反对无效，山冈辩护人。

答：当时外务省设有情报局负责研究外国新闻以及相关问题，但我与该局没有关系。

问：该局向你和广田汇报过，世界各媒体新闻充满了对南京暴行的谴责吗？

答：我没有收到过有关外国新闻界充满谴责的报告，但我从情报局局长那里不时收到有关外国报纸和杂志上所载内容的情报。

问：他向你汇报过被外国媒体称为"南京浩劫"的许多报道吗？

答：是的。我收到过的报告每次都有此类报道。

问：这些报告在哪些人中传阅？

答：我想会在外相、副外相以及所有各局局长……

问：在内阁成员中传阅过吗？

答：这个我记不清了。

问：在内阁成员中传阅外国新闻报道摘要，这难道不是一种惯例吗?

答:我记不起来当时按惯例情报局干了些什么。

问:为了给日本政府提供情报,难道没有对这些报道进行搜集吗?

答:检察官先生,能为我重复一遍这个问题吗?我没理解这个问题。

问:难道没有为日本政府成员准备外国新闻简报之类的东西吗?

答:我想应该是这样。但从外务省内部设立情报局这个机构起,我就不知道它的目标是什么。

问:你是否曾看到日本报纸提到过与南京暴行有关的事?

答:我记不清。

问:还是我给你提醒一下吧,报纸上没有提到过。你应该非常清楚,这件事是被禁止报道的。

答:我不知道这类新闻是否被查禁。

问:难道情报局没有向你报告日本报纸是否提到过这件事?

答:我认为不会有任何报告会提到日本报纸上有些什么内容。

问:那好,广田外相把这件事提交给内阁了吗?

答:我没有听说过这件事被提交到内阁。不过,广田外相把这个问题向陆相作了通报。我当时是从外相那里亲耳听到的。我想进一步澄清一下。广田外相要求陆相过问这一件事、纠正这件事。外相与陆相一道处理这个问题——外相当时就是这么告诉我的。

问:但是,你告诉过我,来自南京的报告不断被送来,暴行后来还在继续吗?

答:是的。

问:当你向广田汇报此事后,他采取什么进一步的措施了吗?

答:我想广田外相并没有与陆相一起频繁地或多次处理这个问题。只有一到两次。

问:我现在要问你,他是否与别的什么人一道处理过这件事?

答：我不清楚。

问：有一个机构名叫中国问题内阁咨询委员会。把这件事交给它去处理不是非常合适吗？

答：我不理解你所谓的中国问题内阁咨询委员会是个什么机构。

问：我们是从双方的证据中得知这个名为中国问题内阁咨询委员会的机构的，它成立于1937年10月。你不知道这个机构？

答：我想你指的是内阁参议吧。

问：是的。

答：但是，这个机构没有资格处理——在我的记忆中它不是处理这类事情的机构。

问：广田是否与你讨论过应该采取进一步的措施制止这些暴行？

答：我想我们多次讨论过。

问：他如何建议的？

答：他经常告诉我应该向陆军省的有关部门提出严重警告。

问：但我们知道，这没有效果。难道你没有向他建议他应该将此问题提交内阁吗？

答：我们从来没有谈论过要将这个问题提交内阁讨论。我的理由是，我并不认为内阁是讨论这个问题的合适机构。

问：为什么不是？

答：因为日本内阁不负责处理前线军事问题。

问：处在你这样的位置，你难道不应该懂一些国际法吗？

答：是的，当然应该懂。

问：难道你不知道应是政府而不是战地指挥官在对待俘虏问题上负有责任吗？

答：对你的提问我不能理解。

问：也就是说，根据你了解到的情况，是否有人因这些暴行而受过惩罚？

答：我没听说过。

问：广田是否曾采取过某些措施对责任人进行惩罚？

答：我想广田应该和陆相讨论过这件事。

问：他把这件事提到内阁上去了吗？

答：我没有听说过这件事被提交到内阁讨论。

柯明斯-卡尔检察官：我的问题问完了。

伊藤辩护律师：你前面说过，广田先生根据他从外国得到的有关南京事件——日军在南京暴行的报告——向陆军省提出抗议。

柯明斯-卡尔检察官：如果法庭同意，我对伊藤辩护人的问题表示反对。松井的辩护律师已经在作证中向证人发出质问过，我认为他无权再进行直接询问了。

韦伯庭长：他不能问两次。如果由于你在交叉询问中对松井造成某种损害的话，他就有权再次进行交叉询问。但他没有对此提出请求。

伊藤辩护律师：如果法庭允许，我将根据柯明斯-卡尔检察官提出的要点进行提问。

韦伯庭长：哪一点？

伊藤辩护律师：就是根据回答柯明斯-卡尔检察官问题这一点，即证人回答说外务大臣广田把从外国收到的有关南京事件的抗议立即转给军方——转给陆相。

韦伯庭长：你为什么要说明这一点？

伊藤辩护律师：我想从这名证人那里了解外务大臣广田实际采取的态度；了解他向陆相转交这份抗议是出自他自己独立的立场，还是仅仅因为这些抗议来自外国政府。

韦伯庭长：这对你没有任何帮助。

伊藤辩护律师：那好，我就不再询问了。

韦伯庭长：山冈辩护人。

山冈辩护律师：如果法庭同意，我想再提几个问题。

再次直接询问

（由山冈辩护律师提问）

问：石射先生，你是什么时候收到这些来自南京的报告的，你和外务省对这些报告信以为真吗？

答：我们认为报告的内容绝大部分属实。然而，是的，总的来说，我们把它们作为事实来接受。报告尽管有国外的资料来源，这其中也包括来自中国人，内容多有重复，我们相信从外国或中国这两种渠道得到的报告可能会有重复，但一般来说，我们把这些报告当做事实接受。

问：那么，外务省和你本人采取行动召集联席会议、向军方发出警告都是基于这种想法？

答：是的，是这样。

问：外务省和你本人在收到报告后立即采取了一些行动，除了你告诉我们的那些外，外相和外务省在当时情况下还采取了一些其他进一步的行动没有？

柯明斯-卡尔检察官：我对这个问题表示反对。在我看来，这是法庭的事。

韦伯庭长：反对有效。

山冈辩护律师：如果法庭允许，我的知识渊博的朋友通过询问这一问题是否已提交内阁会议，多多少少为上述问题打下了基础。

韦伯庭长：这种问题不可能从反诘中得到任何答案。

山冈辩护律师：那好，如果阁下同意，我想对此问题作进一步询问。

问：为什么你没能采取进一步的行动？

柯明斯-卡尔检察官：在我看来，我同样反对这个问题。

韦伯庭长：反对有效。

问：为什么你没有采取进一步的行动？

答：就其职权范围而言，外相——外务省不可能比已经采取的行动做得更多。

山冈辩护律师： 我问完了，阁下。

证人可以按惯例退庭吗？

韦伯庭长： 当然。

（证人退庭）

8. 大杉浩（1947年11月6日）

（1947年11月6日，星期四）

（大杉浩作为辩方证人到庭，首先宣誓，然后通过日语译员做证如下。）

直 接 询 问

（由马蒂斯辩护律师提问）

问： 请向法庭陈述你的姓名和住址。

答： 我是大杉浩；我的住址是名古屋市北区船付町二丁目五番地。

马蒂斯辩护律师： 请给证人看辩方证据第2238号。

问： 请你看一下递给你的文件，并告诉法庭这是否你的宣誓证词？

答： 是，这是我的宣誓证词。

问： 里面陈述的内容是真实的吗？

答： 它们都是真实的。

马蒂斯辩护律师： 如果法庭允许，我将把该文件作为证据提交。

韦伯庭长： 按惯例采纳。

法庭书记官： 辩方文件第2238号作为证据被采纳，证据号为3393。

（上述文件被标以辩方证据第3393号，并作为证据采纳。）

马蒂斯辩护律师： 我将宣读该证据，但省略标题。

韦伯庭长： 你可以从宣誓证词的第二段开始。

马蒂斯辩护律师： 是的，我也准备从这里开始。

（宣读）

2. 从1937年8月一直到1938年年底，作为第三师团、第三炮兵联队第一大队的侦察队队长，我参加了在上海和南京地区的战斗，当时我是炮兵少尉。

3. 1937年9月9日，我们在进攻上海南市时，大队长特意命令我巡视租界区，以保证这些区域绝对不会遭到我方炮火的攻击。我把巡视结果通报给在这一区域的所有中队。据我所知，在我们进攻南市的过程中，没有对租界造成任何破坏。

4. 在上海南市战役后，我所在的部队进行了集结，在太仓进行了重新调整，12月2日左右开始向南京进发。在前往南京的路上，几乎没有进行任何战斗，在南京与太仓之间，我也没有见到任何一个被完全摧毁的村庄。我们的确看到了一些局部损坏或被烧毁的房屋，当时我从来没有看到或听说日本士兵破坏过房屋。在我们的行军过程中，有足够的房屋供我们宿营，因此我们没有必要在室外露营。

5. 我已经忘了这个村庄的名字，但是在我们前往南京的路上，我看到了一堆被焚毁、丢弃的粮食。在询问村民时，我们听说是撤退的中国士兵为了不让这些粮食落到日本军队手里，而烧毁了这些粮食。在此之后，我更加仔细地观察了路边被损毁的房屋，发现其中大部分是粮食仓库和其他的供给品仓库。

6. 大约在1937年12月11日，我奉命侦察前进路线和一个适当的部队阵地。我感觉我们的部队在句容，并且正在向南京城的南侧进军。我想是在12月13日傍晚，我们从南门进入了南京城。路上散落着很多日本人和中国人的尸体，其中我看到了日本士兵的尸体被绑在树上，身上有很多枪眼，一看就知道他是被中国士兵俘虏并被杀害。我砍断绳子，把尸体放在地上。在城墙附近，有很多中国士兵的尸体，当时没有平民的尸体。我们从城门开始，在城里只走了1公里，但是我看到有宪兵被部署在银行和政府机关门口，并有禁止日本士兵进入的标志。同时，我注意到在城里只有很少的居民受伤。这是我第一次看到南京城,但是我能看得出来,整体而言,这座城市被原封不动地保护了下来。我没有看到有火烧的痕迹。

7. 在上海战役即将结束时,我们从上级指挥部不断接到有关下列内容的指示,我对我的部下强调了这些指示:

严格遵守军纪和道德纪律。

和善地对待中国人民。

遵守国际法。

不要引发国际纠纷。

小心行事,我们正处于各国列强的观察之中。

8. 12月13日,我在汤水镇回到了我的部队,并带领他们从汤山镇前往南京城南。当时,按照上级的命令,我严格禁止我的士兵外出,即使因公外出,士兵也奉命不得进入南京城的西南地区,因为这一地区已经被划为难民区。当时我从同事那里听说这一禁令是为了避免危险,有一些战败的中国武装士兵身穿平民服装,在这一区域取得了难民身份。在上海战役中,我曾经有过与身穿平民服装的中国士兵遭遇的危险经历,我要求我的士兵要特别小心,绝不靠近任何中国败兵可能藏身的地方。我的部队最后向西进发,没有进入南京城。在我们驻扎在南京城附近的这一阶段,我没有听说过任何关于针对中国人的非法行动或大屠杀之类的事情,而这些事情经常被说成是日本士兵所犯下的罪行。

9. 1938年初,我们驻扎在镇江附近。有一天,我和大队长一起参观了附近的一座著名庙宇。在这座庙宇的二楼大厅里,有大量的藏书,所有藏书都被宪兵封存,严禁拿走任何一本书,违反者——包括日本士兵——将受到应有的惩罚。

10. 大约是在那段时间,附近一个中队的一名士兵被宪兵逮捕了,我陪同中队长去领回那名士兵。但是,宪兵的分队指挥官告诉我们说这名士兵犯有强奸罪,根据松井司令官关于严格军纪、违者严惩的命令,宪兵拒绝把士兵交还给我们。

11. 我们行动中最大的麻烦是身穿平民服装的中国士兵,当他们受到围剿时,他们就藏起武器,装成平民,当我们放松警惕时,他们就会来挑战我们。由于在他们没有武器时,完全不可能把他们和真正的平民区分开来,我们最终偶尔采取了一些办法,例如由于形势的需要,把所有的村民都集中在一个地方,进行监视。一旦身穿平民服装的中国士兵投降,公共秩序就得以恢复了。我们会释放普通百姓,把投降的士兵移交给宪兵。

签字,并宣誓。

诺兰检察官:不进行交叉询问。

马蒂斯辩护律师:证人可以退庭了吗?

韦伯庭长:他可以退庭了。

(证人退庭)

韦伯庭长:我们 13:30 继续庭审。

(12:00,法庭休庭)

9. 中泽三夫(1947 年 11 月 6 日)

(1947 年 11 月 6 日,星期四)

马蒂斯辩护律师:我们现在提供辩护文件第 2667 号。我们可以请证人中泽三夫入庭吗?

(中泽三夫代表辩方作证,首先庄严宣誓,通过日语译员作证如下)

(由马蒂斯辩护律师直接询问)

问:请你向法庭提供自己的姓名和住址。

答:我的名字是中泽三夫;家住山梨县八代郡境川村。

马蒂斯辩护律师:请给证人出示辩方文件第 2667 号。

问：中泽先生，这是你的证词吗？

答：是的。

问：你已经签过字了，是吗？

答：是的。

问：证词里所说的都属实吗？

答：是的，它们都是真的。

马蒂斯辩护律师：假如阁下允许，我将把它作为证据提交。

韦伯庭长：诺兰先生。

诺兰检察官：恕我冒昧提出反对意见。在第4页第7段第8行，这一句话——"从情况判断——"

韦伯庭长：诺兰先生，我找不着你所说的。

诺兰检察官：在同一页的第13行，开始的句子是——

韦伯庭长：这是在第3行，不是第8行。

诺兰检察官：我指的是第7段的第3行，开始的句子是"从情况判断——"

韦伯庭长：你对整段的平衡性质疑吗？

诺兰检察官：我只是对这句话本身提出疑问。

韦伯庭长：同意质疑。

诺兰检察官：对于本段第13行的这个句子，开始是这样说的"结果很显然——"，这是在第7段的第8行。我的反对原因是——这些都是证人下的结论，由此替代了法庭的职能。

马蒂斯辩护律师：我认为反对有道理，这2行话要删去。

韦伯庭长：除了这两句话，本文件按照惯例采纳。

诺兰检察官：庭长先生，我能不能请求本文件第3页第4部分第2段的第1句话——第1和第2段，再送交翻译重新审阅？关于翻译的正确性我还有疑问。

韦伯庭长：可以。

法庭书记官：起诉文件第2667号将被标以证据号3398。

（上述文件被标以证据号3398，并被作为证据采纳）

马蒂斯辩护律师：我开始宣读证据第3398号，省略标题部分，从第1段开始。

（宣读）

1. 我曾做过中将，自1937年11月到1938年底在上海派遣军的领导下作为第十六师团的参谋长参加了围攻南京的战斗。

2. 1937年12月第十六师团在执行突袭计划的时候，在12月3日左右接到了进攻南京的任务。我们立刻开始了进攻的准备，但在12月8日，接到命令——在距南京3、4公里的地方停止进一步的行动。而且，据上级的命令，由于南京是中国的首都，有着丰富的历史文化遗产，我们入城后一定不能破坏南京城，而应该特派一支部队去安抚南京居民、维护安定。我把这一点在各个部门都加以强调。

3. 在进攻南京的过程中，最令我们头痛的就是在紫金山附近的一仗。在那里，第三十三联队和敌军在中山陵附近交战。这是我们师团的主要前线。要在不损坏紫金山和明孝陵的情况下占领南京，我联队要付出极大的代价。占据中山陵附近的中国军队对于我军的推进是个极大的障碍。通过向进攻紫金山的第三十三联队的侧翼和后方进行攻击，他们一直袭扰我军。然而，我军既不能用炮击，也不能用步兵联队的重型武器。这种情况严重阻挠了我军的进程，我们遭受极大损失。但在我们的让步和牺牲下，中山陵和明孝陵得以保全。而第三十三联队最终克服了重重困难占据了紫金山，战后，该联队收到了来自军指挥官的感谢信。

4. 第十六师团在1937年12月13日黎明占领南京中山门后，派两个大队进城，让他们扫荡了事先指定的地区、包括上元门、下关和中山路。

第二天,继续进行扫荡。12月15日第十六师团总部和一个小分队进了城。但在本师团控制下的地区,没有居民疏散。12月23日本军的部署发生了变化。第十六师团的一部分被派去担任城里城外的警卫工作,取代了原先进城时的另一支部队,并一直在南京待到第二年的1月20日。

5. 12月23日军队部署发生变化后,难民区属于第十六师团的警备范围。自我们进城之日起,这个地区就被标示出来并被严格地守护起来。除非有特殊的通行证,否则连军官都不得进出。在华中方面军和上海派遣军的司令官进城后,经常下令维护军纪和进行人道主义的教育。我也将这些命令转发给每个部门。

6. 南京被占领时,所有负责的行政人员都已逃离南京,没有一个行政人员留下,因此日军找不着可以就维持和平与秩序进行谈判的对象。确实,当时的处境就是这样,以至于我们的军队别无选择,只能接管维持治安的任务。这对于中国居民和日本军队来说都是极为不方便的。

7. 进入南京后,我们在从中山门到下关的公路上发现了大量丢弃的中国军队的制服、军刀、军火、步枪和军帽。而当我们在南京城内扫荡时,除了在难民营之外,看不到一个中国人。由于我们不能确信所有在难民营的中国人都是和平居民,因此我们认为有必要调查当地的居民。

8. 因此,12月25日成立了日中联合委员会来调查居民的情况。调查的方法是在日本人和中国人在场的情况下逐个审问和检查中国人,通过与日本士兵和中国委员会的咨询判断这个人是否是士兵。对一般的人,我们发放了良民证。而那些通过这种方法被断定是士兵的人则被送到上海派遣军的总部。因此,说他们都被屠杀了是不正确的。

9. 由于所有南京城外的房屋都被中国军队烧毁了——他们在撤离南京前将"焦土"政策付诸行动,日军官兵根本找不到任何可驻扎之地,只能在野外露营。尽管这种"焦土"行动非常普遍,但在战斗发生地区房屋被烧毁的特别多。

甚至在南京城里,被火焚烧的痕迹也处处可见。据说,这都是中国军队在撤离前干的。由于要在寒冷的天气保持宿营设施的需要,总部命令每个部门都要严防火灾发生,并专门派责任心强的人在每个部门负责火情。尽管有种种防备措施,我们仍经常抓到持有良民证的中国女孩纵火。

10. 我确实从宪兵那儿听到一些日军抢劫的报告。但是,由于大多数居民都是带着他们的财物逃离的,大多房屋事实上都是空的,所以我从未听说过任何有组织或大规模的抢劫行为。不用说,日军总部绝没有下令、纵容并允许此类非法事件发生。我也直接从中国老百姓那里听说,战场上发生的大多抢劫和破坏是由撤退的中国士兵或是由那些竭尽全力挤进难民营的人所干的。

11. 松井将军命令要保护好外国人利益和文化机构,这个命令被下达到每个部门。然而有些中国人善于以外国财产作为掩护。特别是,他们滥用外国国旗。很多时候,我们发现中国落伍的士兵躲在插有外国国旗的房屋内。我也从南京城的中国人那里听到很多报告。结果,日军不可能立刻意识到外国国旗等同于外国利益。有时,他们不免要到各地,去突袭那些他们认为是危险的地方。很遗憾的是,这些突袭经常演变为错综复杂的情况。

12. 绝没有日军有组织的强奸中国妇女的事件。我记得确实有一些零星的违纪问题,但我知道他们都为此得了应有的惩罚。

13. 根据审判中检方提供的事实,据说埋葬尸体的地方已被发现,而这些地方就是中国士兵在中山门和马群之间建立阵地守卫城池的地方,同样,在太平门及富贵山一带,他们有接收来自前线的死者和伤员的设施。确实,日中双方在此次战争中都死伤惨重,但在这些地方绝没有大规模的屠杀行动。

14. 第十六师团守卫南京和附近地区之时,主要把精力集中于维护和平和秩序上。随着南京城秩序的恢复,疏散的人员回到城里,逐渐回到家乡。松井将军维护和平、善待中国老百姓的命令被执行得相当到位,以至于早在年初,他们就成立了公共秩序维持委员会,并在1938年1月1日举行了开幕仪式。成千上万的中国人前来广场参观并欢呼。随后,居民人数越来越多,小商贩也有增无减。说当时日本士兵军队的非法和暴力行为威胁着居民的生命是绝对不真实的。

证人签名
1947 年 9 月 23 日

你可以对证人进行反诘。

韦伯庭长:诺兰先生。

(由诺兰检察官交叉询问)

问:中泽将军,你当时是第十六师团的参谋长,是吗?

答:是的。

问:这个师团隶属什么部队?

答:11 月末它受上海派遣军的指挥。

韦伯庭长:不是 11 月,是 10 月。

问:在攻占南京之后,它受谁的领导呢?

答:松井将军。

问:那么,它是松井将军指挥的两军的一部,是哪个军?

答:它属于松井将军指挥下的上海派遣军。

问:攻陷南京后,它受松井将军指挥下的上海派遣军的领导,是吗?

答:攻陷南京时,上海派遣军由朝香宫将军指挥,而上海派遣军又受松井将军的指挥。

问：你任参谋长的第十六师团也隶属上海派遣军指挥吗？或者说它是第十军的一部分？

答：它是上海派遣军的一部分。

问：那么，当攻陷南京时上海派遣军的总部在哪里？

答：它在南京东部的某个地方。

问：南京陷落后，它在哪里呢？

答：南京陷落时总部在汤水镇，之后，在南京城内。

问：总部是什么时候在南京建立的？

答：我记得是在12月15日。是师团指挥部。

问：南京陷落后上海派遣军的总部也在南京吗？

答：我记得它不在南京，攻陷南京后才迁到南京城里的。

问：那么它是什么时候迁移到南京的？

答：随着12月17日大部队正式进城，总部也跟着进驻南京。但我记不得总部建立的确切日期了，以及它是否接管了其他先前的部队，或究竟发生了什么。

译员："我记不得总部是否是在南京一攻陷后就在南京建立，也记不得总部成立的确切日期。"

问：第十军也参与对南京的进攻吗？

答：是的。

问：它是上海派遣军的一部分吗？

答：不是。

问：南京攻陷后第十军的总部在哪里？

答：我不知道。我当时和第十军没有联系。

问：你知道哪些师团在第十军里吗？

答：我不能确信，但我相信第六师团和第一百一十四师团组建了第十军。我已经讲过我和第十军没有接触，所以不能肯定。

问：第八师团也是第十军的一部分吗？

答：我对第十军的情况不甚了解。

问：那么，告诉我们你们占领南京后上海派遣军的序列。

答：第十六师团、第九师团以及第十三师团的一部分。至于其他的师团，我就不知道它们的具体位置了。

问：第三师团和第十一师团当时都是上海派遣军的组成部分吗？

答：是的。

问：那么，在你的证词第2段里，你告诉我们随着你们胜利地进入南京，一个特派小分队也进驻了。那是在12月17日，对吗？

答：南京攻陷后派入的部队是在12月13日或14日进驻的。

问：在你的证词里，你说——随着胜利进驻南京，一支经过专门挑选的部队也进入南京，那是在12月17日，是吗？

答：那支部队是在12月13日早晨进驻南京的，就在那一天和第二天，两个大队被派进城去进行清扫行动。

问：那支专门挑选的部队是在12月17日，日军举行了入城仪式后才进入南京的吗？

答：不。在12月17日的入城仪式举行之时，入城的部队并不仅限于那支部队。

韦伯庭长：休庭15分钟。

（14：45休庭直到15：00，之后审判继续进行）

法庭执行官：远东国际军事法庭开庭。

韦伯庭长：克拉夫特上尉。

语言仲裁员（克拉夫特上尉）：如果法庭允许，我递交下列的翻译订正问题：参见检方文件第2667号，证据第3398号，第4部分，第3页，第7行和第8行中，删去下列文字"在本师团管理的地区没有居民撤出"，替换为"由于居民已逃走，本师团接管地区没有任何居民"。

韦伯庭长：诺兰准将。

诺兰检察官：是的。

由诺兰检察官提问。

问：中泽将军，你们胜利进驻南京时，一支经过专门挑选的部队被派驻南京，是吗？

答：我记不得当我们进入南京时这支部队是否是经过专门挑选的了。我只记得从各部队中调选出不同的部队来代表他们——在这个纪念性的场合。

问：你在你的宣誓证词中进一步说——就在第二段——挑选的部队被派到南京是为了"安抚和善待老百姓和维护秩序。"是不是因为有关于日军暴行的报道，才派出这支部队的呢？

答：这两个大队被派到南京是为了清剿敌军的残余力量。

问：但在你的证词中，你说是为了"安抚和善待老百姓和维护秩序"。有没有关于混乱和暴行的报告呢？

答：我相信第二段的意思是——这些部队接到命令要这样对待平民。我手头没有我的宣誓证词。

问：第一支部队进城时难道没有接到这样的命令吗？

答：是的，接到了。

问：在这支经过特别挑选的部队进驻南京前，有没有关于日军虐待中国老百姓的报道呢？

答：我要求看一下我的证词。我认为你把最早进驻的部队和之后进入南京清剿的部队混淆了。

诺兰检察官：请将法庭第3398号证据日文原件交给证人。

（文件被交给证人）

请证人注意第二段最后一部分的英文部分。

证人：我的证词如下："进驻南京时松井将军命令我们派一支经过专门挑选的部队，去安抚善待平民和维护秩序。"

问：你在翻译中有没有省略"胜利"这个词呢？

答：是的。我的意思就是"进入南京"。

问：好的。

答：我认为你告诉我的——根据你迄今告诉我的——实际上是把这句话和第4段搞混淆了。"1937年12月13日黎明,大约两个大队进入南京来清剿某些地区。"我也说了这些地方的名字。我相信你是把这一段和第二段的部分内容混淆了。这部分内容你也引用过"松井将军命令我们派出经过挑选的部队去安抚和善待平民和维护秩序"。

问：请你注意你证词第4部分第2段——你说12月23日第十六师团的一部分取代了原先进城的部队。这些部队的番号呢？

答：这是属于另一师团的部队。

问：这很显然,他们的番号是什么呢？

答：第九师团。

问：南京陷落后,除第九师团和第十六师团之外,还有没有其他部队也在南京城内呢？

答：我只知道它们都隶属第九师团,除此之外,我不知道它们的番号。除了先于我们进城的部队和与我们共同进城的部队外,我不了解其他部队的情况。

问：你知道的那些部队的番号呢？

答：第九师团在我们左翼进城,之后,有隶属第十军的师团在另一边进城。但我忘了哪些部队在左、哪些部队在右了。我也忘记它们的番号了。

问：在你证词的第10段,你说——你从宪兵那里获悉一些日军士兵犯下的抢劫罪行,那是在南京发生的吗？

答：是的,就在南京城里。

问：有几例这样的事件？

答：我忘了数字了。

问：他们抢走了什么？

答：一些不值钱的东西。

问：什么东西？

答：根据我的记忆，有一些日用必需品———些食物和诸如此类的东西。

问：你能不能看一下在你证词的第11段，就在这一段结尾，你说有时士兵也会情不自禁地袭击给他们印象是危险的地方。你之后又说这些袭击事件逐渐演变成错综复杂的情况。是什么样的错综复杂的情况呢？

答：是这样，我们士兵会看见外国国旗，但他们以为这是中国军队在利用外国国旗，他们会到这些地方去，这才发现这些旗帜实际真是外国居民的，因而，这些外国人会非常生气。

问：在第12段，你这样说，"有一些关于士兵纪律涣散的例子"。这些例子指的是什么？

答：例如，企图闯入难民营，强行和中国妇女同居，我相信都是这样一些事。

问：你指的是非法闯入和强奸中国妇女，或试图做诸如此类的事，是吗？

答：是有这样一些事，我相信是有强奸妇女的情况发生。

问：究竟有几例呢？

答：我记不得了，但我相信数目很少。

问：在你证词的第13段，谈到关于埋葬尸体的地方，你提到检方所提供的证据，你指的是什么证据呢？

答：我已经忘了文件的编号了，但它是南京慈善机构编制的文件。

问：那么，你是不是证明被掩埋的死难尸体的数目就是在南京城内牺牲的士兵的数目呢？

答：是的。不仅仅是在南京城内死难的士兵的数目，大多数被发现在城外的防御阵地里的也是。

问：在这些数目中也包括妇女和儿童吗？

答：你这样说是什么意思？

问：根据检方的证据，在收集的尸体中，还有很多妇女和儿童的尸体。她们也是在城外被杀的吗？

答：我没有作证说我亲眼看见过这些尸体，我对此不知道。

问：那么，你也不知道她们的尸体是从哪里来的，是吗？

答：我指的不是我亲眼看到的尸体，而是检方提供的证据。

问：你是不是在努力解释你不知道的情况呢？

答：我想说的是——我想说的是——证据中提到的尸体被发现在防御工事里，是在战场上发现的。此外，我想说，这些尸体都是士兵的。

问：你看见这些尸体了吗？

答：是的。

问：有多少？

答：我记不得数字了，我记得这些尸体是躺在阵地里的。但是，我这样说不是意味着我见过所有检方文件里所提到的尸体。我只是希望指出，我确实见过阵地上的尸体。

问：在你宣誓证词的第 14 段，即最后一段，你提到在 1938 年 1 月举行的关于维护治安委员会成立的庆典，你又说仪式是在鼓楼前的公共广场进行，成千上万的中国人欢呼雀跃。那天正好是俄国大使馆被烧的一天，是吗？

答：是的。

问：你看见使馆被烧的情景吗？

答：是的。

问：是谁纵的火？

答：我不知道。

诺兰检察官：我的问话到此结束。

韦伯庭长：我代表法庭问几个问题。

(由韦伯庭长提问)

问：你在第十六师团当参谋长的时候,军衔是什么？

答：师团参谋长。

问：军衔呢？

答：陆军大佐。

问：你什么时候被提升为中将的？

答：1941年10月。

问：是因为你在攻占南京中所发挥的作用才被提升的吗？

答：我不知道这是否与南京地区的战斗有关。

问：在占领南京之时,谁是第十六师团的师团长？

答：中岛中将。

问：他现在哪里？

答：他已去世了。

问：日军入城后成立的委员会里,中国成员都有谁呢？

答：我不记得了。

问：那些被送到上海派遣军总部的中国被俘士兵的结局如何？

答：他们被作为战俘对待。

问：他们有没有被审判呢？

答：这就是最高司令部的事情了,之后我就不知发生什么了。

韦伯庭长：好了。我没有进一步的问题了。

马蒂斯辩护律师：辩方律师不再进一步地提问了。可以允许证人退下了吗？

韦伯庭长：可以。

(证人退出)

10. 饭沼守(1947年11月6～7日)

(1947年11月6～7日,星期四～五)

马蒂斯辩护律师：我们请证人饭沼守到庭。

（饭沼守作为辩方证人出庭，庄严宣誓后，通过日文译员作证如下）

韦伯庭长：他原先的宣誓依然有效。

马蒂斯辩护律师：请证人宣誓。

韦伯庭长：我以为他已经宣誓过了，是我弄错了。

马蒂斯辩护律师：是的。给证人出示辩方文件第2626号。

直 接 询 问

（由马蒂斯辩护律师提问）

问：证人先生，这是你的证词吗？

答：是的。

问：里面的内容属实吗？

答：是的。

马蒂斯辩护律师：如果法庭允许，将它作为证据提交。

韦伯庭长：按照惯例采纳。

法庭书记官：辩方文件第2626号作为证据被采纳，证据号为3399。

（上述文件被标上证据号3399，并作为证据采纳）

韦伯庭长：证人在此之前有没有宣誓。我们要再确认一下。

马蒂斯辩护律师：让我查一查。

证人——

韦伯庭长：不要问他，我们要自己确认。范米特上尉说证人已宣誓过了，他很了解证人。

法庭执行官：庭长先生，通过证实，该证人在此之前曾出庭过。

韦伯庭长：我们要再确认一下。我要问问证人是否已宣誓过了。

马蒂斯辩护律师：请证人回答。

证人：是的，我曾经出庭过。

马蒂斯辩护律师：我要宣读证据第3399号，从第2段开始：

（宣读）

（2）我曾是中将。在组建上海派遣军的时候，我被任命为松井将军的参谋长，并参加了上海和南京的战役。

（3）上海派遣军组建后，松井将军给手下的军官下达指示，并命令手下的军官将该指示传达到各个部队。

① 上海附近战役的目的旨在征服威胁我们的中国军队，因此尽可能地保护中国的官员和平民。

② 时刻要铭记，不要冒犯外国军队和外国居民，为了避免不必要的误会，要与外国当局保持密切联系。

（4）为了执行上述的命令，日方官兵克服了极大的困难。在上海之战中，我们给予中国军民以及日本军人许多医疗救助，并给他们分发药品来防止传染病的传播。日军攻占上海南市的时候，前线的部队在技术上克服了难以想象的困难，使炮弹不至于落在该区，因此城市的和平与秩序得以维持。

上述的命令在各种场合被反复强调，甚至在南京战役之后仍严格执行。

（5）上海之战后，松井将军接见了来自美国、英国、法国的代表团，并就对他们国家所造成的损害致以歉意。他进一步解释了日本在当时处境下的立场，并请求他们予以配合以争取战争在短时间内结束。松井将军从未向我下达过任何轻视外国人权利和利益的命令，也从未见过或听过在他领导下的官兵有过这样的行为。

（6）1937年12月2日，上海派遣军接到占领南京的命令，当时任华中方面军司令官的松井将军就占领南京发布了详细的指令。我作为参谋长把占领南京的命令向松井司令官属下的各部队传达，同时告诫他们"要对中国军队和民众宽容和仁慈（假如他们不抵抗的话），并善待和保护他们。"

我省略第 7 段不读,第 4 页第 8 段内容如下:

(8) 12 月 10 日,当局下达了进攻南京的命令。

当时是第十六师团第三十三步兵联队负责进攻紫金山。

这一段其余内容我省略不读。

第 5 页的第 9 段:

(9) 尽管在南京陷落时城外几乎所有主要的房屋都被焚烧或毁坏,日军几乎没有房屋可住,进城的士兵比预期的多。但遵照松井将军的命令,我下令除了第十六师团外,其他部队撤到较远的城东地区,并命他们严格遵守军事纪律和公共道德以使南京秩序井然。

(10) 1937 年 12 月 16 日、20 日和 31 日,这 3 天我每天都视察市区 3 次,但在街头并没发现尸体。在下关附近我看到几十具在战斗中死难士兵的尸体,但至于所谓的成千上万的被屠杀的尸体,我即使做梦也未曾见过。我承认确实有几处火情,但我从未见过一例故意纵火事件,也未收到过此类事件的报告。在南京城里,确有几处烧焦的房子,但大多数都保持原样。我常向日军下令要警惕火灾。

(11) 进入南京后,也有人向松井将军报告了抢劫和暴行的案例。他对于这些屡禁不止的行为也非常抱歉。他命令军官尽最大努力严防此类事件的出现,并坚持对违法者严惩不贷。结果,这些违法者都受到了惩罚。之后,有关方面严格地执行军事纪律。我甚至听说第十六师团对法务部门的程序提出抗议。

(12) 有人告诉我一些部队擅自搬走家具,但他们说这样做是为了住宿的所需。他们说他们对征用所造成的损失进行了补偿,但在大多数情况下,主人都逃走了,因此他们只能张贴便条来保证对住宿之需征用的补偿。一些士兵私自搬走家具,其中有些人搬走的家具是属于外国人的。然而,通过询问家具的主人和弥补损失,这些问题都得以解决,肇事者得到惩罚。当然,军部从未命令士兵从事非法行为,也没有承认过他们的不良行为。

(13) 至于南京难民营的管理问题,我命令第十六师团守卫、保护此地的安全。只有持通行证的人和守卫该地宪兵才可以进出此地。因此,我相信这个地区不可能被集体地、系统地和持续地侵扰。我未曾听说或见过由辩护律师所证明的那些事件。我也从未向松井将军汇报过这些事,因此很自然他也从未听说过此类事件。

(14) 至于南京安全区委员会提出的抗议,我也一无所知。也未向松井将军汇报过。

交 叉 询 问

韦伯庭长：诺兰准将。

诺兰检察官：如果法庭允许。

（由诺兰检察官提问）

问：饭沼将军,你1937年在松井将军手下当参谋长时军衔是什么？

答：少将。

问：攻占南京是由两支军队共同进行的——第十军和上海派遣军。是吗？

答：是的。

问：柳川指挥第十军、朝香宫指挥上海派遣军,是吗？

答：是的。

问：攻占南京的上海派遣军包括第三师团、第九师团、第十一师团、第十三师团和第十六师团,是吗？

答：有一点不同。

问：请问是什么？

答：第九师团和第十六师团的所有人员几乎都参战了。第三师团的一部分人员也加入了战斗。第十三师团的一部分按计划应该增援我们,却未能及时赶来参加包围南京城的战斗。

问：将军,你刚刚告诉我们没有参加进攻南京的部队,那么,请告诉我们有哪些部队参加了进攻？

答：我刚刚提到的部队都参加南京之战了。

问：属于上海派遣军的部队——属于第十军的第六师团、第八师团和第一百一十四师团都参加了，是吗？

答：有关第十军的具体情况，我不是很了解，但我相信参加的部队包括第一百一十四师团的一部分、第八师团和第六师团的一部分。

语言监督官：再修改一下：第一百一十四师团、第六师团和第八师团的一部分。

诺兰检察官：请给证人出示他的日文证词——证据第3399号。（该文件被出示给证人。）

问：请你看一下第10段，在那里，你提到了在下关附近，你发现了几十具在战争中死难的士兵尸体。

答：是的。

问：那么，饭沼将军，下关在哪里呢？

答：它位于南京城外，长江西岸。

问：就在这一段里，你说在12月16日、20日和31日，你视察了南京。这一段时间你都在南京吗？还是你在12月20日和12月31日又回到南京了呢？

答：我们的总部实际上在南京城外，12月16日和12月20日我专门从总部赶回南京视察的。

问：当你提到"总部"时，你指的是松井将军的总部吗？

答：不，是朝香宫的总部。

问：难道你不是松井将军的参谋长吗？

答：在12月初之前我一直是松井将军的参谋长。

问：那以后，你就成了朝香宫将军的参谋长了，是吗？

答：是的。

问：自1937年12月13日到1938年2月，你在南京城里有没有听到过来自外国人的控诉呢？

答：没有。

问：你也没有见过他们的控告信吗？

答：没有。

问：你知不知道这些外国居民有怨言呢？

答：我不知道他们抗议过，但我听说南京陷落后，有日军偷钢琴和汽车的事件发生，因而采取了适当的措施。

问：你指的是哪个部队的士兵呢？是哪个部队的士兵偷了钢琴呢？

答：我记不得了。

问：你听说过有谋杀和强奸事件发生吗？

答：是的。但不是谋杀。

问：那么是强奸了。你什么时候听说过的？

答：我不记得日期了，但是它肯定是在总部进入南京之后。

问：南京陷落后，这种事情持续了多长时间？

答：在12月25日和26日之后。

问：那么，根据你的证词，松井将军在你知道之前就已经知道这些了，是吗？

答：有这种可能。

问：现在，请你看一下你宣誓证词的第11页，这可以唤起你的记忆。上面说，"南京陷落后，有很多关于抢劫和强奸的消息被报告给松井将军"。那是在南京陷落后多长时间？

答：至于这句"南京陷落后"，我指的不是我们总部进入南京后，而是我们的军队占领南京之后。

问：我也是这样认为的。是在那之后的多长时间呢？

答：两三天之后。

问：是谁告诉松井将军的？

答：我想肯定是宪兵。

问：你告诉过他们吗？

答：没有。

问：日本总领事告诉过他们吗？

答：我不知道。

问：你知道是否他的师团长告诉他的？

答：我想那是不可能的。

问：为什么？

答：指挥系统不同。

问：怎么不同呢？

答：是这种体系的不同——假如师团指挥官想报告事情的话，师团指挥官本人或他的参谋长都可以向松井将军的参谋长报告，或者向——可以向方面军的参谋长或向朝香宫报告，然后从他们那里，这个消息再被报告给松井将军。

问：1937年你们胜利进入南京后，你也在场吗？

答：是的。

问：当时，方面军司令官、他们的参谋长、师团长，以及他们的参谋长都在场吗？

答：第十三师团的师团长和他的参谋长不在。

问：其余的呢？

答：都在。

韦伯庭长：休庭到明天上午。

（16:00休庭，1947年9月7日，星期五上午9:30开庭）

交 叉 询 问

（由诺兰检察官提问）

问：饭沼将军，在昨天下午休庭期间，我们谈到你们入城后，有人向松井先生报告一些抢劫和其他暴行。在你的证词的第11页，你说的暴行指的是什么？

答：当时我指的暴行是粗暴的行为，当然也包括强奸。

问：假如不包括强奸的话，你说的暴行是什么？我指的暴行是从中国居民家里搬走家具，并把家具当做用于烧火取暖的木柴，或踢打居民或其他相同性质的行为。

答：这也包括谋杀吗？

问：不。

答：你昨天告诉我们，在南京陷落之前，你们的军部在离南京30公里远的地方。

问：是的。

答：你们的军部是什么时候进入南京的呢？

问：大约在12月25日。

答：那么，军部在南京驻扎了多长时间呢？

问：直到第二年的2月10日后的某个时间。

诺兰检察官：谢谢。

马蒂斯辩护律师：证人可以退庭了吗？

韦伯庭长：可以。

（证人退下）

11. 小川关治郎（1947年11月7日）

（1947年11月7日，星期五）

马蒂斯辩护律师：假如法庭允许，我们提供另一份证据——辩方文件第2708号，这是小川关治郎宣誓证词。

韦伯庭长：按照惯例采纳。

法庭书记官：辩方文件被标以证据号第3400号。

（上述文件被标以第3400号证据，并作为证据被采纳）

马蒂斯辩护律师：我要宣读证据第3400号，省略标题，从第1段开始：

（宣读）

（1）1937年9月底我接到任命成为第十军（当时的指挥官是柳川中将）的法务部长。

马蒂斯辩护律师：有人告诉我当时是10月而不是9月，假如证人在证人席上，他也会这样指出来。

我们在杭州湾北岸登陆，参加了进攻南京的战斗，并于第二年的1月4日归属华中方面军，之后受松井将军的直接指挥。

（2）第十军在杭州湾登陆之后，立刻置于华中方面军的指挥之下。松井将军命令我们要严格依法办事，来保护中国的守法民众并保护外国人利益不受侵犯，同时也严格遵守军纪和公共道德。

（3）来南京之前，我处理了20多起有关违背军纪和公共道德的案例。在我处理这些罪行的时候，我感觉非常难决定这些罪行是通奸还是强奸。原因在于就中国妇女而言，对日本士兵有所暗示并不是一件罕见的事，而一旦被她们的丈夫或其他人发现她们和日本士兵通奸时候，她们会立刻改变态度声称她们被日本士兵强奸了。不管是强奸还是通奸，我都根据军法惩罚肇事者，并权衡相关事实。对于那些采取胁迫态度的日本士兵，我更严厉地进行惩处。

（4）大约在12月14日中午我到达南京，下午视察了第十军在南京城南的守备队。当时我只看到六七具中国士兵的尸体，除此之外，没有别的。第十军12月19日撤出了南京，转到了杭州。我在南京期间，既没有听到关于日军非法罪行的谣言，也没有看到任何非法行为的迹象。日军仍处于战斗状态，严格遵守军纪。我也从未接到上级的从事非法行径的命令，更不要说从司令官松井将军那里接到此命令了。

（5）日本的宪兵也严守司令官松井将军的命令，并认真履行自己的职责。日本士兵的非法行径被严格控制。例如，上砂中佐（宪兵）曾在一个案例中指责我太仁慈，这个案子是我亲自彻底调查的，我认为是件小的违纪事件，因而没有起诉。

（6）1938年1月4日我在上海总部见到了松井将军，当时司令官强调，"要公正而严厉地惩处犯罪"。我严格按他的命令办事，履行我的职责。

1947年10月6日，由证人小川关治郎签名

12. 榊原主计（1947年11月7日）

（1947年11月7日，星期五）

马蒂斯辩护律师： 下面我们传唤证人榊原。

（榊原主计作为辩方证人到庭作证，庄严宣誓，并通过日语译员作证如下。）

（由马蒂斯辩护律师直接询问）

问：请告诉法庭你的名字和地址。

答：我叫榊原主计，住在东京都新宿区本盐町四二番地。

马蒂斯辩护律师： 请给证人出示辩方文件第2237号。

（该文件被递交给证人）

问：请你看一下给你的文件，并告诉法庭这是否你的宣誓证词。

答：是的，这是我的宣誓证词。

问：里面陈述的事实是否属实呢？

答：完全属实。

马蒂斯辩护律师： 假如法庭许可，我将把它作为证据。

韦伯庭长： 按照惯例采纳。

法庭书记官： 辩方文件被标以证据第3401号。

（上述文件被标以证据第3401号，并作为证据采纳）

马蒂斯辩护律师： 现在我宣读第3401号证据,省略标题,从第一部分开始:

（宣读）

（1）我曾任陆军大佐,现在是第一复员局人事课长。

（2）当上海派遣军于1937年8月（昭和十二年）组建的时候,我被任命为军事参谋,并负责该部队的后勤工作。8月23日在吴淞登陆后,我立刻开始处理弹药供应事宜。当我军到达南京时,我负责有关的运输工作,第二年1月23日接到命令后回到了日本。

（3）由于我总是直接听命于松井将军,并自上海派遣军组建以来一直在总部向他提供咨询,所以我对松井将军的作战计划非常熟悉。

（4）上海派遣军是在没有任何准备和计划的情况下临时组建的,当时就决定不要等到整个部队组建完成,军事动员已完成的部队就立刻被派往前线,以便及时援救上海的海军陆战队,当时该部队正在上海地区艰难作战。这一支分遣队由第三师团4个步兵大队和2个炮兵大队组成,共5 000人,第十一师团的4个步兵大队和2个炮兵大队的5 000多人。还有8门大炮。但由于弹药准备不足,每门大炮只有400发炮弹,总共3 200发。

（5）战斗力像我前面所说的是如此的缺乏,我们面临着巨大困难进行作战。虽然之后我们的力量得到加强,但松井将军的登陆计划耽搁了两个星期。而且,由于传染病——诸如霍乱、痢疾等的蔓延,我们把整个宝山镇都变成了一所隔离医院用来接受病人。

虽然上述疾病在10月得以控制,但我们的战斗力已大大地被削弱。此外,由于弹药和物质的匮乏,战斗打得非常艰苦。我认为上述的困难绝对是由于在此地区作战的准备不足而造成的,也是根据不扩大事态的原则而逐渐增兵的结果。

（6）根据战地服务条例,上海派遣军有时也在被占领地区征用军需品。

（7）这种征用总是通过支付现金进行的，由各大队部的财会官员负责拟订计划，大队以下的单位或个人未经许可严格禁止征用。当征用完成时，当然有一个支付补偿的问题。

（7）在上海和南京之间处理这种问题的时候，我们面临极为尴尬的问题——当时没有可以与之谈判的居民或行政当局。

在这种情况下，我们不可避免地不经所有者的同意而处置该物品。我们总是张贴一张单子，描述被征用物品的种类和数量，因而货物主人在得到此消息后可以来总部得到他们的赔偿。事实上，我自己曾在无锡亲眼看见征用一所仓库大米的理赔程序。

（8）无论何时只要占领区财物的主人或行政当局还存在，我们都会和他们谈判，征得他们的同意，并支付相应的钱，使得征用货物的事情得以顺利进行。

很多时候我都是这样做的。我记得在白茆江登陆时，当地一小村庄的村长还在履行管理职责，我和他进行谈判并获得了粮食和草料。当我们付了相应的报酬，并采取措施保护仍留在该村的老百姓时，村长对我军的所作所为表示感谢并盛情款待我们。在江苏也有同样的事情发生。

（9）在许多地方我还通过张贴亲手签名的布告来指导如何保护当地老百姓，在另一些地方布告的内容是禁止抢劫。我根据松井将军的指令采取上述的措施。当时南京没有人留下负责城市的行政工作，因而无法谈判。结果，我军应该是根据上述的简便方法来解决对粮食征用的。至于从城市的难民区征用粮食的事，我从未听说过。

（10）日中两军都把纵火作为前线战术的一种方法。中国军队在撤退之前的纵火给很多地方造成了极大的损失，并阻挠了我军的前进和占领后的安抚和救济工作。

在我们占领南京前,有很多火情在各地发生,但在攻陷南京之后,就没有火灾了。据我所知,南京城只有少部分地方遭遇火情,绝大部分都免受火灾。很显然,假如我们看看夫子庙周围或其他地方,我们会注意到它们和战前没有两样。和东京的大部分地区相比,南京遭受火灾的地方要少得多了。

(11) 我看到外交部大楼和陆军部及海军部的建筑变成了救治中国伤病员的医院。

然而,医疗设施缺乏,对病人治疗工作也非常困难。那里不可能有大屠杀,相反,我们向他们提供了大米和药品。

尽管我们付出了极大的努力,伤病员大多数还是由于病情严重而死去了。

(12) 在攻占南京前,我们几乎没有抓到战俘。有人告诉我,我军在南京附近共俘获了大约4 000个战俘,其中一半被遣送到上海,其余的拘留在南京。

虽然我看见有几个战俘被作为普通劳工雇佣,但他们从未受到虐待,而当他们的服役期满之后会把他们遣送回家。

有一个叫刘子先(音)的人是我遣送的一个例子。如何对待战俘的情况可以通过他而了解。战俘经常逃亡和偷盗,我想偷窃者根据法律受到严惩,但逃跑都未受到任何惩罚。

(13) 在官方的书面命令中,"提名"的含义是被提名的人被安置在一个固定的位置上,其有职有权。而"非固定任命"的含义是这个被任命的人没有固定的职位,也没有实权,他是一个无职无权的官员。在松井将军的履历上,"任命到参谋本部"(12月21日,昭和三年)意思是任命此人为参谋本部的一名官员,但此人没有固定的官职(然后他到欧洲旅行去了)。

证人签名

你可以交叉询问了。

诺兰检察官：不进行交叉询问。

马蒂斯辩护律师：我想问证人一个被遗漏的问题。

韦伯庭长：同意。

问：榊原先生，在日军对南京进行军事行动期间，松井将军的总部在哪里？

答：在快要占领南京时，即大约1937年12月10日，松井将军的总部在苏州——距南京40英里的地方。

修正：在南京东140英里。12月13日松井将军在苏州，15日到达汤水镇地区，17日抵达南京，21日乘驱逐舰到达上海。

问：在松井将军向南京进发之前还在苏州总部时，你和他一起吗？

答：不，没有。

问：攻占南京时，松井将军也在南京吗？

答：不，他不在南京了。像我所说那样，他当时在苏州。他当时不在南京，而在苏州。

韦伯庭长：休庭15分钟。

（10：45休庭，直到11：00。之后继续审判）

法庭执行官：远东国际军事法庭现在开庭。

韦伯庭长：马蒂斯辩护人。

马蒂斯辩护律师：我还有一个问题。

问：你知道日军对南京进行军事行动以及攻占南京时松井为什么不在南京吗？

答：我知道。

问：他为什么不在南京呢？

答：为了更好地指挥上海派遣军和第十军，当时在苏州建立松井将军的总部是适当的。而且，12月13日，即南京陷落时，松井将军正卧病在床。正因为这个原因,他不能来前线指挥。

马蒂斯辩护律师:问题结束。

韦伯庭长:诺兰准将。

诺兰检察官:我能问一个问题吗?

(由诺兰检察官提问)

问:你告诉我们12月10日松井将军的总部在苏州,12月15日,他们又迁移到其他地方去了,这个地方是哪里?

答:松井将军本人在苏州,我再重复一遍:12月13日他在苏州;12月15日,他到了汤水镇。

问:这个地方距离南京有多远?

答:大约10日本里[1]。

问:你知道换算成英里是多少?

答:我想大约有25英里。

诺兰检察官:问题结束。

马蒂斯辩护律师:证人能否退庭?

韦伯庭长:同意。

(证人退出)

13. 冈田尚(1947年11月7日)

(1947年11月7日,星期五)

(冈田尚作为辩方证人到庭作证,首先正式宣誓,然后通过日语译员作证如下)

(由马蒂斯辩护律师直接询问)

问:请告诉我们你的名字和地址。

答:我叫冈田尚;住在静冈县热海市伊豆山鸣泽。

---

[1] 1日本里 = 3.93公里——编者注。

马蒂斯辩护律师：给证人出示辩方文件第 2670 号。

（该文件被出示给证人）

问：请看一下出示给你的文件，并告诉法庭那是否你的宣誓证词。

答：是的。

问：上述的内容属实吗？

答：是的。

马蒂斯辩护律师：我们把此文件作为证据提交。

韦伯庭长：按惯例采纳。

法庭书记官：辩方文件第 2670 号被标以第 3409 号证据。

（上述文件被标以证据第 3409 号，并作为证据采纳）

马蒂斯辩护律师：我将宣读证据第 3409 号，省略标题，从第一段开始。

（宣读）

（1）我在东亚同文书院学习汉语和中国当代史。在该校毕业后，任上海政治中学的教师。从业期间，我和很多著名的中国人士相识并成为知己。

（2）由于我已故的父亲是松井将军的好朋友，我自童年就和松井将军非常熟识。1937 年 8 月他作为上海派遣军司令官离开东京时，曾约我到他在大森的家见面，并告诉我他想带我到上海，作为其总部的非正式官员来协助他工作。我同意了，关于我的职责，司令官是这样说的：

我曾是已故日军高级将领川上操六将军以及中华民国国父孙逸仙先生的忠实追随者。为了亚洲的解放和建设，我在过去的几十年间为了中日之间的友谊和合作付出了努力。尽管我和我的朋友为此作出极大的努力，此次不愉快的事件还是发生在两国之间。对于意外授命担任派遣军的指挥官，我心中充满极为复杂而奇怪的感情。

至于为何对我这样已退出现役的老人委以如此重要的职务，

我认为不是我要立下显赫的战功,而是希望我凭着对中国的了解和热爱,以非暴力方式、以最小的牺牲来彻底解决这一事件。当然这要有中国当局负责任的态度,他们违反日本的权益,威胁日本在上海居民的生命和财产的安全,对日本傲慢无理,并抱有极大的敌意。然而,这是长时期积累下来的宿怨带来的必然结果,中日双方都要为此负责任。我真诚地祈望通过两国的相互了解,以尽可能小的战斗,找出一条和解之路。

因此当你在上海登陆后,你的首要的任务就是尽可能地和一些中国政要保持联系。你要告诉他们松井将军从来不愿和中国交战,并将在战争中确保两国人民的生命财产安全。而且,将军还将竭尽全力尽快解决此次不愉快事件并期望中方能给予合作和帮助。

将军继续说:假如可能,我们将以巧妙的军事策略以少胜多。但那只是军事上的胜利,由于被动的战争必然带来人员的牺牲和士兵们的敌视心理,从长远来看战争的后果将是灾难性的。因此更迫切需要装备精良之师,以便尽快结束战争,避免悲剧性地延长战争。这也是最有效的办法来使我们的不扩大的原则真正发挥作用,从而立刻恢复和平。

我请求政府能给我配备至少5个师团的兵力,但陆相决定只要有3个师团就足够了。对于陆军省由于缺乏对中国近况的了解而对我们的"不扩大政策"感到的不安,我感觉十分抱歉。

(3) 8月底我在上海登陆,当时此事件正处在初始阶段(松井将军那时还在船上)。为了转达松井将军的意愿,我立刻开始在租界里寻找我的中国老朋友,以便把松井将军的意图转达给他们(通过特务机关的负责人原田先生,我和松井保持联系)。我还获得机会和唐绍仪先生——我的一位老朋友,当时中国的一位资深政治家谈了话。另外一位非常了解日本局势的李择一先生也与我交流了看法。我们谈的内容实际是如何消除中日之间的紧张关系。

我也设法和我父亲的一位老朋友——杜月笙取得了联系,并请求他帮助我来维持国际大都市上海的安宁和秩序。但在他赴香港之前,我们没有这样交谈的机会。

(4) 12月6日我陪松井司令官到了他在苏州的总部。一到苏州,松井将军就指令劝告中方军队立刻投降,并将印有该内容的传单在12月9日通过飞机在南京城内散发。他的用意是在不流血牺牲、尽可能不对城市造成伤亡的基础上占领南京。同时,他采取措施防止不同的部队对南京的贸然进攻。否则这些部队都会争先恐后地进城,从而对城市造成不必要的破坏和市民的苦难。因此,假如我没记错的话,松井将军12月9日下令所有在他麾下的部队立刻停止总攻,原地待命。他又命令全军确保对中山陵和其附近文化古迹及外国人权益的保护,同时要求部队严格遵守军纪。

12月8日深夜2:00,我被召进了参谋室并依照指令把如下内容翻译成中文:

请你们12月10日中午在中山门外句容路答复我们关于劝降的书面建议。假如你军能派出负责任的代表到指定地点,我们准备和他就南京城的接管进行谈判。假如我们在指定时间未收到你们的答复,那么我们不得不开始进攻南京。

上述内容被写在传单并空投到南京城内,同时投下的还有12月9日的劝降书。

12月9日早晨我乘车和冢田以及参谋公平和中山从苏州出发,一到南京郊外,我们就在某个部队营地休息。第二天上午11:00,我们几个人(冢田、公平、中山和我)前往中山门并在那里等候中方谈判人员的到来。可是直到13:00,他们都没有出现。我们只能离开那里,之后不久,假如我没记错的话,总攻的命令就下达了。

(5) 12月13日攻占南京后的一个清晨,我和陆军中佐村上一起进入南京城。当时激烈的战争刚刚结束,南京城里一片寂静。最引起我注意的是无数件散落在街头的中国士兵丢弃的军服和盔甲。我注意到人们在南京城的一些地方避难,并带了 50 多人到当时作为司令部的大都会饭店,让他们帮助司令部管理部的士兵打扫清洁旅馆内部的环境。这些为我们干活的难民和其他城市居民都从司令部得到了报酬,士兵们的剩饭也足够他们充饥,他们也愿意给我们干活。

我记得当时有一个姓孙的老人,会说日语,大概 60 多岁。他来到司令部和日本领事馆,并在我们的同意下立刻开始组织自治委员会。

(6) 从 12 月 17 日起,司令官就住在了首都饭店,我也住在他附近的房间里。17 日晚上开了庆功会,司令官和其他官员也出席了。第二天早晨,我在司令官房间里看到他,当时他神情极为悲伤。在常规的问候后,我问他是否有烦心的事。作为一个刚在辉煌的战役里占领敌军首都的将军,他一点都没有显示出快乐。他只是平静地说:"在此之前我多次访问过南京城,都是为了实现中日之间的和平关系,为了这一目的,我已期望并工作了 30 年。但现在我意识到我们无意中给这个城市带来了极大的痛苦。每当想到无数逃离南京的中国友人和我们两国的未来,我就不能不感到无限压抑。我心里很孤独,没有心情去庆祝胜利。"

当他用这种沉重而悲伤的语气和我说话的时候,我禁不住地同情起他来。我知道很多日本海陆军的高级将领都对欧洲和美国事务感兴趣,而对中国问题的研究倾向于不屑一顾。而松井将军在年轻时代就对中国问题感兴趣,他也是因为在对中国政局问题的杰出研究而被擢升为将军军衔,这确实是很不简单的。我也知道在我们军队里没有哪个人有他的中国朋友多。

我认为我们可以从他在 1938 年新年时,在前线写的一首中文诗里获悉他的这种中国情结。当时在我拜访他驻地的时候他曾把此诗出示给我看：

> 北马南船几十秋，
> 兴亚宿念顾多羞。
> 更年军旅人还历，
> 壮志无成死不休。

松井将军是这样解释这首诗的：

我在中国待了几十年，为了亚洲的和平和发展尽心尽力。每当回顾我的所作所为，我就感到能力有限。现在我在战场上已经61岁了，但我青年时就怀有的梦想不会磨灭。即使我的躯体化为灰烬，我也会为此理想而坚持到底。

（7）12月19日，为了视察战地，松井将军在参谋长的陪同下参观了清凉山和天文台。他一边聆听参谋长的解释，一边从山顶俯瞰南京城。将军对于清凉山的美景大为赞叹，并告诉他的军官说，对于打断蒋将军统一中国的努力他非常抱歉。他又说假如蒋将军能再耐心等几年，而避免两国之间的敌意的话，日本可能会意识到用武力解决在两国间问题的不利的一面，那么，就不会出现两个兄弟国在同一屋檐下打仗的悲剧了。当时，他的参谋们都奇怪地望着他们的将军以这种方式谈话，我也在一边肃立聆听他的感悟。

在回去的路上，使他的参谋们感到惊奇的是，松井将军说他想到附近的难民营去看看。他说去就去。在那里，他向难民们询问战时遭遇的危险和其他有关的事情，并安慰他们说，尽管他再三嘱咐官兵不要对难民们造成任何伤害，但由于语言不同，麻烦在所难免。和平和安宁的日子肯定会到来，他们应该从事自己的职业，不用担心。

"上述所言均由我逐字逐句翻译。"

韦伯庭长：马蒂斯辩护人，让我们休息一会儿。休庭15分钟。
（14：45休庭，直到15：00继续开庭）

法庭执行官：远东国际军事法庭现在开庭。
韦伯庭长：马蒂斯辩护律师。
马蒂斯辩护律师：我从第9页第8段开始宣读。
（宣读）

（8）将军对战后可能出现的军纪涣散十分担心，因此他警告塚田参谋长并命令他一定要通过严格的军纪管理和惩罚制度来确保军纪严明。当时我就在他身边并听到他下此命令。之后不久，我亲眼看到一些官兵作为罪犯被严惩并从上海遣返回国。

2月中旬，由于军队重组，松井将军被调离上海，即将回国。他对我慨叹地说："在我的任务尚未完成之际就派我回国，实在令人遗憾。对于我来说，战后的工作远比担任军事长官要重要得多。这份工作的意义在于在南京陷落后，尽快结束双方的军事敌对状态，并竭尽全力和中国政府达成和解，而不是将战线溯江而上超出南京向北推进。但既然天皇对我下此调令，作为忠实的臣民，我也只能遵命。"

（9）12月21日，在南京又待了几天之后，松井将军乘日军驱逐舰离开南京，并于12月23日在沿途参观了鸟笼山和长江的古战场之后回到上海的方面军总部。由于与将军同乘一船，我得以有机会和将军随意漫谈。下面就是我们当时谈话的主要内容。

我们根本就不该允许日中之间的战争进一步蔓延。自满洲事件爆发以来，中国的抗日情绪高涨，不光在军界，而且学生也卷入了其中。结果，不仅日军的利益受到损坏，而且中国民众的生命财产也受到了威胁。因此，我国被迫诉诸武力来保护这些权益不受侵犯。最终武力导致了这场灾难——中国首都南京城的陷落。然而，两国间的问题不能用武力来解决。即使解决，也只是暂时的而不是永久性的。

如果我们不能通过和平的外交手段彻底化解双方之间的误解，那么两国定会陷入更深、更大的灾难之中。因此，我竭诚努力来维护两国间的和平。而我作为司令官的使命也主要就是维护和平，而不是以我们现在进行的军事方式来解决冲突。假如军事行动是唯一的解决方法，那么就没有理由从众多才能杰出的将军中挑选像我这样的老人来此解决问题。

自两国交战以来，双方军事领导人之间的谈判将日益变得艰难。因此，最理想的方式是两国通过各自经济界的代表（或文化界的代表，但通过前者更好）来进行谈判，并让他们不通过军事途径而是建立在理性思考基础上找到一个解决问题的方法，并劝导各自政府接受建立和平秩序的建议，从而最终消解两国之间的敌对状态，而两国的荣誉也没有丝毫损失。

我非常赞同将军上述所言。经过彼此的讨论后，我们认为担当这一使命的最佳中国人选是宋子文。一回到上海，我就应将军的命令在法租界拜访李择一先生，向他转达了将军的意图并请求他的帮助。1月底，李先生和松井将军会面，同意把将军的意图转达给宋先生并让他采取行动。然后我伪装成中国人和李先生一起乘英国汽艇于1月4日离开上海，1月10日秘密抵达香港。我在九龙待了一段时间，在那里等候李先生和宋先生的谈判结果。1月15日，我到香港酒店拜访了李先生并得到如下的报告。

通过和宋先生的反复谈判，我确信他和我的想法一致。他认为眼下的不幸局势不只是对中国或日本哪一方的灾难，也是对全人类的灾难。因此，防止情况进一步的恶化的使命是人类共同的职责。假如松井将军真诚地能代表日方坚持和平的观点，那么宋先生也代表中方坚持这一立场。

我深深感谢李先生的这一报告。恳请他进一步进行具体的谈判后,我回到了旅馆。然而,第二天(2月16日),日本领事馆官员发布近卫声明:"我们不承认蒋介石政府的存在。"第二天,上海的臼田大佐发来电报说:"松井将军命令你立刻回上海。"这样一切都结束了。我所有的努力皆在还未收到宋先生的最后决定之前就化为灰烬。

(10) 2月23日松井将军离开上海回到日本。就在他踏上返程之前,他邀请我和李先生在他的驻地共进晚餐。当时他这样说:

我非常遗憾没有机会在上海待了,也没有机会实现和平计划了。回国之后,虽然被解职,作为脱去戎装的自由人,松井我也会继续为两国间的永久和平而努力。对于荣誉和金钱我没有野心,更没有很多的政治抱负。我唯一渴望的就是能成为驻中国大使,把我的余生奉献给两国间的和平使命的实现。但是,我怀疑我国政府,特别是军事当局能否希望我在此领域里的活动。

作为军事长官,我认为自己要对在我们进行的这场战争中牺牲的成千上万的人——为了两国的利益而殉职的士兵负有一定的责任。因此,我一回国,就立刻修建了佛教的观音菩萨塑像,并为这些逝去的魂灵祈祷和平与安宁。我想用浸泡着死难中国士兵和日本士兵鲜血的泥土来铸造这一圣像。我希望得到来自大场镇的一捧泥土,因为最激烈的战争就是在那里进行的。

应将军之请求,我来到大场镇,在中国士兵和日本士兵遗体下的泥土中取得一捧土并通过航空邮件寄给松井将军。他修建了观音像,里面就用了这捧土。至今这座神像还屹立于将军家乡热海伊豆山附近的山顶上,其精美造型人物还清晰可见。而且,他还为这座神像建了一座神庙,并把此庙敬献给在战争中死难的中国和日本士兵。每天清晨,不论是旭日当空还是阴云密布,他都会上山悼念逝者，并为死难的人祈求灵魂的安宁和亚洲的永恒和平。

（11）将军是个很有正义感的人。我在中国福州时，当时的福建省有人组建了和蒋介石将军对立的"人民革命政府"。当时，松井将军是台湾军的司令官。当他得知日本军队中有人企图通过支持福建省"人民革命政府"来制约国民政府，蒋将军本人对此非常担心的时候，他立刻宣布日军绝不能支持妨碍中国统一的政府。之后，通过当时在台湾的李择一，将军的这一决定得以转达给蒋介石。我事后听说蒋将军对此非常高兴。

同时，台湾的参谋土桥被派往福建的"人民革命政府"，他还转达了松井将军的忠告——内战对热爱和平的人们来说，是最具有杀伤力的。革命军应该立刻停止和国民军的对立。听从将军的忠言，革命军和平地撤到广东。国军在没有流血冲突的情况下顺利接管了福建省。当时我就在福州，也参与了此事件，所以对整个情况非常了解。

（12）下面记叙的就是1938年1月松井将军在南京陷落后回到上海时发生的几件事情，从中可看出他的仁慈和善良。

（A）出于仁慈之心和对南市难民营贫民的救济，最高司令官松井在1月14日向一个名为雅坎诺[1]的法国传教士捐款1万元。饶神父曾本着人道主义精神在上海南市北部建立难民营，并为之付出极大的心血。他本人就住在那里的教堂里，并一直掌管救济工作，其善行受到各地人民的交口称赞。

（B）一位名为二阶堂（32岁）的大阪主命小学的老师曾作为大阪教育协会的非正式官员来到上海，并带了些学校里孩子们画的漫画、写的信件和糖果等礼物来慰问士兵。当他见到松井将军的时候，松井将军指出日本孩子每一封信中都充斥了这样的文字"可恶

---

[1] 即饶神父——编者注。

的中国人"、"严惩粗野的中国人"等,这些都反映了日本孩子们所受到的教育。将军还严厉警告这位老师不许再让孩子用这种字眼。

从将军的言行,我们可以更近地了解他本人,他是个没有丧失人类正义感的人。

马蒂斯辩护律师:请向证人出示第2670号的日文副本。
(此文件被出示给证人)
(由马蒂斯辩护律师提问)

问:冈田先生,请你看证词的第6段。你提到了一首中文诗,看看你是否能找到。

答:我听不见,能不能重复一下?

问:你能否在你的证词的第6段找一下你提到的那首中文诗。

答:我知道了。

问:在读英文证词时,我读到——这首诗是你在南京时松井将军给你看的。我想知道这是否正确,或者是在南京以外的其他城市给你看的?

答:这首诗是我在上海看到的。

问:这样,你的宣誓证词里指的是"上海"而不是"南京"。是吗?

答:是的。

马蒂斯辩护律师:我还有一个——

韦伯庭长:我不知你是否达到了你的目的。你说松井是新年在南京写的这首诗。

马蒂斯辩护律师:我的副本上写的是"将军出示给我——"

韦伯庭长:他可能在上海就读过了。那是很显然的,所以证人才这样说。

问:这首诗的背景?

答:你指的是什么?

问：哦。是不是发生了一些和此诗有关的事呢？你是如何看待的呢？

答：1938年新年我拜访了松井将军。对于将军来说，他每年新年都有吟诗的习惯。就在当时，他给我看那天早晨他写的诗。

韦伯庭长：他打算从日文证词中读吗？

马蒂斯辩护律师：不是。

韦伯庭长：我认为我们应该参考一下日文的证词。

马蒂斯辩护律师：我还有一两个问题。

问：进攻南京前，松井将军的总部在哪里？

答：12月8日我和松井将军到了苏州，就在那一天我去了汤水镇，12月13日我离开汤水镇回到了上海——南京。

问：8日到13日之间，松井将军是如何履行他的职责的？

答：我不明白这个问题，你能再重复一遍吗？

语言监督官：请日语法庭书记官作陈述。

（日语法庭书记官开始宣读）

问：（继续）12月8日，我和松井将军来到苏州。就在同一天，我离开苏州，动身去汤水镇。当时，在我离开松井将军的时候，他好像正在患感冒。至于我离开苏州于13日到达南京之后，松井将军的军事部署的细节，我可就一无所知了。

马蒂斯辩护律师：你可以质证了。

韦伯庭长：诺兰准将。

诺兰检察官：谢谢，我没有问题。

马蒂斯辩护律师：证人能否退出法庭？

韦伯庭长：可以。

（证人退出）

14. 大内义秀（1947年11月6日）

（1947年11月6日，星期四）

(下午的庭审)

(休庭后,法庭于 13:30 继续开庭)

法庭执行官:远东国际军事法庭现在继续开庭。

马蒂斯辩护律师:我们下面传唤证人大内。

韦伯庭长:昨天有一个证人被传唤,但没有进行反诘,在这种情况下,为了节省时间我们可以依据宣誓证词,当有充分理由传唤证人时再传唤他们。

马蒂斯辩护律师:这位证人也是这种情况。

韦伯庭长:我们想免除那些不会被反诘的证人的宣誓过程。

诺兰检察官:如果法庭允许的话,我已经把我们不会进行反诘的证人名单,通知了我的博学的朋友。

韦伯庭长:谢谢。这位证人是其中之一吗?

诺兰检察官:是的。

韦伯庭长:不必要求他宣誓了。

马蒂斯辩护律师:那么,如果法庭允许的话,我们呈上第 2668 号辩方文件,它是大内义秀的证词。

韦伯庭长:按惯例采纳。

法庭书记官:辩方文件第 2668 号将作为证据,编号为 3394。

(上述文件被标以第 3394 号证据,并作为证据采纳)

马蒂斯辩护律师:我将宣读第 3394 号证据,省略标题,从第二段开始。

(宣读)

从 1937 年 9 月底,我们在吴淞口登陆后,我作为上海派遣军第九师团、第九山地炮兵联队第七炮兵小队的代理队长,参加了在上海和南京地区的战役。当时我的军衔是炮兵少尉。

同年 11 月 3 日左右,在渡过苏州河后,我们联队在上海西部的一个机场附近集结。由于炮击和轰炸,这一地区遭到了严重的破坏。我们联队当时还处于战斗状态,严格地执行了军纪。

在那个集结地区,我们接到了参谋长的指示:"鉴于你联队即将被派往存在外国人权利与利益的地区,每个指挥官都要严格控制自己的部下,努力保持军纪。"

我随后警告了我的部下,以便他们完全理解上述指示,在我的部下中,没有一个人在集结地及周围地区违反军纪。

在集结地区附近的一个村庄里还有几个妇女(我忘了这个村庄的名字了),因此严厉禁止士兵进入这个村庄。

因此,一天晚上,从这个村子里升起了红色和绿色的信号弹,紧接着,敌人的炮弹如雨点一般落在我军的阵地上。

第二天早上,我们对这个村庄进行了彻底的搜查,一个男人也没有找到,据此,我们认为即使是对于妇女,我们也要保持高度警惕。

同年11月14日左右,按照向苏州进军的命令,我们的部队作为一线部队向前推进,在到达苏州之前,我们几乎没有遇到什么抵抗。在前往苏州的路上,两侧的村庄大部分都已经被摧毁了,只有几间房屋还有屋顶,在这些村庄里,也找不到居民。

由于我们的部队是在行军的最前方,我们不可能犯下这种罪行,因此我知道这都是中国军队在开始撤退时进行的破坏。

为了中国人和后续的日本军队,我严禁焚烧房屋和抢劫财物。可能正是由于这条命令,结果是令人满意的,没有出现什么事故。

我们没有遭到任何抵抗就进入了苏州,因此除了空袭造成的少许破坏外,街道没有遭到破坏。

在这个城市里,士兵个人搬动商品的行为是被禁止的,征用的准备工作由行政官员进行。但是由于我们部队在12月17日左右奉命向西前进,所说的征用也没有执行,士兵吃的是用饭盒煮熟的定量配给粮食,所有的士兵都是在这种情况下行军的。

在南京以东30公里的山区,我们遭到了激烈的抵抗。这个地区的中国军队准备充分,进行了顽强的抵抗,这支军队曾经以日本军队作为假想敌进行过特别训练,中国军队从来没有如此顽强地抵抗过我们。

我们的部队继续作为先头部队前进,所有的日军都不得不露宿野外,因为在这一地区可供士兵们住的房屋都被中国军队烧毁了。

这时,我们接到了这样的口头命令:"我们部队前进的目标是南京城墙,至于进入这座城市,你们要等待另外的命令。"

经过一系列的浴血奋战,12月9日黎明时分,我们进入了光华门外的防空学校,我们发现大量的房屋都已经被破坏,以阻止我们的前进。尤其是机场附近的房屋都被烧毁了。

上述破坏肯定是中国军队造成的,因为我们是先头部队,此外没有其他的日本军队。12月9日夜,我们接到命令,说如果在第二天(12月10日)中午前中国军队不投降的话,我们将进攻南京城,同时我们还受到了下列限制和警告:

(1)鉴于南京市是中华民国的首都,虽然可以轰炸城墙上的敌军,但是必须小心不要炮击城内。

(2)尤其小心不要炮击外国的财产以及城内的难民区(我当时有一张南京地图,但是现在没有了,在第一复员局也已经没有了,因为都被一场大火烧毁了)。

按照上述命令,我在炮击的技术问题上绞尽了脑汁,幸运的是,我最终达到了命令中提到的目标。

我们对南京城的进攻在12月10日2:00开始,我们占领了光华门附近的城墙,但是没有得到进城的许可,只有宪兵和一些小部队进了城。

那天，在城墙附近有一个国籍不明、被烧焦的人，他还有微弱的呼吸。看到这种情况，我们的大队长芳贺少佐感到愤怒，给我们下达了严格的命令，要求我们找到肇事者，因此，我停止战斗准备，集合了我的士兵，对他们提出了警告，并调查肇事者，但是在我的部队里没有肇事者。

验尸的医生得出的结论是这具尸体至少是 10 小时之前被烧的——在我们进城之前，肯定是一个日本士兵被中国军队抓住并被烧死了。

我们的部队当晚返回汤水镇。

我们在 12 月 15 日进入南京城，在中国兵营里驻扎了几天，在这里，每个部队都设立岗哨，所有士兵都被禁止外出，因此除了执行公务的军官外，没有一个人外出。我们师团所有的部队都是这样。结果，没有一个士兵因为违法行为而被认定有罪。

我的一位朋友，也是一个军官，告诉我在难民区似乎有很多的难民，但是他们都被宪兵保卫着，即使是军官——就更不要说列兵了——都难以进入难民区。

在我外出执行公务时，我看到大量的中国军用物资被胡乱地丢弃在街道上，但是我没有看到任何火灾，街道也几乎没有遭到破坏。

我在长江岸边看到了一些中国士兵的尸体，但是从来没有看到过遭到大屠杀的受害者的尸体。

我们在 12 月 20 日回到了东部。

宣誓作证者：大内义秀（签名）

9 月 29 日

15. 胁坂次郎（1947 年 11 月 6 日）

（1947 年 11 月 6 日，星期四）

我们下面提供 2627 号辩方文件，这是胁坂次郎的证词，其中要删除部分内容：第1页底部从"我的一个朋友告诉我"这句话到这一段的结束，第4页底部的一段。除这两段以外的部分作为证词提交。按照我的理解，对于这位证人，不会进行反诘。

韦伯庭长：你是说第6段的后半部分吗？"被掩埋的尸体数量"到"先前的战斗"这部分？

马蒂斯辩护律师：第6段的后半部分。

韦伯庭长：按照惯例采纳。

法庭书记官：第2627号辩方文件作为证据被采纳，编号为3395。

（上述文件被标为第3395号辩方证据，并采纳为证据）

马蒂斯辩护律师：我现在开始宣读第3395号证据，省略标题，从第2段开始。

（宣读）

1937年9月，我是第九师团第三十六联队的联队长，当时我的军衔是大佐。我们联队的动员命令是1937年9月20日左右签发的，我在上海派遣军的统辖下参加了在上海和南京地区的战斗。

上海派遣军的司令官是松井将军。

（3）我们刚到达上海，将军的命令就通过上级传达到我这里。将军在所有可能的场合都发出指示，必须严格遵守军纪，必须善待并保护无辜的民众，必须保护外国人的利益。为了使我手下的军官和士兵充分理会这一命令，我做出了努力，以免他们中有人做出纵火、谋杀、抢劫和强奸等恶行。

在日本军队从上海向南京进军的过程中，我的部队一直处于最前沿的位置，我们注意到在我们行军的路线上有不少村庄的房屋被烧毁、破坏或遭到抢劫。当地中国人告诉我们，这些都是中国军队在准备撤退时，按照习惯，为了实行所谓的"坚壁清野"而实施的放火和破坏造成的，以便阻止日本军队的前进。同时，他们还告诉我们，中国士兵和百姓都参与了抢劫，对他们来说，这种事情在战争时期很平常。

就在12月8日4:00，我们的部队占领距南京东南40公里处的淳化镇后就立即对敌人施加压力，连夜行军。12月9日黎明到了光华门的南面的上方镇。当时天漆黑一片，我还未搞清南京城的方位，突然北部两柱烟火升起，直把天空烧得通红。我猜它们是从南京城发出的，就朝着那个目标进发。我的猜想被证明是正确的。在我们占领南京之前的几天里，我们每天都可以看见浓烟从城里升起。当时日军战机的轰炸并不剧烈，我们的炮兵联队根本没有炮击。因此我们断定，这是由中方的"清野"战术或是由于不小心失火所造成的，混乱时期这是经常发生的。至今，日本部队都严格警戒，防止意外的火情。占领南京后，我们的部队忙于灭火，从未有日军纵火的事件发生，我的部队也从未有过意外失火的情况。

12月13日清晨，我的部队占领了光华门。就在城门旁发生了激烈的战斗，结果双方死伤惨重。占领南京后，我的部队立刻就开始救死扶伤，把所有的中国士兵和日本士兵的尸体集中到一处——就在光华门和通济门之间，我的士兵立了一块墓碑，并哀悼这些牺牲者。由我们部队的僧侣为他们吟诵经文，而在他们下葬的时候又为他们彻夜祈祷。

12月15日我在南京城内巡视的时候想看看难民营的真实情况，然而守卫的士兵拒绝了我的请求，并说没有特殊的命令，甚至司令官本人都不得入内。因而我没法视察难民营内部的情况。当时，以及后来我都未听到过日本士兵在难民营中做过非法的事情。

由于想把我们联队的队部设在一所房子里，我们的士兵巡查了这所房子。有一名中尉是我们联队的旗手，当他进入房内想检查里面附带的防空洞时，里面有人持左轮手枪向他射击。之后他告诉我他立刻接受了挑战，用手枪射死了两个中国兵。我立刻下令士兵严防残余的中国兵,不要进入中国民房。

就在我们的部队占领南京不久,一名军需官在执行任务时在路上发现了一只中国妇女的鞋子。他拿着这只鞋子到总部向他的战友展示鞋子上精巧的花纹,被宪兵发现了并向军事法庭呈交一份报告指控他犯了抢劫罪。这名中尉当着我的面,掉了泪,声明他是清白的,我相信他是无辜的,并把实情向上级做了汇报。

我记得这个案子最终证明是个微不足道的一件小事,不足以被起诉。当时在南京的日本宪兵的管理是十分严格的,甚至是对极小的案子都不留情面。

12月18日对死难者进行悼念之后,松井将军就警告我们高级官员一定要严格遵守军纪,弘扬我军的荣誉并竭诚努力促进中日两国的友好关系。

在激烈的南京攻坚战后,我愈发被松井将军的正义感和仁慈所感动。而在以后的进攻、防御行动中,我也总是尽力弘扬这种精神。回国后,我给位于福井县的一座庙——我现在记不起该庙的名字了——捐赠了一座名为观音雕像。此举的目的在于为在战争中死难的中国人和日本人哀悼,愿他们的灵魂得以安息,也为了祈愿东方古国的和平。

我一直在南京待到12月24日。在我的管辖的部队里没有任何违法乱纪的事件发生。南京的居民对日本士兵越来越熟悉。他们有的当厨师,没有人对日本人抱有敌意。南京陷落后,我未曾听到城里、城外有过枪声。假如有人打机关枪,那么肯定会被报告上来,但我没听到机关枪的枪声。

占领南京后,我们的部队担负了防卫嘉定的任务。有一天,大队部的一士兵向油灯加油,因而引发了火灾,总部被烧着了。由于这起意外火情,根据军纪我负有一定的责任。因此我受到斥责,大队长被责令反省,而那个纵火的士兵和警卫队的队长被送入监狱。

根据松井将军的命令,军纪非常严明,没有忽视任何违法的事件。

除了上述的事件之外,我不记得任何非法事件在我管辖的部门发生过。

证人胁坂次郎签名
1947 年 9 月 12 日

16. 西岛刚(1947 年 11 月 6 日)

(1947 年 11 月 6 日,星期四)

马蒂斯辩护律师: 尊敬的法庭,下面我提出辩方证据第 2714 号,我被通知,不进行反诘,因此将不传唤证人。

韦伯庭长: 按惯例采纳。

法庭书记官: 辩方文件第 2714 号将作为证据被采纳,证据号为 3396。

(上述文件被标以第 3396 号证据,并作为证据被采纳。)

马蒂斯辩护律师: 我现在宣读的第 3396 号证据,省略文件的标题,从第二段开始。

(宣读)

大约 1937 年 9 月中旬,我参加了上海派遣军,任十九步兵联队第一大队大队长并参与对南京的占领。当时我的军衔是少佐。1937 年 9 月末,我们在吴淞附近登陆并参与了战斗。11 月中旬,我们听从命令沿苏州方向追击敌军,上级给我们下了严格的命令,除非出于战事需要,否则不能摧毁或焚烧民房。我向我的下属发出了命令并加以监督。

除了铁路沿线及附近地区遭到炸弹的破坏之外,苏州没有任何损伤,有个老百姓告诉我,当地的居民用钱贿赂中国军队不要在城里战斗并撤退,并乞求他们不要毁城和劫掠。

在距无锡东部 1 里(2.5 英里)的地方,也是在城里,中国军队引发了一场战斗,使附近的房屋遭到损毁。战斗结束后,我巡视了全城,发现一座粮仓里的东西都被搬走了。我立刻派士兵在粮仓前驻守,禁止任何非法搬运粮食的行径。向师团经理部汇报过之后,我们把这个地方转交给他们管理。这种处理事件的程序很久以前就是由各个长官下令执行的,我们只是遵照执行,不仅在无锡,在任何地方都是这样做的。

（6）在磨盘山脉和南京交界处爆发了一场激烈的战斗。在日军占领前几乎所有的房子都被烧毁了,抢劫的痕迹也很明显。日军到达那儿时,几乎找不着任何可用的物品。我们只能搭帐篷,有时甚至连帐篷都没有。我们仅靠定量的干粮继续挺进。

（7）在占领南京的过程中,我军的军事行动受到严格的控制,甚至不允许随便利用突然出现的机会。大约12月8日由上级长官发布了更具体的作战指令。根据这项指令,我们的部队奉命在12月10日开始对雨花台进攻,然后于12日下午转向光华门,继而在13日继续进攻。接到攻占南京的消息后,我们只是在城门附近打扫战场,然后在当夜回到了汤水镇。15日我们到达了南京,部署之后,安排士兵驻扎在南京城东南。当时城里几乎所有的房子都完好无损。在日军驻扎地周围,有几处规模不大的火情,但都不是日军所为。在进入南京前后,上级长官已严厉,并多次警告过我们不要纵火,我们的官兵都非常小心。一进南京,我就下令所有官兵除非公干,否则禁止进城,并命令他们尊重并保护外国居民的财产和权益,也不允许他们做出伤害中国老百姓的事情,而应该在执行公务时对中国居民友善。在每个驻扎处,我还安排了一个管理火情的人,并对他进行了严厉的训诫,同时也给他一些预防火灾的指示。这种措施在我们驻扎的每个地方都被严格遵守。

（8）我军进入南京之后,我们随时待命,以便根据上级下达的命令能随时围剿敌军。我们在南京的所作所为如下：

12月13日，我们通过光华门进城，在通济门西部一条南北走向的小溪东部，扫荡了敌军残余部队；然后当夜又向汤水镇进发。

12月14日，我们在汤水镇周围清剿，15日19:00回到南京城。16日，举行了宣布天皇诏书的仪式。因为所有的官兵身上都长了虱子，我们用沸水清洗各自的物品。17日，司令官松井将军胜利进城，官兵们忙于调换营地。18日，举行了对死难者的哀悼仪式，营地的迁移工作仍在继续。19日，举行联队里的哀悼活动。20日，官兵护送司令官巡视阵地和医院。21日和22日，清理雨花台战场并搜寻失踪的士兵。23日准备返程。24日，我们离开南京到了昆山。除了上面提到的日常琐事外，我们还忙于处理各种各样关于战事的报告、对死难者亲人的告慰、发放补贴、士兵的存款、和家人的互通信件，以及远离家乡几个月的士兵们的收发包裹等。这些事情都占用我们很多时间，让我们无暇休息。

（9）当我们在南京驻扎后，出入各个驻扎地都受到严格监管。我也接到上级的指示，培训哨兵如何盘问人，以便他们可避免由于言语不通而给守法的当地人带来的麻烦。我按照命令严格执行。没有违反上级命令进行抢劫和施暴，更不要说松井将军本人了。恰恰相反，12月19日松井将军命令我们——22日联队长也发布同样的命令——要善待中国老百姓，使他们能建立起对日军的信任。

（10）12月19日我骑马视察——从中山路到下关进行巡视，未发现有任何房屋遭到破坏。在我们进入南京之前，关于日军对南京造成大肆屠杀的谣言就已经满天飞了。但事实上，我能肯定这不是真的。在下关我也没有发现任何中国人的尸体。12月24日我的部队撤到东部，1月9日到达昆山，接到驻防在那里的命令。

（11）在昆山驻防期间，一批美国的传教士和医务人员来视察那里的教堂和医院。发现当地的教堂和医院情况良好——仅受到很小的破坏，他们非常高兴，并委托我们管辖。和他们吃了一顿饭之后,我们又合影留念,然后才分别。我也在苏州驻防了一个月,那里所有的房屋都和原来一样没有改变。街道整洁,商业兴隆。日军没有犯下任何罪行,我们和当地的居民和睦相处。日军的娱乐活动很丰富,也没有任何不正常的事件发生。

由证人西岛刚签名
1947 年 10 月 8 日

17. 木户幸一(1947 年 10 月 21~22 日)

(1947 年 10 月 21~22 日,星期二~三)

交 叉 询 问

(由季南检察长提问)

问:难道你不认为关东军对那些反战的内阁成员们来说,是一个相当危险的温床吗?

答:我不大清楚你的问题是什么意思,不过,在满洲事变、中国事变以及你刚才讲话的各个不同时期,关东军的组成差别是很大的。

问:近卫内阁,近卫第一次内阁,辞职或垮台了——不问这个问题了。

你是否认识今村均少将?

答:我不认识他。

问:你不记得吗,他曾是关东军参谋副长?

答:我不认识。

问:那富永恭次大佐呢?

答:我也不认识他。

问:第一次近卫内阁倒台的时候,板垣在下届内阁中留任陆相,而你也成了下届内阁的内务大臣。是这样吗?

答:是的。

问:木户先生,你是否赞成 1938 年和 1939 年间与德国结成的军事同盟？

答：我不赞成这个同盟。

问：我没听清楚你的回答。

译员："我不赞成这个同盟。"

问：你能否简单地告诉我们，在你看来第一次近卫内阁倒台的原因是什么？

答：近卫已经说过，他要辞职是因为他所有的政策都陷入僵局，一点好转的迹象也没有。12月17日，当他遇见我的时候，他告诉我说，现在甚至正在酝酿扩大与德国签订的"反第三国际协定"，把共同抵御英国和法国的内容加进去了。如果这样的事情出现的话，他就觉得他做的其他任何事情都毫无用处了，到那时他想——想辞职，这就是他辞职的理由之一。我赞同近卫首相告诉我的这些理由，于是我们开始采取行动促使内阁辞职。

问：虽然近卫辞职了，而你却留在新内阁中。是这样吗？

答：近卫也进入了平沼内阁，出任无所任大臣。

问：是这样的。但你一直留在平沼内阁中，是吗？

答：没错。

问：那段时间对三方协议，即所谓与德国、意大利之间的军事同盟问题继续进行过讨论和研究，是吗？

答：没错。

问：并且你继续反对这个同盟，我说的对吗？

答：对这个问题，有必要作点解释。

问：除非有必要，我更愿意你另找时间给予解释。我首先想知道的是，当你成为平沼内阁的一名阁员时，你是否继续反对与德国的军事同盟。对我来说，一般可以回答"是"或"否"。如果不能这么回答，请给出理由。

答：我自己是继续反对这个同盟，但这个问题在五相会议上作了一番彻底的审查。就在3月份，我从外相那里听到审查的进展情况，我感到事实上——说真的,要想反对这一拟议中的方案是很困难的。我想既然难以反对这个方案,那我只好表示赞同,条件是这份与德国拟议中的协定仅仅涉及如何强化"反第三国际协定",而不会激怒英国和美国。果若这样,我不会反对该方案。这就是我当时所采取的态度。

问:那好,我现在提请你注意第 2269 号证词,它非常简洁,只有 6 行,我念给你听:

"13:30,我与平沼首相协商军事同盟一事,我强调指出,万一它以失败告终,就会给国内形势带来危险的后果,而且对中国事变的解决带来致命的不利影响。我请求他竭尽全力。"木户先生,假定你当时试图记下你的真实感受,这段话也是你跟平沼首相说的原话,那它到底是彻头彻尾的假话还是真话?

答:我记下来的东西当然不是为了留下一个错误的印象,不过,这段摘要太短了。诚如我刚才向你解释过的,我的真实感受是以不激怒或引起英国和美国疑心的方式签订"反第三国际协定"。而且,我还说我希望首相还要在这方面加以继续努力。

问:你曾说过,万一没能达成军事同盟,将会给国内形势造成危险的后果。显然,你指的是与德国和意大利的军事同盟,不是吗?

答:是这样的。

问:而且你还说过,万一没能达成军事同盟将对中国事变的解决带来致命的不利影响。你是这个意思吧?

答:是的,就是这个意思。

问:这两个结论是真实的,它们不需要其他条件,是吗?

答:当然是这样。如果我开始解释的话,那就没个完。但我没有写是——我写的都是事实。如果我想解释,我认为我能够解释,但我认为我所说的是真的。

韦伯庭长:法庭休庭至明天上午 9:30。

(从 16:00 开始休庭直到 1947 年 10 月 22 日,星期三上午 9:30)

1947年10月22日，星期三
日本东京都旧陆军省大楼内远东国际军事法庭

（9:30复庭）

出庭人员：

法官方面，除来自印度的法官帕尔阁下在9:30至16:00没有出席外，其余所有法官均就座。

检方出庭人员照旧。

辩方出庭人员照旧。

（英译日、日译英工作由远东国际军事法庭语言组负责）

法庭执行官：远东国际军事法庭现在开庭。

韦伯庭长：除白鸟和平沼骐一郎外，所有被告均到庭。巢鸭监狱医生证实，他们两个人都因病今天不能出庭受审。这份证明将会记录在案。

检察长先生。

（被告木户重新回到证人席，并通过日语译员作证如下）

交叉询问

（由季南检察长提问）

问：木户先生，作为国务大臣或内阁长官，你通常出席国会会议吧？

答：是的。

季南检察长：我请求给证人递上第3198B号国际检察局的文件。请连同日文译本一道交给他。

（给证人递上一份文件）

庭长先生，我想解释一下，这次我们将要向他们正式提交一些文件。我们今天而不是昨天将这些文件提供出来是出于语言方面的原因，我们希望译文更通顺一些。

证人：我已经看到了这份文件。

问：你记得外相广田在国会上发表这个讲话是在1938年2月18

日星期五吗？抱歉，是 16 日；18 日登记在案。

答：我记不起来了。

季南检察长：书记官先生，请把国际检察局的第 3198B 号原文给他，不是日文译本。

（文件交到证人手中）

答：（继续）我明白日期是 2 月 18 日。我从来没有看到过这份英文报纸，能否请人帮我找一下这篇特别的文章在哪？哦，我找到了。

问：你看到它是英文——《日本时代邮报》上的英文讲话，你已经核实过其日文翻译吗？

答：总的来说，摆在我面前的这两份东西，一份文件和一篇报纸文章似乎是一样的。尽管报纸本身表明了在什么地方进行的提问，但这份文件中却看不出来。根据我面前的报纸上这篇文章来看，提问或质问是发生在预算委员会的一次会议上。

问：那么，不管是在国会会议，还是在预算会议上展开质询的，你都在场，是吗？

答：我想我在场，因为在随后的辩论中，有一份答复意见是我提的。无论如何，在预算委员会开会期间，根据议程安排，教育大臣有时出席、有时不出席；他们并非总是要出席。2 月份，教育大臣总是很忙碌，他不得不既要出席贵族院会议还要出席众议院会议。有这个原因，我记不起来，说不清是否参加过大藏男爵的提问，由外相广田回答的那次特别会议；换句话说，我不能肯定地指出在问这个问题时我是否确实在场。

问：木户先生，我提请你注意，在这份报纸有一篇讲话显示："大藏男爵指出最近外国报纸发表了某种诽谤上海和南京日军的文章，（他）还注意到日本人的优越感没有给外国人留下好印象。"我想你的英语水平足以读懂这段话。你记得是否听到过这个陈述？

答：你刚才描述的事情我毫无印象。我第一次听到这件事是我刚才在这里读这篇文章的时候。

问：当我们说到这一话题的时候，我要非常简短地提一下，木户先生，你的爱好或者说你的爱好之一是阅读，难道不是这样吗？在战争期间，你读过英国政治人物的传记和文学著作，你还读过英译本巴尔扎克和托尔斯泰的作品，这难道不是真的吗？

答：是的，我阅读广泛。

问：问题是，你阅读英译法文书籍，你把用英语阅读它们当成一种嗜好。你用英语阅读它们，难道不是这样吗？

答：是这样。我看这些书籍的英文版。我看英文版而不是日文版，因为英译版能更好地表达作者在书中所包含的情感。

问：木户先生，我只是指出你的英语水平，仅此而已。

你在国会究竟听没听到过什么议论，或者说南京的日军在南京地区干了些什么遭人诽谤的事？

答：我不记得。

问：现在让我们再次回到国际检察局的第3198B号文件上来，这是一篇发表在1938年2月18日星期五《日本时代邮报》上的文章。我问你，看过这篇文章之后，你能否想起广田在日本国会或预算会议上，或其他什么地方对这篇文章中所阐明的内容做出什么样的评论？

答：即便我看过这篇文章，我也回忆不起来。不过，从这篇文章我可以推断，大藏男爵向我提问，我就作了回答。我现在想不起来那个特定的问题和回答，可能是在我回答完质询后，我就立即离开了这个特别会议，转而赶去参加另一个委员会会议，不在场了。

问：不过，我提请你注意广田外相发言的内容，我引用一段："在事变早期，帝国政府采取的是尽量就地解决事端，阻止事态扩大的政策。"我强调这一点是让你仔细考虑："由于谈判进行得不顺利，遂决定向中国派出惩罚性的派遣军。"你想起来了吗？你听说过广田在国会的这篇讲话吗？它登在东京的报纸上。

答：我前面已经说过，我相信我没有参加这次特别会议。

问：但是，木户先生，我猜想你会赞同这种看法：即便你不在举行会议的会议室现场，你也能听到对你来说是重要的那些事情；难道不是这样吗？

答：各有分工的政府大臣们对于预算会议和国会其他委员会会议上的各种提问并不熟悉，因为在国会开会期间，所有的大臣们都异常忙碌。

问：但是，木户先生，广田外相的上述有关中国的讲话事关重大，而且正如你在宣誓证词中告诉法庭的那样，你加入这届内阁的主要目的是设法尽你所能在4个月之内解决中国问题；难道不是吗？

洛根辩护律师：如果法庭同意，我反对这个提问。它只能引起争议。

韦伯庭长：检察长先生，你想与他争论吗？

季南检察长：庭长先生，我不想。

韦伯庭长：可以向他指出这些情况来，我们还可以从他的回答中确定是相信他还是不相信他。允许提问。

答：正如我先前已经说过的，我现在想不起来我当时是否参加过预算委员会的这次特别会议。当时的习惯做法是，各个大臣在回答完质询后就立即从一个委员会会议赶往另一个。因此我确信没有听到这个质询，当然也就没有回答。我不记得曾经听说过这份文件中所说的那些话。

韦伯庭长：你先前曾非常清楚地表明了这一点，但是现在要提醒你的是，广田外相发表过一次重要的声明，不管你当时在哪个部供职，你都必定知道。

答：（继续）这不是外相的正式声明或公开宣称。这只是在国会预算委员会会议期间对议员质询所作的答复而已。

韦伯庭长：这是否足以表示这份证明不重要或重要性不够？

证人：这不是这份声明重要与否的问题。我的意思是说在当时的情况下，我碰巧没有机会去听这次特别会议。

问：那么，木户先生，我明白你的意思，你是说就算广田外相在国会发表过这种声明，你也从未听说过，直到现在。是这样吗？

答：我已经说过，我什么都想不起来了。今天在这里我才第一次看到这篇声明。

问：够了。木户先生，现在我来问你，"由于谈判不能顺利地进行，遂决定向中国派出惩罚性的派遣军"这句话究竟是真实的还是不真实的？

答：我从未想过惩罚性军队的问题。手头的这篇文章是由报纸提供的一份摘要性报告，并不是国会正式的会议记录。看来是由报纸写的一篇摘要。因此，我不知道广田外相在国会是否确实使用过这个词，以我的身份，我也无法对他是否说过进行判断。

问：你显然误解我的问题，我是问你广田讲话的真实性如何，而不管这话是否是他说的。我还要明确地向你提出这个问题，事情真相如何？由于谈判进行得不顺利，大约在我们说到的那一时间决定派遣日军讨伐中国，真的是这样吗？真相是什么？

答：我知道不曾有过派出惩罚性派遣军之事。

问：顺便说一句，《日本时代邮报》是一份报纸。难道不承认它是我们讨论的那一时期的一种值得信赖的、可靠的出版物吗？

答：那段日子里我不看英文报纸，因此我也不知道这份报纸究竟在多大程度上是可靠的。

问：我是问你它在日本大体上的声誉怎么样。它是否被誉为值得信赖的、可靠的？你的看法如何？

答：我认为我最好说不知道。

问：行，你说不说都随你。我想知道、想搞清事实真相。因为你一直被认为是适合坐在证人席上，如果你知道，你愿意讲出实情的话，木户先生，我想问你，如果——

答：很多年以前我就知道《日本时报》的存在，但自从它与《邮报》合并之后，对它的特点和性质我就不了解。我要告诉你的就这些。

问：如果作过"决定向中国派出惩罚性的日本派遣军"的报道，但这个声明是不真实的，如果任何报纸当时胆敢在东京印发此种报道的话，你不认为它会受到某种形式的严厉斥责吗？如果法庭允许，现在检方提交国际检察局第 3198B 号文件作为反诘这位证人的部分证据，我过去指的文件就是它。

韦伯庭长：我没有听到对最后一个问题的回答。我不知道是否要求他必须回答这个问题。显然他没有回答。

答：我想我已经回答过那个问题了。

季南检察长：速记员，麻烦你向法庭宣读一下，把他的回答告诉我们好吗？

（由法庭书记官宣读提问）

答：我还没有回答那个问题。

问：请回答。

答：我不明白，在这件事上你所说的严厉谴责会来自何方。

韦伯庭长：洛根辩护人。

洛根辩护律师：如果法庭允许，本人反对现在引入检方第 3198B 号证据，理由如下：① 这份证据是在为被告辩护而提交上来的。在开庭前有证据显示这份文件（检方）能够得到，而且检方本不会把它作为自己的证据。

韦伯庭长：鉴于早先做出的决定，这个借口不能成立。

洛根辩护律师：② 这仅仅只是一个新闻报道。它算不上最有力的证据。检方没有提供证据证明会议记录本身无法得到，因而无法作为证据提交，而它们则是最有效的证据。③ 我看不出这份文件有任何地方以任何形式，让人对被告所说的任何事情产生怀疑。④ 它是一份文件摘要。根据 6-B 规则，辩方应该但没有得到任何提醒。我们不知道在那份原始文件中或报纸上还有哪些其他内容,这些内容可能是木户所说的话,或可能对木户有利,他可以用它们作为自己的证据。因此我们无法核对文件,也不能在提交证据时,呈送有利于木户的摘要。此外,我不明白为什么这件针对广田的事,被用来对付木户,为什么在审广田时不拿这件事去问他?至少在本案中起诉方出示这类证据,只会乱糟糟地堆满庭审记录,我只能说这是不公正的。最后,这位证人并没有说它(报纸报道)就是广田的声明。大概广田的律师也想就此讲几句话。

韦伯庭长:根据多数法官的裁决,反对无效。这份文件按惯例被采纳为证据。

山冈辩护律师:作为被告广田的代理人,我也想提请法庭注意,如果法庭同意,我现在反对将这份文件采纳为证据,因为他的案子已经审理结束了。更何况法庭上的这位证人根本就不认可这份文件。事实上,他不承认记得起任何相关的事情。再则,我恭敬地向阁下提出,广田的案子了结之后,如果这类证据一次又一次地被采纳的话,我们只得被迫在后期重新审理以应对这些新问题。我郑重地提出,对所有被告来说,制定一个适当的司法程序来解决审判过程中出现的这类问题是一件非常重要的事情。

韦伯庭长:多数法官采纳这份文件作为对被告木户的起诉证据。至于广田,我们将会重新考虑他们的意见。迄今我们采用的是这样的规则:除非证人承认这份文件,否则文件将不会被采纳为证据。这件事有违这条规则。我想我们应该休庭来考虑这一立场。

洛根辩护律师:如果法庭允许,因为你们打算休庭,法庭能否同意我说句话?我们辩护律师一直在讨论这个问题,我们认为它不公正。举例来说,木户先生现在坐在证人席上。在今后的审理中,在提交其他被告的证据时,如果其中有一份被认定是木户的声明,那我们必须把他传回到证人席上就此进行问讯。而现在却不让我们这么做。

韦伯庭长：首席检察官先生。

季南检察长：庭长先生,请允许我以极大的敬意提请法庭注意。如果法庭准备休庭来考虑这一问题,检方可以阐述自己的有关文件应该如何被法庭采纳的理论吗？

韦伯庭长：我们从未拒绝听取你的意见。首席检察官先生,如果你希望讲给我们听的话,我们打算听取你的意见。

季南检察长：我的意见非常简短。首先,基于显而易见的原因,作为首席检察官,我已经在某种意义上同意不提交该文件,但我不得不附上保留意见,我们不能就这个问题讯问广田。其次,如果文件本身重要的话,木户的辩护律师说文件只不过是份摘要,那就是他错了,因为报纸文章上讨论的那部分内容完全包括在这份文件内。从这个意义上来说,它不是一份摘要。

而且,庭长先生,文件的提交是作为对被告木户反诘的一部分,正如我所阐述的那样。庭长先生,我们有各种不同的习惯,我们了解我们各自不同国家的法庭。在我们的法庭上——如果这个令人尊敬的法庭感兴趣的话——我们的确会采纳那些指控某些被告,却不针对同案中的其他人的文件作为证据,即便问题是由外行的陪审团而非法庭来裁定时也是如此。庭长先生,在未解决期间及解决这一问题的过程中,它是可以作为所称的共谋嫌犯的声明加以采纳的。总之,庭长先生,现在讨论的是文件能否被采纳的问题,而非提交文件的时机是否合适的问题。

至于木户之外的其他被告,我的确感到这一观点是有道理的,即在目前阶段,法庭考虑采纳针对其他被告的文件是有违公正原则的。庭长先生,在任何一个法庭的审理过程中,在很大程度上,这都由法庭的自由裁量权来决定。因此,特别是考虑到这个令人尊敬的、精通法律的法庭被赋予了广泛权力和自由裁量权,我觉得我不在意、不希望表达我的观点，因为这件事在法庭的自由裁量权的范围之内，涉及到对宪章的解读，完全是法庭自己的事。我认为我不需要向法庭说明检方在向法庭提供证据方面遇到的明显困难，这一案件涉及的时间跨度很长，在此期间，没有一个机构对政府或社会加以保护，而同时对付被我们指控为犯罪的策划者。［参阅本卷第一部分季南检察长的演讲——编者注］

最后，庭长先生，关于公平，我确实要提点建议。毕竟这只涉及一个相当简单的问题，不管日本外相是否发表过那篇声明，该声明以被引用的形式出现在一家著名报纸上，这对日本来说是一个重要的事情，对这名被告而言尤其重要。假如被告广田或其他被告希望证明自己没有讲过这种话，或者希望反驳我们提出的任何证据的话，肯定会有很多机会。对于在此次审判中一直明显地持有公正态度的这个法庭来说，只要任何一名被告提出请求，它不会不给予申辩机会。对此我毫不怀疑。

洛根辩护律师：如果法庭允许，我可以简短地回答几句吗？

季南检察长：庭长先生，我请求遵守法庭规则，这是本法庭一直严格遵循的规则，一个律师只能对一个问题发表一次看法，唯有如此才能使案件取得进展。

韦伯庭长：首席检察官先生，作为回答，我们拒绝听取你的意见。但法庭是否想听取对这个问题的进一步争论要由本法庭来决定。本法庭多数人希望听听你的看法，洛根辩护人。

洛根辩护律师：考虑到没有出席本庭律师的人数，我认为这很重要，我只想说几句。检方已停止了对案件的举证，即他们停止举证。我知道，在美国，一旦检方停止举证，没有一个法庭会允许检方在辩方陈述期间提出书面证据，除非是在对被告抗辩回答的时候。只有以下两种情况下才允许回答或反证：一是为了怀疑或反驳辩方陈述期间出现的新问题。在这方面法律是非常明确的。根据法律规定，起诉人在提交证据阶段必须出示全部证据。辩方必须知道自己需要应对的证据，从而准备和陈述自己的理由。正如第 13222 号联邦案例（Spear 起诉 Attott 的案例）所陈述的那样："让一方当事人向对方表明态度，防止割裂他的证据，防止记住一部分作为回答的内容，如果有欺骗诡计的话，不让其得逞。这样的证据才能让辩方信服，并使辩方做好准备。"

韦伯庭长：洛根辩护人，到庭的有 11 个国家的法官，每个人对这件事都有不同的看法。不同的国家对这种事也存在不同的规定。

洛根辩护律师：那就让我们根据实际情况对这件案子加以处理吧。如果木户现在出庭作证，在之后的梅津或东条或其他什么人作陈述期间，检方提出一份据称是由木户的讲话，而他却不能出庭加以否认，这将是对法律多大的嘲弄。法庭裁决将他排除在外。

韦伯庭长：洛根辩护人，你是在假设我们会出于某种目的而采取一种严厉的专业态度。宪章要求进行公正的审判。在宪章之下，我们不会被任何技术规则所束缚，不仅仅是证据方面，还有程序上的。任一个特定国家法庭中所适用的法律规则，如果事关公正审判，本法庭肯定会不予采纳。

洛根辩护律师：我赞同这一点。

韦伯庭长：不过，我们中的每个人要下决心弄清哪些对公正审判来说是必需的，此举也许不会忽视他自己国家法庭的那些与此目的直接相关的规章。

洛根辩护律师：我赞赏这一点，但我想指出的是，检方拟定采用的方法将会导致一场不公正的审判。

韦伯庭长：防止不公正的审判是我们的职责。

洛根辩护律师：对本法庭而言，避免不公正审判的办法之一就是阻止检方在提交这些被告的证据时积累成有罪诉讼。

韦伯庭长：这么做有拖延审判的倾向，不过我不敢说这是否会导致一场不公正的审判。

洛根辩护律师：如果法庭允许，有关这份用来针对木户的文件，我还要指出的是他还没有认定这是广田的讲话。他说他不在场。在堀内作证过程中，法庭坚持拒绝采纳检方提供的文件。

韦伯庭长：我今天上午讲话时注意到了这个问题。

洛根辩护律师：如果检方在庭审快要结束时，继续用新文件增加他们的证据，这些文件在他们陈述证据时就有，但在当时他们却没有提交，这样这一案件的审理就永远也不会结束。

季南检察长：庭长先生，我不想再争论这个问题。但我想指出两点：第一，我们认为洛根辩护人对美国规则的说法不正确。众所周知，在所有刑事起诉中，公诉方在辩方对各种证人反诘时，可以不断补充证据。

韦伯庭长：休息 15 分钟。

（从 10:45 休息到 11:20，之后庭审继续）

法庭执行官：远东国际军事法庭现在复庭。

韦伯庭长：法庭多数法官做出以下决定：在反诘过程中，如果某份文件递交给证人，而他也承认这是他的文件，而且它与本案有关且具体；或者，在反诘过程中，如果某份不属于证人的文件递交给证人，而他也承认文件内容的真实性，那么这份文件可以由反诘的律师提交，它也将会作为证据被采纳。

这个针对从 1938 年 2 月 18 日星期五《日本时代邮报》上摘录的那篇文章被撤销，这份文件被拒绝。换句话说，在目前阶段它被拒绝。

法庭同时要辩方相信，如果在对被告或其他证人进行交叉询问的过程中，一些新的问题不利于某个已经结案的被告，本法庭将考虑该被告律师有关提请采纳更多反驳证据的申请。

首席检察官先生。

（由季南检察长继续提问）

问：你是否记得被告广田 1938 年 2 月 16 日的陈述是在国会，还是在国会的某个分支机构中作的？

答：我不记得。

问：那好，我刚才甚至连陈述内容是什么都还没有告诉你。在你否认之前我先把问题问完。我提问中引证的那段话为："无论如何，帝国政府从来没有与蒋（介石）政权谋求妥协的意图。"

答：我不记得。

问：那么你否认他在你也出席的那次国会会议上作过这一声明？

答：我不记得广田外相曾在我也出席的一次会议上发表过声明。也就是说，我不记得广田外相在一次我也参加的会议上作过这样的陈述。

问：如果有这个声明，正如我暗示的那样，那它会与事实相符吗？

答：我不能肯定地相信它。

问：你知道井田磐楠是谁吗？

答：知道。

问：他是个什么人，简单讲一下。

答：他是贵族院的一名成员。

问：1938年1月14日，井田磐楠在贵族院的一次会议上严厉攻击了帝国大学。你记得这件事吗？

答：记得。

问：他是个有名的右翼分子，是吗？

答：是的。

问：作为文部大臣，你当时对他的这次攻击给予回应，或评价了吗？你赞同他的这些怨言吗？

答：我当时对他的质问做了答复，但并不完全赞同他的意见。

问：你记不记得，1938年1月15日原田男爵跟你说过，你在贵族院的答询会对你的今后产生不利的影响，他对你行事的方式表示担心？

答：是 1 月 15 日那天吗？

问：是的，1938 年的 1 月 15 日。

答：我想那天，也就是 1 月 15 日，我并没有对井田进行答复。国会再次开会是在 1 月 21 日。无论如何，我一点也不记得原田曾给我说过那件事。

问：你曾回答他道，你的回答有许多幕后原因；文部省必须对帝国大学进行改革。你记得这些吗？

答：我一点也不记得曾向原田说过这件事。

问：你是否记得，大约在 1938 年 1 月 18 日，原田警告过你，如果你不按右翼分子的要求不卷入此事的话，你将会失去知识分子的信任？如果法庭同意，我这里有相关材料，原田日记第 2035 页。

答：我对此毫无记忆。

问：那种话是你的老朋友原田男爵说的，如果确实说过这话，那应该会给你留下印象——深刻的印象，怎么会没有印象呢？

答：原田和我经常见面，我们会纵情地谈论各种不同的话题。但我一点不记得曾与他说过任何严肃的事情，如果有，我应该会有印象的。

问：在为自己作辩护的准备过程中，你是否查看过原田 1938 年 1 月 14 日那天的日记？

答：没有。

问：你与原田的讨论究竟是在哪一天可能存在疑问，不知到底是 1 月还是 2 月。如果不考虑具体是哪一天，是 1 月还是 2 月，那你会改变你的回答吗？

答：我的回答没有改变。

问：你是否记得，1938 年 2 月 26 日后不久的某天，你曾告诉原田"国家总动员法案"和"电力法案"遇到了许多困难？

答：我不记得。

问：那好，你是否记得 1938 年 2 月下旬有一项关于"国家总动员法案"的立法？

答：记得，是有这样一项法案。

问：你与该法案有关吗？你是否努力让该法案通过、生效呢？

答：我没有特别的记忆。我不是直接负责这类事务的职能大臣。

问：那么，就你回忆，你对法庭的回答是你与该法案生效一点关系也没有？

答：嗯，我的脑海对此一片空白。我毫无记忆。

问：你记得该法案本身大体的性质吗？第84号证据内有该法案。

答：是的，记得个大概。

问：它是当时的集权政府向用武力征服别国的方向发展，迈出的决定性的一步，不是这样吗？

答：这部法律一点也没有把集权主义的特性联系起来加以考虑。

问：作为当时的一名内阁大臣，你对这部法律的条文很熟悉吗？

答：不，具体内容我不熟悉。

问：对该项法律的主要部分呢？我相信它在第84号证据的第25页。

你使用了"具体内容"一词。你知道该项法律有什么规定吗——它的核心内容是什么？

答：是的，我知道个大概。

问：你能根据自己的回忆简要地告诉我们这是一项怎样的法律吗？

答：这项法律的目的在于动员全国的全部力量，充分发挥其效率。并且，为达此目的还要制定和贯彻一些相应的辅助法律。就此而论，"国家总动员法"是一个基本法。

问：动员起来干什么？

答：制定这项法律考虑到中国事变的存在，对在必要时提高产量做出了规定；不仅是在提高产量方面，而且对其他与中国事变相关的重要事项上也做出了规定。

问：对这项法律，你是支持、反对还是漠不关心？

答：对这项法案，我投了赞成票，因为它是由内阁决定的。

语言监督官：由于它是由内阁决定的，形式上等同于我也支持它。

答：（继续）不过，我确实对该项法案过多依赖天皇训令这一点，表达了自己的不同意见。

语言监督官：天皇训令可以决定的事情过多。

答：（继续）这个问题在国会中也引起了极大的争论。不过，最终这项法律还是在国会获得通过，条件是在国会成立一个由多名国会代表组成的总动员协商会议，允许他们参与协商与该法律有关的问题。

问：在国会公开会议上，你留下了自己的反对意见吗？

答：是的，当时我在内阁决定该项法案的会议上说出了我的反对意见。

语言监督官：请删去"是的"。

问：但你没有在国会会议上说出反对意见，或者说任何地方都没有留下你的意见，我这样认为对吗？

答：不对。

问：你还记得在自己日记的某处是否记下你对这个重要法案的反对意见？

答：我想我没有把它写入日记。

问：大藏男爵在一次讲话中指出，"最近外国报纸发表了某种诽谤上海南京一带日军的文章。"我想针对这个讲话我已经向你提问过了。

季南检察长：可以给证人国际检察局第 3198A 号文件吗？

（一份文件送到证人手中。）

洛根辩护律师：为了节省时间，如果法庭同意，对于公诉方打算向证人提供这份已经交到他手中的文件，我们对此不加反对。

问：把这个问题说完："——并且注意到日本人的优越感总给外国

人造成不太好的印象。"

季南检察长：考虑到辩护律师的建议，我们拟提交第 3198A 号文件作为证据，而且我们要求把证人正在检查的那一卷标上记号以资验证。

法庭书记官：《日本时代邮报》1938 年 1、2 月卷，将作为第 3342 号证据采纳，仅供验证。

（上述文件被标以检方证据第 3342 号，以供验证）

韦伯庭长：该文章的摘要按惯例采纳。

法庭书记官：该文章的摘要，即公诉方文件第 3198A 号，被纳入第 3342A 号证据。

（上述文件被标以第 3342A 号检方文件，作为证据被采纳）

问：木户先生，你的律师曾建议允许将该文件当作证据，你的面前现在就有这份文件。这能让你回忆起你确实听说过男爵所作的评论，即他指出的"最近在外国报纸上发表了某种诽谤上海南京一带日军的文章"吗？

答：正如我先前说过一两次的那样，我不知道这件事——不记得这件事，在我看过这份报纸之前，我不知道这件事。

问：那么，既然你已经看过这篇文章，那你是否知道这段话是大藏男爵讲的——既然你知道这段话是以提问的形式向你提出的，如果真是这样，那么，哪份文件表明你回答过了？

答：是的，这就是这份文件为何出现在这里的原因。

问：男爵说过这句话，而且你的律师同意列为证据的这份文件表明，这句话说给你听过，而你也作出过回答。尽管你已经注意到了这个事实，但我还是想从你这里得到答案。现在，这能让你想起来这段话是当时有你在场的时候说的了吗？

答：我想不起来，这份文件中所采用的这种说法，不知道是不是当时回答提问时的那种说法。不过，现在我看过报纸后发现，考虑到这份报告出现在报纸上这一情况，我必定是曾经作出过如报纸上所说的这种答复。

问：如果你答复过，那么你必定实际上听到了问你的这个问题，或者听到了大藏男爵的意见，你才会回答，你不这样认为吗？

答：我也这么想。

季南检察长：如果法庭允许，我将宣读第3342A号书面证词。

（宣读）

摘自《日本时代邮报》1938年2月18日，星期五。国会会议记录。

2月16日，上院：

上午10:17，贵族院举行了一次预算委员会全体会议。由大藏男爵进行质询，敦促必须进一步发扬强者保护弱者的日本精神。男爵指出，最近外国报纸发表了某种诽谤上海南京一带日军的文章，并且评论说日本人的优越感总给外国人造成不太好的印象。为了纠正这种状况，男爵敦促政府的教育政策必须进行改革，从小学到中等教育机构都要加强日本精神的教育。

文部大臣木户答复道，可能是有一些日本国民对中国人表现出一种错误的优越感。这种错误必须加以纠正。文部大臣还补充道，由于教育上同样也存在这种错误，因此有必要对教育制度加以改革。

韦伯庭长：是你的回答吗？

证人：尽管看过报纸后我第一次得知这事，但我想是有过这种质询和回答。

韦伯庭长：休庭到13:30。

（从12:00开始休息）

下　午　庭　审

（法庭在 13：30 复庭）

法庭执行官：远东国际军事法庭现在开会。

韦伯庭长：克拉夫特上尉。

语言仲裁官（克拉夫特上尉）：如果法庭同意，我们将提交 1947 年 10 月 17 日庭审记录稿英译本的几处错误：第 3125 页第 24 行，删除"Enbloc"，代之以"and plots"；第 31236 页第 2 行，删除"blocs"，代之以"plots"；第 31236 页第 8 行，删除"blocs"，代之以"plots"；第 31246 页第 12 行，删除"direction"，代之以"direct"。

韦伯庭长：谢谢你。

检察长先生。

（被告木户幸一重新入席，并通过日语译员作证如下）

交　叉　询　问

（由季南检察长继续提问）

问：当谈及诽谤污蔑日军行为的言论的时候，你为什么不直接问，说这些话的人究竟指的是什么，反而那样去回答这个问题？

答：我不记得是否问过他这个问题。

问：如果你问过的话，那记录中怎么没有材料证明这一点，不是吗？

答：今天早上交给我的新闻报道并不是庭审记录中的那种问答形式，不过包含所问问题以及回答情况的梗概。这就是为什么我说我不知道当时使用何种词语的原因所在。当时是否用过这些词语我都不知道。

问：你曾公开声称，你加入这届内阁的主要目的是为了在中国实现和平。既然你特别关心这一点，那你对贵族院发表的任何有关诽谤上海、南京日本驻军的讲话难道一点都不加关注吗？

答：正如我前面已经说过一两次的那样，我第一次知道你提出的这个问题是在今天上午看到这份新闻报道的时候。正因为如此，我不记得别人问我什么、我是如何回答的,如果我回答过的话。

问:我不想接受你的这个解释,我还要继续追问你这个问题。如果你听说了对驻南京日军行为的诽谤性言辞,以你对实现和平的高度关注来看,这难道还不足以重要到促使你对此进行追究,去了解上院议员到底在谈论什么事情吗?

答:我只是在今天上午才首次看到这篇文章,我记不清,我可能出错——在对你的这个问题作答时可能我出了一点错。但是,据我回忆,大藏男爵在贵族院的这个提问,我想起来它与日军的行为无关,而是有关在华日本侨民优越感问题的。

问:我提醒你,如果你不是十分清楚大藏男爵当时所说的"后来外国报纸上发表了某种诽谤驻上海、南京日军的文章"指的是什么——如果你不是十分清楚他说的是什么的话,那你就应该明确地向他追问一下"你在说什么?"

答:当时我不清楚日军干了些什么。我只知道日本人对中国人容易生出一种优越感来,看不起中国人,我正是针对这个问题作了回答。

问:你知道南京这座城市,它是中国的首都,在几个星期之内日军以大规模的军事行动将其夺取并占领,这你不知道吗?

答:不,我知道。

问:木户先生,你当时应该很清楚日军针对成千上万的中国无辜平民的残暴行径,鉴于日军行为的恐怖和不可饶恕性质,你和本军事法庭的其他被告一直合谋缄默不语,拒绝承认知道任何情况。这难道不是事实吗?

答:不,完全不是这样。我们从未被告知过这一事件。

问:难道不正是使用的这个措辞和你的说明——我指的是使用"诽谤"这一措辞以及你自己承认日军所表现出来的一种优越感,清楚地表明"诽谤"一词指的不仅仅是一个民族对另外一个民族所表现出来的优越感吗?

洛根辩护律师： 如果法庭允许，本人反对这个提问。这位公诉人显然无意中错误地引用木户先生的话。木户没有说过有关日本军队的任何事情。这份证据清楚地表明，他说的是日本国民。

答： 那种事我一点也没说过。

韦伯庭长： 我明白实际上这个问题是，"诽谤日本军队"这句话，是否指的是南京暴行或所称的暴行，而不是指日本人的某种优越情结。这个提问明显是被允许的。反对无效。

洛根辩护律师： 如果法庭允许，我的理解是这位首席检察官说木户先生在回答问题时说到了日本军队；而且，问题再复述一遍的话，兴许就澄清了。

韦伯庭长： 当然，这个提问暗示这位木户大臣当时并没有否认这些事情。

季南检察长： 庭长先生，我可以撤回这个问题，应律师的要求换一种简明的问法吗？

韦伯庭长： 你提的问题越简明越好。

问： 我想问你这个问题：你是否以为1938年2月17日的那个声明，即日军表现出对中国人的一种优越情结或傲慢态度是一种诽谤？或者，反过来说，难道你没有在自己的证词中承认，这个说法多多少少是对的，在华日本人确实流露出这种优越感或优越情结？

洛根辩护律师： 如果法庭允许，本人反对这个提问。我想一次问一个问题就足已，不要问那么复杂的问题。

韦伯庭长： 除非证人清楚地表明回答问题有困难，否则我不会对提议问题加以干涉。如果你能够回答，就请你回答这个问题或这些问题。

答： 我已经说过，我对大藏男爵的质询是这样回答的，在华的日本人中是有一些人表现出对中国人的优越感，随之也产生了非常不幸的、恶劣的影响；这种倾向必须加以纠正。我没有把军队包括在内——根本就没有提到日本军队。我的这份陈述中指的只是普通的日本人。

语言监督官： 我并没有特指军队。其余没问题。

问： 在你看来，如果"诽谤"一词指的是那些在华日本人的行为的话，那么使用该词是没有理由的（因为你的确认为在华的日本人有优越感），这一点难道还不清楚明白吗？因此，你对该评论所指的解释是不合乎逻辑的，不是吗？

答： 我并不这样想。我说的是，大藏男爵是向身为文部大臣的我提出这个问题的。如果大藏心中的疑问与军队有关，那么这个问题自然就不是对我而会对陆军大臣提出了。

问： 文件中是否有材料表明这个问题是专门问某一个人，或除了在贵族院公开会议这一发言之外，是否还有其他什么发言？

答： 我一点也不理解你的问题。不过，你是在指大藏男爵吗？

问： 是的。

答： 这个我不知道。

问： 在1938年2月17日那天的国会会议上，你是否说过"当前，军事教育已成为中学学习的一个常规课程。现在师资充足，但还应做出努力继续增加。至于拟议中的军事艺术委员会，将会对其进行研究，努力加以实现"？

语言监督官： 季南检察长，你这段话摘自哪份文件？

季南检察长： 摘自国际检察局第3199号文件。我正准备问证人一个问题，我希望你听听。

语言监督官： 是的，我们正在听。当你逐字逐句地引用某份文件时，我们得逐字逐句听懂，以便将其准确译出。这很公平。

季南检察长： 庭长先生，我发现我不能指望语言组听得懂文件。

（三）辩方出示的其他证据

1. 辩方律师宣读检方文件的摘录（1947年5月5日）

（1947年5月5日，星期一）

伊藤辩护律师： 下面辩方将宣读第323号证据，和第1744号检方文件的摘要。目的是为了证明日本军队并不像检方所声称的那样对安全区实施了攻击。

语言监督官： 律师先生，我们既没有接到过第1744号检方文件，也没有为我们准备一份解说词。

韦伯庭长： 我相信那份检方文件就是第323号证据。

伊藤辩护律师： 它是第323号证据和第1744号检方文件的摘要。这份文件清楚地证明在进攻南京时，日本军队没有攻打安全区。

语言监督官： 我们有了解说词，但没有这份文件。

韦伯庭长： 伊藤辩护人，你准备怎么办？

伊藤辩护律师： 我能用日语读，然后将它翻译成英文吗？

韦伯庭长： 如果它只有一两句就行。我们不想听太长的摘要。

伊藤辩护律师： 它不是很长。

韦伯庭长： 如果这份文件长的话，我们需要同声翻译。有多少句？

语言监督官： 先生，我们找到了这份文件。

伊藤辩护律师： 先生，我可以开始念吗？

韦伯庭长： 开始吧，伊藤辩护律师。

伊藤辩护律师：（宣读）

致南京日军司令官的信
1937年12月14日
阁下：

对贵方炮兵所采取的不伤害安全区的友好方式我们谨致谢意，同时我们希望就照顾安全区中国平民的未来计划与你建立起联系。

省略同1页第2段，宣读最后一段：

昨天下午，当一群中国士兵在城北某地落入包围时，意想不到的情况发生了。其中一些士兵来到我们办公室，以人道主义的名义乞求我们救他们一命。本会代表试图找到贵军司令部，但在汉中路被一位上尉拦住（无法继续）。于是，我们解除了所有这些士兵的武装后将他们安置在区内的一座大楼内。我们请求你们宽大为怀，允许这些人回到平静的平民生活中，因为这是他们眼下的愿望。

读第4页最后一段：

在照顾这座城市平民的问题上，我们乐于以任何可以做到的方式提供合作。

南京安全区国际委员会
主席　拉贝

……

（15:05 开庭）

法庭执行官：远东国际军事法庭现在复庭。

韦伯庭长：伊藤辩护人。

伊藤辩护律师：下面我们将宣读一份源自第328号证据即第1906号检方文件的摘要。这份文件是美国驻沪总领事给美国国务卿的外交报告，它提供了南京中国军队纵火抢劫、残兵逃入安全区的证据，并证实了松井司令官发布过命令要求严格维护军纪和公共道德这一事实。

我从证据第10页开始宣读，该页中间第2段上冠有这样的标题：

（宣读）

12月10日以来南京情况简报。

因而，当日军进城以后，他们发现实际上这座城市完好如初，

4/5的人口逃走了,留下来的居民大部分在所谓的"安全区"里寻求庇护,这是南京国际委员会竭力创立的一个区域,与大量被困的中国军队相比,平民数量相对来说只是一个小数目。留下来的中国士兵,其数量无人知道,但肯定有数千士兵扔掉军服换上便装混迹于平民之中,或藏匿在城市的某个地方。

跳过下一段:

这里应该提到一点,在日军入城之前,从某种程度上说,中国人自己也并不总是对抢夺案没有责任。日军入城前的最后几天,某些侵害百姓和财产的事毫无疑问就是他们干的。中国士兵疯狂地扔掉身上穿的军服,换上便装。在一些情况下,他们是在杀害了平民之后得到这些衣服的。据闻,在那些秩序混乱的日子里,溃退中的士兵还有些平民实施了零星的抢劫。以公共设施和服务停止运转为标志,市政府完全陷入瘫痪。由于中国政府和大多数居民的离去,这座城市陷入彻底的混乱和无序之中,这为非法行为打开了方便之门。应该指出的是,留下来的人甚至对在日军统治下恢复秩序和控制持欢迎态度。

现在跳到第18页最后一段:

在12月的第一个星期,国际委员会建立了安全区——其地图见函尾第7号附件——一个可以让留下来的平民得以避难的地方。委员会向上海日军司令部发去电报,请求其提请日军进攻部队注意安全区的存在,避免攻击作为避难地点的这个区域。委员会收到答复,称尽管日本人不承认这个安全区,但只要区内没有中国士兵或军事设施,它就不会遭到蓄意的攻击。

译员：摘要到此结束。日本律师还在继续。

韦伯庭长：塔夫纳检察官。

塔夫纳检察官：阁下，我认为有必要提请法庭注意，第10页底下这一段没有读，该段以这些词作为开头"不过，日军占领南京后不久……"，不用说，接下来的几段也是这样的。

韦伯庭长：应该由伊藤辩护人决定他要宣读多少。

2. 原件及副本丢失证明(1947年10月3日)

(1947年10月3日，星期五)

山冈辩护律师：如果法庭同意，下面我们将提供第2539号辩方文件作为证据。它是外务省林薰的宣誓证词，它表明第2149号辩方文件(即证人石射的宣誓证词中所提到的相关的电报、书面报告的原件及副本)均在战争期间由于大火而丢失，在外务省的文件中找不到它们。我不宣读这份文件了。

韦伯庭长：按惯例采纳。

法庭书记官：第2539号辩方文件被采纳，编为第3287A号证据。

(上述文件被标以辩方证据第3287A号，并作为证据被采纳)

3. 外务省采取行动的证明(1947年10月3日)

(1947年10月3日，星期五)

山冈辩护律师：我们请求引证第328[1]号证据。在本庭仅仅宣读过这份证词的一部分。这份证词仅仅部分地在本庭宣读过。我们想宣读第23、24页上的附加摘录，以表明外务省在收到所称的日军部队于1937年12月13日前后在南京所犯暴行的抱怨后采取了哪些行动。

我想从第23页第6段最后一句宣读起：

―――――――――――

〔1〕 似应为3287A。

（宣读）

2月4日中午12：00美国驻东京大使馆第75号文、2月2日17：00美国国务院第33号文，均谈及在华日军掠夺美国财产的问题。

（1）今天上午9：00，我[1]向日本外相递交了一份正式照会，回顾了那些有关抢劫的报告，递交了国务院指示最后一段的要旨。

（2）在收到1月17日13：00第34号文件，得知国务院对我向日本外相所作口头补充性抗议未予置评后，我判定我的口头抗议并未遭到反对，因此今天在同广田的谈话中，我依旧采取强硬态度。我告诉他，日方渠道的报告中声称我们的情报来源于中国人，我在照会中提交的材料对此完全否认。我说我们现在提交的有关抢劫的某些精确的材料是由美国公民观察得来的。我谈到，有关日军掠夺的证据不断增加，它们将展现在美国公众面前。我说不应该忽视或低估这些证据的负面影响，美国人民的忍耐并不是没有限度的。我再次用强硬措辞向外相指出，我对当前局势和日美关系的今后走向越来越感到不安。我要求外相给我一个简短声明，让我转交给我国政府，以其作为政府所要求的预想保证的回复。

（3）外相说，大本营已经向全体在华指挥官下达了可能最为严厉的命令，下令必须停止这些掠夺行为，并且已经派遣本间少将前往南京调查，确保命令得以执行。广田说，他满怀信心地预计日军会立即停止这类抢夺。他允许我通知你，日军将根据目前正在进行的调查，对所受损失和破坏做出全额赔偿。

---

[1] 指美国驻日大使格鲁——编者注。

如果法庭允许,我希望法庭对第972G号证据加以注意。这是广田于1938年1月22日在日本国会上所作的最后一次政策性演讲。

仅仅只有一部分演讲内容在法庭上宣读过后被记录下来,我现在并不想读剩余的部分,我只是想指出,我们倾向于相信整篇演讲。

我们将提供第2157号辩方文件作为证据。它是外务大臣广田在1938年1月29日第73次帝国国会预算委员会上所作的答询。

韦伯庭长: 按惯例采纳。

4. 松井石根的声明(1947年11月6日)

(1947年11月6日,星期四)

马蒂斯辩护律师: 如果法庭允许,我下面将提供辩方文件第2715号作为证据,由于与同一件事相关,我还要提供辩方文件第2746号。

韦伯庭长: 按惯例采纳。

法庭书记官: 辩方文件2715将被编为证据第3397号,文件2746被编为证据第3397A号。

(上述文件2715号被标以辩方证据第3397号;文件2764被标以辩方证据第3397A号,并作为证据被采纳)

马蒂斯辩护律师: 宣读证据第3397号,题目是"命令":

(宣读)

当华中方面军承担围攻南京的责任之时,对于天皇给予我的任务我非常感动。南京是中国的首都,这是沪东战役之后又一次激烈的战斗,迄今已取得了具有历史意义的伟大成就。这多亏了参与这场战斗的士兵们的艰苦卓绝的战斗和努力才使得我这样一个卑微的人能够分担陛下的负担,而不负天皇的期望。因此,我对于士兵们所付出的努力深表感激。

然而我们应该铭记于心的是要实现我们的目标还有很长一段

路要走,而军队肩负的责任也愈发沉重,你们一定不要懈怠。你们应该更加努力地效忠祖国。所有官兵都应该认识到服从命令的意义,恪守军纪,全力以赴地进行教育和训练,致力于军事战斗力的完善,为下一次军事行动而准备。同时,你们应该警惕防范敌军的可能袭击,保守军事秘密,维护和平和秩序,不给顽抗分子任何机会。从另一方面看,你们要从日本的传统出发,考虑东方古国的将来。你们要对在昏庸政府统治下的中国民众予以同情,与他们合作,通过指导和启蒙使他们得到安慰。当然,无论是否发生了战争,皇军的原则是不变的。你们每个人都要对自己的行为小心谨慎,全力以赴地维持并巩固战斗成果,因此来增添帝国的荣耀。

上述是我的命令。

松井石根,华中方面军司令官

1937 年 12 月 8 日

马蒂斯辩护律师:证据第 3398 号是附于其上的证词,除非法庭要求否则我就不读了。

5. 松井石根的陈述(1947 年 11 月 7 日)

(1947 年 11 月 7 日,星期五)

马蒂斯辩护律师:请语言部门将证词翻回到第二条。如果法庭允许,我们将提供辩方文件第 1077A 号和第 1077B 号。

韦伯庭长:诺兰准将。

诺兰检察官:我作为证据提交的文件在法庭记录的第 21431、21432 页,但被拒绝。当时,庭长说将由被告松井日后自己来作证。我并不反对此文件,我只对文件第 1077A 号的前 4 行有点看法:我认为这部分只是赞许之辞,不能算是松井将军的陈述。同样,我反对文件第 1077B 号前 4 行作为证词,这也不是将军的陈述。

马蒂斯辩护律师：删去这些段落。

韦伯庭长：除了遭到反对的段落，其余按照惯例采纳。

法庭书记官：辩方文件1077A被标以证据第3411号，辩方文件1077B被标以证据第3412号。

（上述文件分别被标以辩方证据第3411号和第3412号，并作为证据被采纳）

马蒂斯辩护律师：我宣读第3411号证据。

（宣读）

接到日本帝国的命令后，我肩负着在异国远征的使命，不久在长江南部的江南地区登陆。当时，我军的影响力得到很大的增长，而压制邪恶的正义之剑正待出鞘来履行其神圣的使命。当时我军的作战使命是建立在日本政府的基本原则之上的，其内容就是保护日本侨民的权益，严惩南京政府和暴虐的中国人，并消除一切抵抗外族和抗日的政策（当时这种情绪正受共产主义思潮的影响而大为蔓延），从而为了远东和平建立更稳定的根基。我深深同情所有在战区的无辜的老百姓，也就是说，虽然我军从一开始并未把这些老百姓当作敌人，然而对于那些顽固抵抗的人，不论是士兵还是平民，都将严惩不贷。对于受战争灾难影响的外国官员和平民，以及生命和财产遭到威胁的人，我也深表同情。至于列强的权益我们一直予以尊敬和保护，也从未受到丝毫损伤。我坚信，有道德感、强大且精诚团结的日本陆海军，将彻底清除弥漫在整个江南地区上空的阴霾。这样，我们才能在不远的将来迎来幸福的和平黎明。

日本帝国松井石根将军，上海地区最高指挥官，

1937年10月8日

证据第 3412 号：

  华北事件爆发后，中日两国陷入战争之中，这的确令人感到非常遗憾。两国间的敌对情绪迸发。由于不以人们意志为转移的力量，在战线延伸到极大的程度之时，东亚的百年危机即将引发。
  在此关键时刻，为了中国政府和平民的利益，我真诚希望中国官员和民众睁大双眼，反复反省，以东亚道德为原则来协商并处理国内和国外事务。
  确实，低估日本实力的行为意味着国际道义的毁灭，也意味着东亚和平的破坏。他们过分愿意接受共产主义影响，此外，为了执行恢复和平运动、利用反日情绪和抵抗原则，来统一全民的意志并加强政治实力，这些都威胁到他们自身的生存。即使他们的"打倒日本"的原则碰巧能够实现的话，我也怀疑他们仍然认为中国的五大种族能够过上幸福的生活。没有理由认为他们不能够理解这样简单的道理。然而，在我看来，令人遗憾的是，大多数中国人陷入这样一种无法自由表达自己意愿的可怜境况。正因为如此，我才真诚地希望你们进行深刻反省。在我看来，伟大的中华民国创建者孙中山先生一直有此愿望，并为建立东亚和平和中国复兴而不懈地努力。
  日本真正希望的是日中联合起来，我坚信这才是给亚洲带来和平的准则。但是，假如中国政府和民众对日本的态度依然没有改变，那么，我很遗憾地说我们有必要彻底消除所有对日抵抗运动和目前蔓延的不愉快事件的根源。而我军的主要目的就在于此。不用说，日本皇军不会轻易地进行总动员。但我相信，一旦日军拿起武器，我们就会立刻果断地消灭敌人来实现我们远征的目标。我军的袭击目的只是针对南京政府和反抗我们的军队，我们根本不想把普通老百姓作为我军的袭击对象。也就是说，一直忙于建立南京军事家族统治的中国政府官员和国民，到了抛弃一切原有的幻想而回到正常状态的时候了。因此，我军会毫不犹豫地与所有怀有诚意的国家，携手共同建设大亚洲及维护东方和平。但是，如果有任何人出于幻想阻止我们采取行动的话，我们将严惩不贷。对于陷于灾难中的无辜平民和生命财产遭损失的人们，我深表同情。我衷心希望你们能暂时远离战场而不被无稽的谣言蒙蔽，并在这个关键时刻对日军充满信心。

我认为所有在战场附近的中国农民都没有充分利用天时地利，他们根本没有收获耕种的庄稼而是在收获季节弃家而逃。对于此事，我非常抱歉。我军确实有些部队不久前征用了农民的粮食，但那是在我们无人直接商谈的情况下进行的——那时，我们没见到任何居民。于是，这种情况是不可避免的，现在还未得到解决。为了弥补上述的损失，我军将随时予以赔偿，随时等待这个机会的到来。如前所述，我军对无辜的平民不抱有丝毫敌意。而且，我一直希望能确保中国老百姓的安全并保护他们的家园不受损害。我建议所有居住在我军占领区的居民能尽快撤离并返回各自从祖辈起就耕种的土地，并能继续安心居住，对我军绝对放心。

6. 照片（1947年11月7日）

（1947年11月7日，星期五）

马蒂斯辩护律师：下面，我们出示辩方文件第1371号。这份文件是一幅照片，照片上是松井将军下令上海派遣军的司令官张贴在镇江庙墙上的公告。这是松井将军在竭尽全力维持他手下官兵的军纪和道德、防止暴行的证明。

韦伯庭长：按惯例采纳。

法庭书记官：辩方文件第1371号被标以证据3402号。

（上述文件被标以辩方证据3402号，并作为证据采纳）

马蒂斯辩护律师：此证据是一张布告的照片，它的译文如下："不许在庙内纵火。不许劫掠此寺庙。"我再读一遍："不许在寺庙内纵火。不许劫掠此寺庙。保护寺庙里的僧侣。1937年12月。军部。"

（四）辩方的总结

（1948年4月8～9日，星期四～五）

为松井石根辩护的总结

伊藤辩护律师：我是被告松井石根的辩护律师伊藤清。

韦伯庭长：伊藤先生。

伊藤辩护律师：

1. 松井将军大亚洲主义的主旨

松井家庭的先辈是武士。松井将军还是一个孩子的时候，其父教他一个日语单词，它的发音是"bu"，英文的意思是"武器"，这个字是由两个字组成的，一个是"停止"；一个是"武器"，因此它的意思是"停止使用武器"。他受到的教诲是，武士真正要做的是停止使用武器或是维持和平。

日本陆军先驱川上将军曾说的日本陆军的伟大使命是维持东方的和平。当松井在军事预科学校就读时，他对川上的话印象深刻。在他的整个学生时代，他一直在学习中文。

松井以优异的成绩毕业于军事学院和参谋学院。当时所有才华横溢的年轻人都倾向于学习欧洲军事事务，但是年轻的松井独自一人自愿学习中文，因为他坚定地认为日本军官真正的责任是为东方的和平做出贡献（证据第3409号）。

在他40年的陆军生涯中，松井在中国待了10年多，并与孙中山、蒋介石和其他中国领导人有着良好的关系。他研究政治、经济和中国文化的其他分支，更不用说军事事务了。他了解中国事情越多，就越被中国和中国人民所吸引，并越加真心地促进中日友好和亚洲的重建（证据第

3498、3403 号）。

当 1931 年在日内瓦举行裁军会议时，松井将军作为日本陆军全权特使被派去参加会议。在日内瓦，国际联盟同时在举行着有关满洲问题的会议，日本和中国代表都参加了会议，并进行了激烈的辩论，似乎他们是终生的敌人。松井对此无法忍受。中国的一种传统思维首先是修身，然后是齐家，最后是治国、平天下。

松井认为，有着同种和同文字的日本和中国应该自己解决他们之间的任何争端。

为什么这类争端要带到欧洲来解决？他认为这种做事的方式是违反了长久以来中国的道德教导，并对东方和平有害。松井觉得，有必要激励自己推进自己光复亚洲的理想，敦促中国和日本人民的自我觉悟和反省。

从日内瓦返回后，他被解除了职务。之后他计划与持有相同观点的人建立大亚洲协会（证据第 3403 号）。当时他是一名中将，陆军省不希望由他来组织这样一个协会，甚至试图阻止它的建立。但是他决心建立该组织，即使是以丢失职务为代价也在所不辞，因为促进中日两国的友好关系是他毕生的目标。于是当时的陆军省批准成立了该协会，条件是他和其他人提倡的大亚洲运动限制在启发教化的范围之内，不许涉及政治领域。因此，对所有成员来说，从一开始到结束，该协会是作为一个意识形态和自我教育的机构而存在的，以探索维持东方和平的途径为己任（证据第 3403 号；证据第 3498 号）。

大亚洲协会的工作包括为研究上述问题举行会议和出版它的机关报《大亚洲主义》。召开会议主要是为了从国外归来的著名人士的渠道获取有关外国局势的信息（证据第 3403 号）。一个月出版机关报大约 2 000 份，在成员中分发，杂志所用的文章来自其成员和非成员。即使是主要文章也不一定代表了大多数成员的观点。它是一个公开的论坛。

因此,该机关报的性质是文责自负,在日本军队越过法属印度支那时,中谷武世在《大亚洲主义》上发表了一篇文章,松井并不为该文章负责(证据第 3404 号)。

成立大亚洲协会所需要的费用 1 万元是松井和其他发起人捐赠的。政府和陆军在资金、物质和非物质方面没有提供帮助。它纯粹是一个对这项工作感兴趣的同仁参与的志愿者协会(证据第 3403 号)。

一些大亚洲协会发起人坚持说该协会应该起名为"泛亚洲协会",但由于中国民主运动先驱和中华民国之父孙中山的"大亚洲主义"的用法在亚洲人民中很熟悉,因此协会仍采用了该名称。

实际上该协会与孙中山的大亚洲主义有着相同的主旨,即在历史上,亚洲国家虽然是世界文明的发祥地,但已经逐渐衰落;即使拥有 9 亿人口却已被削弱为毫无力量和生机的国家。出现这种情况的部分原因是世界范围内物质文明扩散,进而从中产生了功利主义和专制主义的事物观。

亚洲国家应以久远的东方文明为立命之本,团结合作并进一步发扬东方文明,从而带来亚洲种族的繁荣以及挣脱强加在他们头上的不平等现状。他们应该努力为实现真正的和平世界做出贡献,每一个民族都是自由和平等的,公正和人性将占据主导地位。为了亚洲的繁荣,中国和日本必须联手唤醒其他亚洲民族(证据第 3403 号;证据第 3671A 号)。

松井将军是大亚洲协会最有影响的发起人,但是由于大亚洲协会成立时他是现役军人,他没有在协会担任任何重要的职务,只是众多顾问中的一员。在他担任台湾总督期间(1933 年 8 月～1934 年 9 月),他不能够直接参加在东京的协会工作。但他利用每一次机会解释他的大亚洲主义,与此同时,通过他的影响,台湾的大亚洲协会也得以成立。甚至在中国的福建省,在有影响的中国人和日本人中间出现了理念相同的人群。在当时有许多人提倡大亚洲主义,但并非所有人都持同一观点，根据个人性格、文化水平和智力水准，他们有各种观点。例如，因为该协会采用了孙中山的大亚洲主义，将军本人认为，孙先生的核心观点三民主义应该被融入大亚洲主义中，但其他人则强烈地反对这一观点（证据第3404号；证据第3403号；证据第3498号）。

松井大亚洲主义的要旨是亚洲民族在文化、政治、经济以及地理和种族上紧密地联系在一起，因此，只有当亚洲各民族被唤醒和联合在一起时，才能实现真正的和平和幸福。亚洲民族之间的敌对和冲突只能为外国的干涉提供机会，如果仍然像现在这样，外国列强对亚洲的压力将越来越大。因此，如果我们打算排除亚洲民族之间相互冲突和外国干预的可能，亚洲民族有必要建立一个邦联。如果亚洲民族仍处在混乱且分裂的状况下，这不仅是亚洲本身的不幸，而且是世界和平难以逾越的障碍。这将引起亚洲局势以及整个世界的不安和不稳定。

因此，通过亚洲民族自力更生的精神和努力稳定亚洲的局势，才能够稳定世界政治，这种说法并不过分。

此外，在亚洲建立邦联是国际政治演进过程中的自然现象。考虑到他们相互的地理、文化和种族的联系，不同种族组织一个政治和经济的联盟将是人类社会进化的自然进程。任何一个国家想要一蹴而就地组织一个世界国家是不可能的。国际联盟这一国际性组织是由于第一次世界大战的特殊情况才成为可能，但它注定要被泛大陆主义和泛种族主义进行根本的修正。

尽管国联成员国在过去20年真诚地作出了各种努力，但国联在解决国际争端、缓解种族冲突方面几乎是无所作为，相反只是使国家陷入争端（证据第3403号）。

考虑到当时的国际局势，我们认为国际政治或经济应该通过各种泛大陆或泛种族组织的合作来运行。例如，欧洲邦联、亚洲邦联、美洲邦联、苏联或是盎格鲁-撒克逊邦联。考虑到当时亚洲的状态，似乎建立亚洲邦联是获得世界真正和平的最重要和最佳手段。

问题是如何实现亚洲的重建和繁荣。正如孙中山所说的那样,通过日中合作唤醒亚洲民族,才能实现这一点。这将最终带来自我提升和自我解放,并实现所有亚洲民族的共同繁荣(证据第3406A号)。

然而,19世纪欧洲人民和美国人民通过他们的科学和经济实力,为了改造和发展亚洲各地做出了杰出的贡献,对此,我们并不倾向于无视他们的努力。如果欧洲和美国在促进亚洲民族的福祉方面,根据种族平等和资源平等的原则能够进行合作,日本将很高兴和真诚地欢迎,并与他们进行合作。至于已存在于亚洲1 000年的君主制,这完全无需再做解释(证据第3408号)。

简而言之,松井的大亚洲主义绝不是一个旨在疏远亚洲各族与各国关系的"主义",而是强烈希望与其他文明国家建立联系的"主义";它唯一的目的是根据种族平等和自然资源平等分享的原则,在促进整个亚洲经济福祉方面,得到亚洲各民族协调一致的行动(证据第3498号)。

带着这些想法,松井坚持着他的大亚洲主义理想。他的运动团体的政策要点包括:

(1) 光复东方文明,特别是它的道德理想;

(2) 在亚洲民族中培养自尊感和自力更生意识;

(3) 唤醒亚洲人民对当前世界局势的认识,特别是对亚洲局势的认识;

(4) 促进亚洲人民的友谊;

(5) 促进亚洲各民族在经济领域和发展方面的合作。

无论何时有人批评松井的大亚洲主义以及他的工作是种族主义和极端民主主义时,他总是说这一工作只是一种自卫手段,只是为了满足所有亚洲国家自我生存和自力更生的需要。当我们从日本的立场考虑这一问题时,由于日本有近8千万人口,我们被限制在这一小而孤立的岛上,被排除在北美和澳大利亚之外。一考虑到我们的未来,我们就很自然地和必然地想到,日本应该试图为其过多的人口在人口相对稀少的亚洲地区找一条出路。这与人类合作生存的原则是一致的。如果一个民族试图从拥挤狭小的日本岛屿寻求解决问题的方法,在那些需要发展的国家开发自然资源,这难道应该受到谴责吗?台湾、朝鲜和满洲等地,在卫生、工业和经济以及文化方面取得了巨大的进步。如果我们公正地将这些国家的实际情况与过去相比,我们将会发现日本人的开拓起到了刺激本地居民的作用,这又在卫生状况方面给他们带来了显著的变化,他们的人口有所增加,在工业和经济活动方面以及文化方面都取得了长足的进展。

与此同时,北美和澳大利亚大门对亚洲民族是关闭的。而在亚洲大陆和西南太平洋岛屿情况却并非如此,那里我们发现有大片的地区还没有得到完全的耕作。生活在狭小岛屿上的日本人民希望移居到亚洲不同的地区,并与当地居民合作开发那些未得到开发的资源,以享受到更加自由和富足的生活,这些难道是一个错误吗?松井认为这种想法是出生在亚洲的每一个人的自然想法。

有一句谚语说:"如果我们希望成功的话,我们首先必须让别人成功。"日本人完全意识到这样一个事实:没有一个国家能以牺牲其邻国为代价使自己真正获利。正是根据"共生共荣"的原则,他们发展自己的种族和自己国家的事务。这一指导原则在多大程度上落实在日本对台湾、朝鲜和满洲的政策里,可以根据下列事实得到验证:在这些地方,在日本与他们有着最密切的关系的时期,本地民族取得了最大的进步和发展。

以这种方式,日本人民所希望的是使所有人能自由地迁徙到东方的各地,在与亚洲各民族的合作中,过上一种精神上更自由、物质上更富足的生活,也就是说,更好的生活。换句话说,根据松井的看法,亚洲的和平和"共生共荣"的原则是日本人民最基本的普遍愿望。

一言以蔽之,将日本人移居到亚洲不活跃的地方,唤醒本地居民的意识,这将被证明是光复亚洲的动力和对全人类的福祉。这一逻辑常常很容易被所有期望整个地区和平发展的政治家所接受,他们的目光被引向整个人类福祉。

当西奥多·罗斯福任美国总统时,他试图纠正对日本移民的不公平做法,反对美国加州人民针对日本移民的种族偏见,但他无法改变局势。反对日本移民的运动最终被作为一项国家政策被采纳。与此同时,罗斯福总统说,有关满洲和朝鲜的问题对日本来说是生与死的问题,美国必须特别小心,无论何种原因,不在满洲采取任何会挑起日本敌意的行动,以及或多或少会威胁到日本利益的行动。

如果对任何事务的压力达到极端,它最终将爆炸,这是一种自然现象。我们认为,日本的人口逐渐膨胀,阻止日本移民及其在西半球开发的政策,将日本人民变成太平洋中的一颗炸弹。施加在他们身上的压力对世界和平必然是有害的。

日本人民应该被允许像其他任何民族一样和平地生活。

我们开始意识到我们也有与其他民族一样享有和平生活的权利,为了这一目的,努力创造一种能够与邻国共享繁荣的局势,这难道不是一种自然现象?这难道不是对提升世界公正的一点贡献吗?

尽管有中日两国的友谊是实现大亚洲主义的必要基础这一事实,但他们彼此相互敌对,这是一个悲剧。因此急切地需要结束这一局势。

中国当局忘掉中华民国国父孙中山的教诲,并利用反日运动来统一国家,松井对这一事实深感悲哀。由于存在分歧,他希望当局对这一问题进行反省,但同时敦促日本政府和人民在同中国人民打交道时要更加宽宏大量和耐心,并牢记住中华民族的特性。

松井认为日本方面的缺乏耐心致使中国人得出了日本人专横、残暴的结论,以至于即使是对中国人的善意行动也常常被认为是不必要的干涉,引起他们的憎恶。由于这一原因,他敦促日本人民有必要进行反思。无论何时松井进行的演讲,他都要表达这一观点。松井将军要求日本人民自我反省和自我约束的想法引起了一些傲慢的年轻军官的厌恶,他们认为松井将军不像个军人。每一次松井都和善地训诫他们、从更宽广的视角引导他们。他说,日本士兵的责任就是努力培养中日之间的友谊与相互和解以及在东方维持和平。

因此松井将军的大亚洲主义从来不代表领土欲望。相反他总是断然责备和谴责野心家的错觉。

他在1933年7月发表了题为《由满洲人建立的"满洲国"》的文章,其中将上述观点表达得更为明确。他说日本应该放弃干涉"满洲国"的事务,采取胸襟宽广的态度,加快它的自由独立和自治的进程(证据第3407号)。

他说日本对中国不应该有任何领土、政治或经济的野心,而是应该帮助中国获得健康的发展,除了赔偿外别无他求,这样能为东方带来永久的和平。这就是中国事变的目的。在这里我们可以看到大亚洲主义在发挥作用;在这里我们看见我们日本的帝国精神得到了展现。因此我们让他们对此进行反思。

有一首军歌在当时非常流行,在送日本官兵上前线作战时广为传唱:"如果是为了东方的和平,谁会吝啬自己的生命。"

另外,松井将军认为他的大亚洲主义与日本的立国理想相当地一致,并且认为日本国的存在就是为了实现正义,这一点毋庸置疑。1936年5月,松井在关西和九州各地就有关大亚洲主义在集会上多次演讲。这里引用一个例子,他说:"在世界国家中,有一些国家是通过强权建立的;另一些是通过财富建立的。就日本而言,情况并非如此。日本既不是通过强权,也不是通过财富。自建国以来,日本存在只是因为公正。我们意识到强权和财富对于我们实现正义目标的价值。我们知道自古代以来通过强权建立的国家终将自行衰落,通过财富得到繁荣到了一定的时候也会衰落。至于我们国家,太阳升起之国是由太阳女神统治的,她始终如一地坚持自己的原则,每天都有进步和繁荣,并完全游离于世界的繁荣和衰落之外。这是由于正义所产生的智慧。"(证据第

3408号)。

检方在提交第3499号证据和第3500号证据时似乎声称松井的大亚洲主义在原则上是具有侵略性的。然而如果你们彻底考察世界局势和日本所面临的形势,你将会认识到他的原则绝不是侵略性的,他只是希望根据他的正义感行事,而没有考虑得与失。

1941年当他写这些文章时,三国协定已经签订,汪精卫的南京政府已经得到日本政府的承认,英国、美国、中国和荷兰正在试图组织所谓的ABCD包围圈,并在经济上窒息日本。很自然,在这种形势下,只有那些不介意财富和声望的人,那些拒绝屈服于政府的淫威的人,才会热衷于贯彻日本的建国理想,希望看见整个亚洲通过自我牺牲的精神得到复兴和繁荣。

毕竟,松井将军的大亚洲主义是一种精神和文化的运动,动机纯洁,弘扬王道、佛教和武士道精神。所有这一切都基于日本是为了他人、为了实现整个亚洲的重建和繁荣而牺牲自己利益的这一原则之上。换言之,松井正是希望用这种高尚和强烈的宗教信仰来解放亚洲的所有民族,首先是鼓励所有的日本人民。他想用殉道式的热情激励日本人民,以期净化世界所有国家,使之享有永久和平。

他的信仰与检方所声称的物质理想——即松井通过滥用军事力量发动了对中国和其他国家的侵略战争以满足日本的金融和政治野心——是有着天壤之别的。

如果仅仅从他个人有所得或是为了他的国家的利益的视角来考虑他致力实现大亚洲主义,这种做法是十分荒唐的。

但"人不仅是为了食物而活着",当一个人充满热情时,他(她)有时会自愿为了自己的理想而献身,而不是试图躲避牺牲。

松井冒着丢掉现役军官的风险提倡大亚洲主义,并挑战他所面临的各种危险,原因之一是他不忍看见亚洲民族国家有如奴隶、懦夫,他强烈渴望他们觉醒。另一个原因是他确信人类的精神福祉只有在民族不平等被消除后才能实现,而只有通过亚洲民族的崛起和繁荣才能消除这种不平等,然后才能够牢固地确立他们的自由和独立。

当时他想当然地认为,英国和美国通过向日本施加经济压力和ABCD包围圈来削弱日本,使日本屈膝投降,并使所有亚洲国家陷入奴隶般的地位,对此,日本必须以挑战的方式应对,迎战资本主义和帝国主义的压迫战争。考虑到这一事实,他尽其所能,勇敢地反对ABCD包围政策,为了亚洲的复兴大声疾呼,而不是向它屈服,这一行为完全能被当作一个殉道者的态度。

这就是他在证人席上所说的"战争已经爆发"的意思。

松井满腔热情地提倡各个亚洲发展组织进行联合,并对美国保持强硬的态度。这些言语只是他唤醒亚洲、追求亚洲繁荣的肺腑之言。

然而,他的这些观点并不意味着他主张日本应该与美国发生武装冲突。他注重国际信誉和正义的实现,而不是政治上的权宜之计。他不仅口头上提倡,而且也在他的实际工作中贯彻。另外他并不打算通过武装冲突来结束战争,而是通过正义来实现永久和平。

松井将军是大亚洲协会的发起人和管理者,他也是兴亚院委员以及大日本兴亚同盟的成员。然而他将他的活动集中在大亚洲协会上,对他来说参加其他的协会只是次要的工作。

兴亚院是政府的一个咨询机构,尽管松井将军成为兴亚院的一名成员,但公平地说,他只是被政府所利用,政府表示它不会忽视民间私人组织的意见。也就是说,通过任命松井为委员会的成员,政府试图向国人表明其兑现了前面提到的承诺。

在第一届近卫内阁期间,几个目标相同的协会合并为大日本兴亚同盟。松井将军的大亚洲协会是被合并进去的许多组织之一。这一新的联盟将控制所有的亚洲发展运动,并控制有关东方问题以及政治、经济和宏观文化研究(如东方宗教、道德、艺术和科学)机构的公众舆论。松井将军的大亚洲协会每月出版的机关报也移交给了这一新兴亚同盟,松井将军被推荐为该联盟的官员。

尽管兴亚同盟有许多成员,也做了很多工作,但这一新组织可以说是鱼龙混杂,并无任何改善发展。

在其结构进行了多次调整后,该联盟的名称最终被改为"大日本兴亚会",但他们无法改善经常存在的混乱和问题。他们能做的唯一事情是出版每月一期的机关报。该协会在战争结束时被解散(证据第 3403 号;证据第 3493 号)。

检方试图批评松井于 1935～1936 年在华南、华北、菲律宾的演讲,然而,这些都是为了激励大亚洲主义而进行的演讲之旅。

他在中国旅行后,华北成立了中国大亚洲协会。检方声称这是日本对中国侵略政策的证据,但实际情况正好相反,在中国,孙中山是大亚洲主义的创始人。正是根据孙中山的思想,华北的一些人成立了中国大亚洲协会。他们寻求在与日本大亚洲协会的和谐合作中实现亚洲的解放和重建。证人秦德纯当时作为发起人之一参加了该协会(证据第 3406A 号;证据第 3403 号;证据第 3498 号)。

简而言之,松井的大亚洲主义实质上是一种道德理想,它很容易在亚洲民族那些寻求独立、自治、人性和公正的世界的人士中产生共鸣。

他从未想到他的这一主义将会被认为是一种犯罪。很不幸,正因他是一名军人,否则他本不会由于他的"主义"而受到起诉的。

仅仅因为他在中国事件中扮演了一个角色,检方就将如此具有人性的大亚洲主义当作日本的侵略政策,这是一件令人深深遗憾的事情。

我们确信,根据波茨坦公告,在为了人性、正义与和平而建立的本法庭中,如果松井为了人性、正义与和平而献身于唤醒亚洲的运动,却被认为是罪犯并受到惩罚,这是没有任何道理的。

伊藤辩护律师:马蒂斯先生将继续宣读总结陈词。

韦伯庭长:马蒂斯先生。

马蒂斯辩护律师:如果法庭允许,我将从第 27 页开始宣读。

2．上海和南京战役

1）被任命为上海派遣军司令官，及他的心态

正如前文所说，尽管松井将军自己竭尽全力建立日本和中国的友好与和谐，但两国关系日益疏远与恶化，最终两国军队1937年7月在华北发生冲突。日本方面期望将冲突限制在尽可能小的范围内，因此试图就地解决问题。早就在酝酿之中的反日情绪在全中国燃烧起来。

中国军队已经开进到华北，并威胁到北平和天津地区的日本军队和居民，不仅如此，一支人数众多的军队正在上海地区集结，违反了1932年由有关列强调停达成的停火协定（证据第2419号），日本驻军和居民受到被消灭的威胁。日本政府寻求让中国根据有关协定履行责任，以便就地和平地解决问题，然而中国加以拒绝，最终在8月9日，发生了谋杀大山中尉的事件，我们军队和居民面临着迫在眉睫的危险（证据第2517号）。因此日本政府立即派遣了一支陆军以应对紧急情况，保护本地区日本居民的生命和利益，并增援海军驻军。

已经退出现役的松井将军致力于传播他的大亚洲主义，正静静地住在富士山脚下的山间别墅，从东亚总的形势的立场上考虑如何以最好的方式解决中日冲突。突然，在8月15日他被任命为上海派遣军司令官（证据第113号）。正如杉山陆军大臣所指出的那样，松井长期努力推进两国的友好关系，在中国人中他有许多熟人，被认为是最适合执行避免扩大军事冲突政策的人选，因此得到该任命。松井将军从年轻起就研究中国，并将热爱中华民国作为自己的天职。这个热爱中国的人现在被任命为一支将与他所热爱的中国进行作战的军队的司令官。命运是如此地捉弄人！

作为一名为帝国服务的军人，无论发生什么事情，他都应该尽职地服从天皇的命令，这是唯一恰当的选择。此外，他坚定地相信，那些驻上海的日本居民正身处危险之中，被反日或仇日的中国军队所包围，派遣一支军队去拯救他们，是日本国不可避免的自卫行动（证据第3498

号)。他认为,为以后和谐合作奠定基础,为促进和平,为防止此次远征成为未来相互仇恨的根源,像他这样理解、热爱中国和中国人的人被委以如此重任,是很恰当的(证据第 342 号)。因此他想尽其所能来完成他的责任。

动身去上海前,为了使派遣军士兵以及军官深入领会到前面提到的他的信念,松井给其麾下的各支队发出了下列指示:

(1)上海周围的战斗重点是要打败进攻我们的军队。至于中国官员和平民,尽可能地安抚和善待他们。

(2)切记不要让外国居民和军队卷入冲突,并与各个列强当局和军队保持联系以消除误会(证据第 3399 号)。

另外,在东京出发时,松井将军利用这一机会与有中国朋友的人进行磋商,如萱野长知、冈田尚等,作为与中国关键人物进行和平谈判的初步准备(证据第 3409 号等)。他想尽可能快地在上海周围结束冲突,恢复和平,防止两国感情交恶。

(16:00 休庭,至 9 日 9:30)

1948 年 4 月 9 日,星期五
日本东京都旧陆军省大楼内远东国际军事法庭

(根据休会规定,本审判庭于 9:30 复会)

出庭人员:

法官方面,英国法官帕特里克爵士 9:30 至 16:00 无法出席,苏联法官柴扬诺夫阁下 9:30 至下午 14:45 无法出席,菲律宾法官哈那尼拉阁下 13:30 至 16:00 无法出席,其余所有法官均就座。

检方出庭人员如前。

辩方出庭人员如前。

(英译日、日译英工作由远东国际军事法庭语言组负责)

法庭执行官:远东国际军事法庭现在开庭。

韦伯庭长：除了梅津和白鸟由辩护律师代理之外，所有被告均到庭。巢鸭监狱医生证实，他们两个人都因病今天不能出庭受审。这份证明将会记录在案。马蒂斯先生。

马蒂斯辩护律师：如果法庭允许，我继续宣读英文版第 31 页。

为了实现他的目标，考虑到本地区中国军队的力量，他认为有必要使用 5 个师团的兵力。于是他向陆军领导提出了这样的建议。陆军领导拒绝了这一建议，因此他只能率领 2 个师团而不是 5 个师团。

2）上海周围的战斗

上海周围的中国军人和人民长久以来被灌输了反日和仇日的思想，对日本军队甚至平民显示出明显的敌意，他们切断电线、放火等。换句话说，他们对日本军队采取了直接和间接的行动，甚至妇女也参加了志愿军，从事针对日军的间谍活动（证据第 3394 号）。

这就是当时的情况，战区变得非常不安全，我们的军事行动也很难取得进展。特别是，中国从全国各地将军队集结在长江以南地区，试图在战斗的第一阶段将日本军队赶走。蒋介石的卫队是最勇敢的，常常在夜晚对日本军队发动进攻或其他行动。

其他的部队由于有督战队监督，不许撤退，在顽强地进行战斗。

中国军队又一次采取所谓的"战斗策略"，摧毁或是烧毁通信设施和建筑，一些军官和士兵脱下军装，成为便衣兵留了下来，狙击日本军队，由此威胁日本军队的后方。这种战斗方式给日本军队带来了很大的麻烦（证据第 3398 号）。9 月中旬，中国军队在本地区的人数多达 40 个师，同时，一支庞大的军队正从全国各地集结到该地区。因此很难实现原先的中等规模计划，即用一开始分配的两个师团的兵力保护日本居民。换言之，除非陆军和海军得到增援，并打败本地区的敌人，否则不可能实现派遣军的目标。

随着时间的推移，东京军事当局的军事行动计划逐渐扩大，11 月 5 日，由柳川指挥的第十军被命令在浙江省的沿海登陆，并与上海派遣军合作。在经过两个多月的战斗后,上海派遣军只是成功地将中国军队从上海周围赶走,在10月底到11月初,占领了上海,救援了我们的海军和居民。

外国列强以及他们的军队和人民,没有遵守1932年的停火协定,也没有与日本合作控制事件的发展,并严格遵守中立,这是令人遗憾的。出于对中国政府和军队的同情,外国列强干预日本的行动,并常常协助中国军队的军事行动,如让中国军队滥用他们的国旗、或借给他们军火、或提供食物等。然而,松井将军保持耐心,并根据出发时他给全军的命令行事,努力得到各个列强的理解,为了使这些列强的当局和军队不受到任何伤害,常常以牺牲军事行动为代价,避免国际冲突(证据第3393号;证据第3399号)。外国列强当局也理解当时松井将军的困难处境。必须承认,正如前文提到,由于中国人的反日态度,长期的战斗疏远了日本官兵与中国人,积累了彼此的敌意。因此松井将军向日本军队和人民以及中国发出指示和公告,将战争导致的罪恶减少到最小程度,并试图在两国军队和人民之间带来善意和和谐。

他同意在上海的南市建立安全区,并与有关方面合作以实现这一目标,这就是松井将军的人道主义态度的例证(证据第2537号)。他手下的官兵在执行命令时小心谨慎。在上海战役中为了防止传染病的蔓延,他们向日本人和中国人提供治疗和药品(证据第3399号)。在向上海城进攻时,前线的部队非常小心避免将炮弹落在市区,因此维护了城市的安全。

3)华中方面军的组建和进攻南京决定的详情

同年11月5日,大本营将上海派遣军和刚在杭州湾登陆的第十军合并为华中方面军,并任命松井将军为司令官,同时让他临时继续担任上海派遣军的司令官。

华中方面军被分配的任务是指挥上海派遣军司令部和第十军司令部,统一两军的指挥权。但是方面军的参谋人员只有7名军官和3

名副官，没有其他机构和人员。换句话说，它的责任是协调两个司令部的军事行动，军队的实际管理和指挥是由每个军的指挥官进行的。实际情况是这两个司令部除了有参谋人员和副官外，还有兵器部、经理部、医务部、法务部等，但是在华中方面军司令部，并没有这样的机构设置和人员配置（证据第2577号）。为了说明为什么华中方面军司令部的组织结构有这样缺陷的原因，必须明确派遣军和第十军的责任。

分配给第十军的任务是在杭州湾北部的海岸登陆，并协助上海派遣军完成其分配的任务。大本营（皇军总部）华中方面军的军事行动范围则被限制在（长江）三角洲，即福山—苏州—嘉兴以东。

由于华中方面军司令部的任务是统一指挥两个军的行动，考虑到它是一个狭小作战区域的临时机构，无需全面配备司令部。因此华中方面军占领前面提到的地区，并主要是维持上海周围的和平。中国军队的基地设在南京，但是，在德国军官的指导下，他们已经在上海和南京之间建立了牢固的防御阵地。不仅如此，华北地区正逐渐形成一场中日之间的大规模的军事行动，中国也准备在江苏和浙江地区对日本发动进攻，大批军队在那里集结。除非日本暂时占领南京基地，作为整体似乎很难在华中地区维持和平，保障我们在那里的利益，这就是当时的情况。为了恢复长江以南整个地区的和平，日本政府决心进攻南京。大本营在12月1日向华中方面军发布与海军协调进攻南京的命令。该命令的发布并没有影响华中方面军的组织结构，也就是说，它的责任和以前一样是军事行动。12月7日另一名指挥官被任命为上海派遣军的司令官，松井被解除了他兼任的职务，这以后，他对那里官兵的指挥和监督变得完全是间接的。

因此华中方面军在面临许多困难的情况下匆忙地制定了对南京的进攻。由于最初组建的目的是为了保障上海周围地区，除了应对许多的其他困难外，这支军队在其机构和维持方面是有缺陷的。

4）南京的攻陷以及松井将军如何指挥相关事务

松井将军作出很大努力以避免国与国之间的冲突，他将双方的牺牲限制在最低水平，遵守我们政府的限制战斗区域的政策，并根据他自己长期珍视的日中共同繁荣的理想行事。

12月5日，华中方面军的司令部迁至苏州，距南京140英里远。当时松井将军卧病在床，但他在病床上与参谋人员商讨后，对重要的事务采取行动（证据第341号）。这一病情持续到12月15日，那一天方面军总部在南京陷落后迁到离南京约25英里的汤水镇。

在执行大本营进攻南京的命令前，松井向日本军队发布了命令，大意是：南京是中国首都，占领南京是一个国际事件；因此必须进行认真地研究以便展示日本的光荣和荣誉，增强中国人民的信任（证据第2577号）。上海周围战争的目的是征服中国军队，因此尽可能地保护和安抚中国官员和平民；军队应该牢记不要牵涉到当地的外国居民和军队，为了避免误解，应与外国当局保持密切的联系（证据第3399号）。

之后，上海派遣军参谋长饭沼守和其他人员立刻将上述命令向松井指挥下的官兵传达。华中方面军的参谋长塚田和其手下的6名参谋人员着手研究松井将军的命令，并解释和阐明这些命令。然后又咨询了斋藤博士的意见。斋藤是松井的国际法和条约顾问，带他一起出征的目的，就是为了尊重国际权利和利益，防止国际冲突，他们准备了一个命令，大意为：

（1）华中方面军准备占领南京城。

（2）上海派遣军和第十军应根据占领南京的要点行事。

上述命令（1）的原稿为："敌国首都"，然而，松井反对这样用词，并说中华民国不是敌人，只是那些接受反日思想的一部分人才是。另外，上文提到的占领南京的要点是：

（1）两支军队（上海派遣军和第十军）在前进中应该在离南京城3～4公里远的地方停下，并为占领做准备。

（2）12月9日，从飞机上向驻守城墙内的中国军队投放劝降的传单。

（3）如果中国军队投降，从各师团和宪兵中选两到三个中队的兵力进入城内，守卫地图上所标明的城墙内的地区。特别是严格保护地图上所标明的外国人利益和文化设施。

（4）如果中国军队拒绝投降，12月10日下午开始向南京城发动进攻。即使在这种情况下，进城军队的活动范围与前文规定的相同，特别是严格执行军纪和道德规范，恢复城内和平（证据第3454号）。

在准备前面提到的命令时，另一个命令"有关占领南京和进入城内后必须牢记的问题"也已成文。该命令是由松井的参谋起草，目的是彻底阐明松井的想法，该命令的要旨如下：

（1）皇军进入外国首都是我们历史上的重大事件，其必将永载史册，并吸引国际关注。因此任何部队不许无序地进入城内；我们的各种部队要小心，不要相互射击；最重要的是不可有任何不法行为。

（2）各支部队严格地执行纪律和道德；赢得中国军队的尊敬和降服，弘扬皇军的风采；确保不发生任何有损（皇军）荣耀的行为。

（3）绝对遵守中立区的地位，特别是由外国外交使团建立的中立区，除非完全有必要、在需要的地点设置岗哨，要绝对避免侵害地图所标示外国人的权利和利益。另外，严格禁止进入中山陵和其他革命英雄的墓地以及明孝陵。

（4）入城的部队应该是经过相关师团长特别挑选的；让他们事先知道，并记住这些问题和外国人财产和房屋的位置；让他们绝对不要抢劫；如果需要，布置哨兵。

（5）即使是出于疏忽大意，抢劫和造成火灾均将受到严厉惩罚。让宪兵和辅助警察与部队一起入城，以此防止非法行为。

关于外国权利和利益，负责收集情报的参谋中山根据各相关领事馆给日本驻上海领事的答复进行了彻底的调查，外国的财产和房屋在地图上被用红色标出。除了这些被清楚标明的外,明孝陵和其他所有文化设施根据陆军的要求由日本的外交机构进行了调查,所有的文化设施都被清楚地标出,以便前面提到的命令能够得到彻底贯彻(证据第2537号;证据第2577号)。

12月8日,松井将军让参谋长和另外两名参谋将命令、指示、地图等带到上海派遣军司令部。另一名参谋被派到第十军转达相同的内容。松井让精通中文的冈田将下列文字翻译成中文:

"12月10日中午,我们将在中山门外的句容路等候你们对我们书面投降忠告的回答。如果贵军派代表你们司令官的人员前往上述地方,我们准备与他们谈判有关接管南京城的协定。然而如果我们在规定的时间里得不到你们的回答,我们的军队将不得不开始进攻该城。"(证据第3409号)

上述内容和劝降的传单在12月9日由飞机撒在南京城内。12月10日11:00,华中方面军的参谋长塚田和参谋中山以及翻译冈田来到中山门,等待中国使节,一直到13:00,也就是等了大约2小时。但后者没有出现。因此同一天14:00开始了对南京的进攻。中国军队利用城墙进行了顽强的抵抗,但最后在12日的午夜,他们开始撤出城墙。

参谋长塚田估计到部队的混乱,让他的手下的参谋再一次传达部队必须执行上述命令,试图让官兵完全理解松井将军的想法。但是在任何人注意到之前,前线部队的一大部分已经冲进城内。这是由于日本军队在赶走凭借城墙激烈抵抗的中国军队时过于激动。一些部队在进入南京城后,主动返回远离城墙地区的日军基地,但是有一些留在了城内。不久以后的调查清楚地标明,中国军队根据"坚壁清野"策略,摧毁或烧掉了城墙外所有的兵营、学校等,因此日本军队无处可住,水源缺乏或不适宜饮用(证据第2577号)。

松井将军在苏州收到了占领南京的报告,当时他的身体健康尚未复原。但在15日,他飞到句容机场,然后乘汽车到了汤水镇。

12月17日松井进入南京，从报告中了解到，尽管他此前发布了严格的命令，仍然有一些士兵违反了军纪和道德，他感到很难过。因此他命令严格执行他先前的命令，除了必要的军队留守外，让城内的部队撤退到城外地区（证据第2577号）。

于是他的参谋长塚田和手下的参谋调查了城外地区宿营的容量，发现相关地区不适合驻扎部队。

因此在12月19日，第十军返回到属于上海派遣军的芜湖地区。只有第十六师团被分配留在南京担任守备任务，其他部队被命令一个接着一个撤离南京，到长江以北地区和上海地区（证据第3454号）。

12月18日，在南京机场为阵亡人员举行了一个祈祷仪式。在该仪式上松井将军说这是"向中国军队以及日本军队阵亡的官兵表示敬意"，他然后补充道："这就是我提倡的大亚洲主义的精神实质。"

12月18日，松井将军不仅对其手下的官兵发布了严格执行军纪和道德的命令，而且在仪式后召集高级军官，作出了进一步指示，要求部队遵守军纪和道德，以便提升皇军的荣誉，以为中日两国友善作出贡献。

胁坂的部队在12月13日冲到光华门，并占领了该城门。之后爆发了激烈的战斗，双方伤亡惨重。战斗以后，该部队清理了所有尸体，将中国军队和日本士兵的尸体收集在同一地方，并埋葬在光华门到同济门一带，还树立了标记。随军的和尚在掩埋仪式上朗诵佛经，做法事一天一夜，超度亡灵（证据第3385号）。

全体官兵严格执行松井将军的命令，避免了中山陵和明孝陵的损害。第三十三大队的任务是与紫金山的中国军队作战，他们遭到了敌人左翼和后面猛烈的炮火袭击，损失惨重，由于担心破坏中山陵，他们没有进行反攻。最终该大队在极其不利的情况下占领了紫金山。该大队击败了紫金山周围的敌人，并等待敌人自己撤退，然后再占领它。这样保护了中山陵，没有对它造成一丝一毫的破坏，由于这一表现，该大队被授予嘉奖(证据第 3396 号;证据第 2557 号)。

松井将军将战争破坏降低到最小程度的命令得到了炮兵的遵守。他们的火力只是对准了从城墙上抵抗的中国军队,没有炮弹落到城内的安全区或是平民头上。由于这一原因,日本炮兵经历了非常多的困难(证据第 3394 号)。

为了保护外国人并避免与外国人发生冲突,松井将军不仅向他的官兵发布前面提到的命令(证据第 3498 号),而且听从了上海总领事日高和其他外交官的建议,与他们合作处理了与外国人有关的事务。

在他入城时,他命令他的参谋人员做出努力与 10 余名熟悉南京环境的外交官进行合作,保护外国居民和外国权利与利益,公正地对待中国人,并维持公共和平(证据第 2537 号)。

① 南京与上海的通信很快得到恢复。② 在调查了外国利益以及我们有必要进行保护的地方后,我们在这些房屋外面张贴了"禁止入内"的布告。③ 在松井的支持下,通过他的参谋人员和外交官的合作,保护外国居民,为领事馆安排警察等服务顺利进行。

然而,在南京陷落前所有外国大使、公使和外交人员离开了南京(证据第 2537 号)。因此没有人以得到授权的身份与日本当局就保护外国居民和他们在城内的居所进行谈判。因此日本军队是根据松井将军的命令努力保护外国的权利和利益。

有一次,松井发现一辆属于某外交机构的汽车在主人不在时丢失,他派参谋人员去上海购买一辆汽车,并带回南京赔偿失主,尽管不知道偷车人是中国士兵、中国平民或是一名日本士兵。

除了保护外国权利和利益外,日本军队常常受到中国军队或中国平民假借外国国旗(美国、英国或是德国)的困扰。

因此我们的部队不能总是相信,只要有外国国旗的地方,就是外国人权利和利益(证据第 2577 号)。

松井已经发出了严格的命令,当我们的军队征用了食物或其他物资后,我们要付给合理的价钱。但当居民逃走后,在付款方面遇到很大的困难。考虑到这一问题,他征求了外交官的意见,他们建议张贴布告,如有征用物资可留下一份证明以说明情况,这样被征用物资的人员可以得到金钱补偿。

他决定采用上述方法,并要求他的属下根据他的计划执行(证据第2537号)。

部队的物资征用大部分是由中队的军官来进行的。补偿的钱来自他们携带的钱箱。一般禁止低于中队的单位随意地从事征用任务(证据第3401号;证据第3399号)。松井的部下服从他的命令,首先与主人进行谈判,当居民不在时(证据第2537号),他们与行政机构进行谈判,以合理的价格购买征用物资。当既没有主人也没有行政机构进行谈判时,部队不得不在没有与主人协议的情况下,出于军事需要而征用物资。

在这种情况下,他们的习惯做法是张贴一张公告,写清征用物资的种类和数量,并告诉他们应该到司令部来领取补偿款(证据第2531号)。

然而,在南京陷落时,没有行政负责人员,除了在难民营的人,其他人全都逃走。

由于禁止日本部队进入难民区,他们没有机会与主人进行协商,并以合理的价格购买必要的物品。因此他们不得不从另一个地区征用必要的燃料和物品,在此之后,他们根据第二种方法进行补偿。

中国军队实行了所谓的"坚壁清野"策略(证据第3398号)。只要可能,他们带走或是烧毁食物、燃料和房屋,防止被日本军队使用,因此南京的外围被中国军队放火烧毁,城内所有的居住房屋被破坏,并遭到大规模抢劫,尽管没有固定的模式——是否人们在逃离时将他们屋内的东西带走,或者遭到中国军队抢劫、破坏。

军营被破坏,设施和被褥都被藏起来,因此日本军队在住宿方面经历了巨大的困难。寒冷的12月日本军队没有后勤服务,不可避免地采用第二种方法来征用必要的物品。

尽管在事件爆发前南京的人口据说有100万,但南京陷落时人口减少到20多万人,其中大部分转移到所谓的"安全区"或难民区,照顾他们的任务由一个大约由20名外国人组成的委员会负责(证据第2537号)。

日本军队没有正式批准前面提到的安全区的原因是:

(1)安全区的位置从技术的角度看并不利于安全。

(2)一些中国官员与参谋人员一道居住在该区。

(3)前面提到的委员会本身没有能力在安全区内保持和平、秩序和中立,防止中国便衣兵或其他人员从外部进入(证据第2537号)。

然而,日军尽可能地保持了该区的安全,他们在战斗中避免向区内开炮。在占领南京城后,他们清楚地将安全区标出,守卫那里的部队在入口处设置了哨兵,没有特别批准,任何人包括军官在内禁止进入安全区(证据第329号;证据第2577号)。

许多中国军队的军服在南京陷落时被扔在街道上,这些士兵抢了平民的衣服,并穿上,然后溜进难民区,其中一些暗藏武器(证据第3394号;证据第3398号)。他们对我们的部队是一个威胁,因为他们在等待机会成为游击队,狙击我们的官兵,因此日本军队组织了一个包括日本人和中国人在内的委员会来调查当地居民。在调查时,日本和中国专员一个一个地审问和检查居民,通过咨询该委员会鉴别每一个人是否是平民,如果证明他是平民,就发给他一个良民证。如果有人被认为是中国士兵,他会带到日军司令部,并享受到战俘的待遇。在我们正式进入南京后,战俘人数大约为4千,其中大约一半人被遣送到上海的战俘营,另一半人被就地释放(证据第3401号)。

由于松井非常小心,在这之前就对待战俘问题咨询了总领事日高(证据第2537号)。他的所有下属服从了他的意愿,善意地对待他们。

12月17日正式入城后,松井将军只在南京待了5天(证据第2577号)。他在12月21日乘一艘日本驱逐舰离开南京去了上海,遵照大本营命令,指挥杭州地区的军事行动。

12月20日前后日军的部署(证据第2577号):上海派遣军司令部驻扎在南京郊区,第十军的司令部在杭州地区,华中方面军的司令部在上海。

松井和参谋人员返回上海后,他听说了日本军队在南京的非法行动的传闻。一听到这些传闻,他非常关注,于12月26日或27日命令一名参谋将下列指示传达给上海派遣军参谋长(证据第2577号)。

"据传言,日本军队正在南京做出非法行动。我在进入南京的入城式上发布指示,为了皇军的荣誉,绝对禁止这类行为,特别是因为朝香宫是我们的司令官,军纪和道德必须更加严格地执行,任何举止不当的人必须受到严惩。至于所造成的破坏,应采取措施进行赔偿或归还。"

当时,上海派遣军的参谋长和参谋每晚视察街道,以执行严肃纪律的命令。

正如前面所说,为了防止抢劫,松井将军不断地发出指示,他的属下服从了命令,通过张贴布告、各部队重复口头警告以及军事法庭惩罚违犯者,进行了严格的监督(证据第2537号)。如一名军官捡到一只被丢弃的女鞋,他因涉嫌抢劫而遭到起诉(证据第3395号)。

由于炮击、轰炸或战略上的原因造成火灾是难以避免的。特别是中国军队在各处实行的"坚壁清野"的策略,因此在南京城墙内几乎所有的设施和城墙外一小部分房屋由于该策略而遭到牺牲。但就日本军队而言,不仅在任何地方都禁止放火,而且即便是疏忽造成火灾也将受到严厉惩罚。在寒冷季节,由于必须最大限度地挖掘住宿潜力,由于担心火灾,指挥官每天都向各个部队发出警告,每支部队都任命了防火监督员以防止火灾(证据第3336号)。

有一次一名中国妇女带着良民证,在放火时被捕。很明显,1938年1月1日发生在苏联大使馆的火灾是由于使馆的看护者放火或是疏忽造成的。因此它与日本军队没有任何关系。

日本军队经常发布指示，严格禁止诸如强奸等违犯军纪的行为，因此，违犯者被宪兵逮捕并在军事法庭受到严惩（证据第 2548 号；证据第 3400 号）。

南京的局势在陷落时处在无政府和混乱的状态（证据第 2537 号）。在南京陷落前南京守军司令撤离南京，中国军队和民事方面的所有组织以及政府官员全部消失。那里既没有市政府也没有警察。城里也没有负责人。所有与市政管理有关的事情，如有关居民的记录、房地产和房屋的记录都被带走。警察被解散，结果在整个城里连一个警察也找不到。所有居民都处在巨大的迷茫中，没有人负责维持城市的和平与秩序。

起初，松井采取一切措施，试图在不干扰和平与秩序的情况下占领南京。但是首都所有重要的人物都怀有不必要的担心，放弃了他们的岗位，竭力成为第一个逃走的人，结果整个城市都处在无法控制的局势中。

尽管松井将军为了实现日中和平，过去的 30 年中经常访问南京，但他遗憾地看到首都南京的悲惨状态，完全与他的预期相反。然而，他感到欣慰的是中山陵幸免于难。如果蒋介石总统遵守孙中山的教诲，实行中日亲善和大亚洲共同繁荣的原则（第 8 条），他本来是能够控制全中国的。

松井向他的参谋人员透露了前面提到的回忆，并指示他们在中日之间建立友谊的必要性（证据第 3409 号）。

松井访问了南京的难民区，询问难民们有关他们在战斗期间所经历的危险，并安抚他们说，尽管他严格命令士兵，小心不要伤害难民，有时他们可能发现自己陷入困境，因为日本士兵无法理解他们的语言，但是和平与繁荣的日子一定很快就会到来，因此他们应该安心地从事自己的职业（证据第 3409 号）。

由于受到松井将军这种态度的影响，日本军队致力于重建公众安宁的工作，南京的和平与秩序逐渐地得到恢复，居民的混乱状态变得有序，市民逐步开始依赖日本军队。

早在1937年,地方安全维持会成立,第二年的1月1日举行了成立仪式。数以万计的中国人聚集在广场,对这一事件表示欢呼。该委员会成立后,接管了市政管理工作,开始了日本军队和中国人民之间的联系(证据第3398号;证据第2537号)。

5)有关外国的关系

松井将军采取一切必要的措施不给居民和其他国家的军队带来麻烦,避免被当局以及其他列强的军队误解,与他们建立密切的联系。在上海战役期间,松井将军总是事先通知居民,给他们时间逃离战争灾难,与此同时,通过外交机构,他事先通知上海的列强当局,并努力维持那里公众的和平。另外,他经常会见英国驻中国海军司令利特尔上将、英国驻中国部队司令斯莫利特少将、法国大使、法国海军司令等,促进他们之间更好的理解。

松井将军与轰炸"瓢虫"号和"帕奈"号没有关系,然而这一内容将在第三部分中讨论。

6)上海的和平运动

的确,建立日中亲善和东方和平一直是松井将军的终身愿望。南京战斗一结束,12月21日,在去上海的途中,他在船上沉思,并得出了下列结论:

日本和中国之间的不幸战争灾难不应该再进一步扩大。由于中国方面反日情绪的强化,在华日本居民的权利和生命处在危险之中。为了保护他们,日本不得不派遣一支军队到中国,并打到中国首都南京。然而这两国之间的问题不可能通过武力加以解决。相互间的误解必须通过和平谈判来从根本上加以消除。

我相信,这次我被派来完成的任务是在未来进行和平行动,而不是到目前为止我所指挥的军事行动。因此,以后我将献身于此。但是只要两国处在敌对状态,两国的军事当局很难进行谈判。我个人认为两国政府能够在不丧失尊严的情况下,解决两国的敌对状态。如果我们让一些经济界的人士创造一种自然和平的气氛,就能加强联系,为和平铺平道路。

现在,作为能够负责这项重要任务专家之一,宋子文是合适的人选。我们决定与他进行谈判。为此,我们将请求从日本带来的冈田先生予以援助(证据第 3409 号)。

松井将军一到上海,就让冈田先生开始执行这一计划。他隐姓埋名地来到香港,在得到李择一先生的理解后,开始了与他的谈判。这时,近卫总理大臣发表声明"不会与蒋介石将军进行谈判",此声明有如晴天霹雳,松井将军的和平努力被迫中断,无果而终。这以后华中方面军重组,松井被命令回国。因此一切和平努力皆化为乌有。

7) 他返回家后对两国受害者的哀悼

上海派遣军和华中方面军的日本官兵阵亡或死于疾病人数为 2.1 万人,8 万多人受伤和生病。不难想象,战争灾难给中国士兵和平民造成的伤亡一定更大得多。

随着该事件成为一个转折点,松井将军真诚地希望两国人民之间的和谐能够实现,两国受害者将成为东方和平的奠基石。带着这一真诚的愿望,他在其临时住所的热海伊豆山建造了一座庙宇。他在庙中供奉了两国在战争中阵亡的英雄的英灵,并为他们灵魂的安歇而祈祷。他收集了江南战场的泥土,用这些泥土建造了观音菩萨像,她慈悲为怀,普度众生。这样,不管是朋友还是敌人,他都可以祈祷他们的灵魂得到永久安歇。

他向各种力量祈愿,渴望东方出现光明的未来,渴望实现世界和平(证据第 3409 号;证据第 3493 号)。

3. 松井将军在中国事件中的责任

1) 松井在上海和南京的军事行动属于自卫的范畴

由于松井指挥了江南的军事行动,检方指控其数条罪状。其中包括，策划和准备（罪状6）、开始（罪状19）和发动（罪状28）了一场侵略战争且违反国际法、条约和承诺的战争；非法命令、引起和允许日本武装部队进攻南京，因而违反了国际法（罪状2中提到），违反国际法屠杀居民；命令、批准、允许属下日军非法、大规模地杀害和谋杀了大量的平民及放下武器的士兵，目前他们的姓名和人数仍然未知（罪状45），因此违反了战争法。由于其所担任的职务，应该负责确保遵守上述条约、承诺、战争法和战争习惯法。对于当时处在日本控制下的成千上万的中华民国的战俘和平民，他故意且无所顾忌地忽视自己的法律职责，未能确保下属遵守并防止他们违反上述法律和条约。对上述指控，松井认为自己无罪。

松井以将军的身份被大本营任命为司令官，他只是忠实地履行了这一职责。如果他拒绝这样的任命，不服从大本营的命令，他本会受到严厉的惩罚。当日本军人被任命为军官时，他们被要求口头宣誓遵守军规；该军规的第3条规定："所有上级命令应该立刻被遵守，无论这些命令是什么，在任何情况下绝不允许发生不遵守命令的行为和兵变。"

根据国家的命令，一个独立国家的军官和官员在履行其职责时的不诚实和非法的行为，必然受到这个国家的惩罚，他在履行司令官职责期间的行为并非违法。

另外，他不仅执行了上级的命令，而且忠实地履行了自己的责任，坚信在当时情况下日本使用武力是自卫。他随身带了斋藤作为国际法的顾问，还咨询了日本驻上海总领事馆的外交官，并提倡谨慎行事（证据第2537号）。

对他来说，被指控策划、准备、开始和发动侵略战争完全出乎意料。如果我们回顾中国和日本的关系，我们看到，日本不仅在与世隔绝的德川幕府时代致力于确保国内外的和平，即使在明治维新后，日本也将保持独立和东方的和平作为其不变的政策。日本经历了日清战争和日俄战争。这些战争被世界承认为日本的自卫战争,因为这两个大国轻视日本是一个小国,并威胁它的独立。

本质上,日本人直率、正直、性急、固执,因此他们在所谓的外交方面缺乏技巧,而外交需要欺诈。正如谚语所说,诚实是最好的策略。如果日本人展示他们的真实性格,坦率、大胆和清楚地表达他们的观点、希望和要求,并与邻国建立友谊,真诚合作,日本本会赢得国际信任,两国间谈判本会进展顺利的。

遗憾的是日本人态度谦虚、保守,但随着日本国力的自然增长,受到排挤的日本外交官重复着不连贯的外交程序来主张他们的国家利益。因此中国人误解日本人,把他们当作是背信弃义的人,并觉得日本敦促合作是奸诈的步骤,其背后藏有险恶的企图。两国的感情更加恶化,由于忘记了应从更开阔的视野解决问题这一秘诀,模仿中国外交官的马基亚维利似的政策,日本外交官倾向于用胆小的和保守的方式促进两国的友谊。例如,1915年,以最后通牒的方式缔结《二十一条》致使中国人憎恨责备日本。

在1927年的南京暴行中,由于忍耐中国人对日本官员和平民的暴行,日本使得中国人轻视日本,而列强则通过使用武力保护他们的利益。

另一方面,中国人习惯于称他们的国家为中央国家,以显自尊,同时蔑视其他国家,称他们为蛮夷(证据第57号,《李顿调查团报告书》第115页)。

中国的领土与整个欧洲相等,且有庞大的人口。华南的语言华北人听不懂。到国外学习的中国学生用外国语言而不是中文进行交谈。在中国历史上,偶然出现伟大的统治者,并统一全国,但不久又陷入分裂,军阀在各地出现,建立自己的政权,长期相互竞争(证据第57号,《李顿调查团报告书》第17页)。

由于中国处在无序和混乱中,外国人的生命和财产经常受到侵害。

(证据第 57 号,《李顿调查团报告书》第 14 页)每次,外国为了自卫进攻中国,使中国蒙受了巨大的经济损失,并受到沉重的政治压力。因此中国人逐渐地开始憎恶外国人。排斥外国人和抵制外国货物是中国的一个特别现象。由于别有用心者的煽动,由于人民的文化水平低下和对国际局势的无知,加上对外国人的仇视和自以为是,这一行为扩散至全国(证据第 57 号,《李顿调查团报告书》第 114 页)。英国、美国、法国和日本这些与中国有关系的国家都有受到排外情绪侵害的痛苦经历,最震惊的例子就是 1901 年的义和团运动(证据第 57 号,《李顿调查团报告书》第 14 页)。

因此,世界各国人民殷切盼望中国重建、统一和维护秩序,更不用说中国人自己了。特别是日本,它在地理、政治上与中国有着密切的联系,并受到中国动乱的巨大影响,因此真诚地希望中国的统一与和平(证据第 57 号,《李顿调查团报告书》第 23 页;证据第 2347 号)。

日本国内有识之士传统上同情中国人民,并支持中国的统一和秩序。正因为如此,孙中山在日本广交了许多朋友。

他试图解放世界上受压迫民族,他最基本的政策和理念首先是希望通过中日合作解放和光复亚洲,这起源于他自身根深蒂固的人道精神,并长期依靠日本的帮助。如果日本想要使亚洲、欧洲和美国文明和谐相处,并创建一个崭新的文明,使所有种族受益,那么日本就势必要学习中国文明,结交中国朋友。令人叹息的是少有日本人认识到这一事实,少有中国人注意到日本的文明。戴天仇先生哀叹道:"我们中国人全心全意地沉浸在反日运动中,甚至不研究日本和日本人,他们不仅讨厌看到或是听到日语,而且讨厌看到日本人。这一态度完全可以被称为'思想隔离'和'知识领域的义和团问题'。"

尽管中国人民和日本人民不努力在文化和思维上变得亲密无间,但是两国的经济关系不断发展,贸易量每年增加(证据第 57 号,《李顿调查团报告书》第 114 页)。

另一方面,欧洲国家和美国自然不喜欢看到这一现象,大约从1919年到1921年开始,他们寻求将中国人的古怪和蔓延的排外情绪,针对日本而不是他们自己的国家,他们在中国教堂和学校传播这一信条。还有得到苏联共产党支持的中国共产党领导着反日运动,但是,由于1927年共产党和国民党的分裂,后者开始领导这一运动。由于国民党政府和共产党合作,反日运动公开成为政府事务和党务的重要组成部分(证据第57号,《李顿调查团报告书》第116页;证据第2416号)。因此反日运动在全国范围内有组织、有计划地进行,影响也越来越大(证据第2512号)。他们举行游行示威和公开集会;张贴反日图片;在童谣、少儿故事、报纸、杂志、海报、钱币表面、路标、电影、戏剧和小说中充斥着反日宣传;日本人被称为"倭寇",日本货物被称为敌货。日本人被宣传为他们的敌人,他们应该全被打倒。另外,购买和销售日本货物的中国人被称为叛徒,并受到罚款。他们拥有的日本货物被没收,且生命处在危险中(证据第2386号;证据第57号;证据第2511号;证据第2413号)。

随着1931年9月满洲事件的爆发,反日运动演变为抵抗日本的运动,也就是说,抵制日货发展成武力抵抗日本。

向中国人灌输反日情绪的渠道是反日教育。反日教育大约开始于1919年,通过使用私人出版社出版的反日课本,利用普遍存在的反日情绪,从中谋利。

学童的头脑被这些课本灌输了反日思想,当他们成为活跃的青年后,反日浪潮席卷全中国(证据第57号,《李顿调查团报告书》第19页)。反日训练从民间转到政府手中,也就是说,反日训练由国民党的部门公开进行。中国的政治事务都是由国民党实施的。政府和国民党是一体,是同一机构。反日训练已经达到成为党务组成部分的地步。教科书编写的原则是由国民政府的教科书编写委员会决定的,且在他们的控制下编写。

另外,政府命令所有公立学校当局针对学生救国的理想和动机进行系统教育,并展示国家屈辱史的图表,发布教育部指示(6月3日,教育部指示,第3113号)。政府还命令所有公立学校宣布荣誉和救国的原则。

国民党中央执行委员会决定,通过设立耻辱节,发布排外宣传的政策。

从人道主义的立场看,我们不应该忽视不仅中国平民抵制外国物品,中国政府也持续、系统地对平民进行反外国训练。

毕竟,通过传播共存与合作这一基本理念,人类应该能够维持普通的生活和国际和平。如果天真烂漫的学生受到排外原则和邻国是仇敌的教育,上述基本理念将被颠覆,结果,我们将不可能实现国际和平。这的确是违反了正义和人道,更不用说与中国所声称的正义原则背道而驰。从古代起,中国传统上珍视他们的理想和正义的原则,并轻视军事统治。但是从中国历史考察他们对其他国家态度,几乎没有实例表明中国平等地对待外国,并像唐朝那样,根据正义原则进行外交活动。恰恰相反,他们倾向于将中国和其他国家区别开,蔑视他国,称之为蛮夷,而把中国当作世界之中心。特别是引进了当代西方思想后,军阀统治的这类思想影响愈来愈大,并控制了整个国家。这一排外特征在张作霖和张学良的政府中得到了充分的展示。他们是满洲汉族的代表,有3 000万汉人移居到满洲,垄断了农业,不允许那里的日本和朝鲜人拥有自己的土地,使他们无法从事耕作(证据第2394号)。他们压制和妨碍日本人,从而垄断商业和工业(证据第2387号)。另外,他们占领了由100万朝鲜人耕作的承租的土地,使他们无法生存,并将他们从满洲赶走。此外,用武力强占了蒙古人的草原,并将他们挡在外蒙古边界处。至于南满铁路,他们通过建造其他的铁路,计划毁掉南满铁路。最后甚至夺走日本人所有的权利和利益,并试图将日本人从满洲赶走(证据第57号,《李顿调查团报告书》第30页;证据第2391号),使满洲完全由汉人垄断。这些非法行为激怒了日本人，并引起了满洲事件的爆发。

韦伯庭长：现在休庭 15 分钟。

（从 10:45 休庭至 11:00。复会后继续庭审）

法庭执行官：远东国际军事法庭现在复庭。

韦伯庭长：克拉夫特上尉。

语言监督官（克拉夫特上尉）：如果法庭同意，我们将提交几处语言修正：第 129 号证据第 4 页第 17 行以及庭审记录第 798 页第 15 行，删除"affairs"，代之以"administration"。

韦伯庭长：马蒂斯先生。

马蒂斯辩护律师：另外，所有反日协会在国民党政府的领导下负责反日活动，其成员吹嘘他们不会停止敌对行动，直到将日本人在满洲的影响全部清除，他们可以占领朝鲜，将日本从台湾、琉球赶走，甚至占领日本将其作为自己的天堂。

韦伯庭长：马蒂斯先生，你在此引用了一些证据或者提及庭审记录的页码，但是我们怀疑这里有很多东西并得不到任何证据或口头证据的支持。

马蒂斯辩护律师：我在有限的时间内已经尽可能地检查了这些脚注，按照我的发现这些是能得到证据支持的。我也发现了一些证据无法支撑的例子，而且已经将之删除。

（继续宣读总结陈词）以蒋介石将军为首的国民党政府，忘记了孙中山基于中日友好的大亚洲主义，并试图通过制造与日本的矛盾来赢得民心，以便维持其统治地位，进而统一整个国家。带着这一目的，在其他列强的帮助下，他们策划遏制日本，并实行远交近攻的政策，从而实现以夷制夷（证据第 2510 号；证据第 2547 号）。

也就是说，以西安事件为转折点，蒋介石政府与共产党握手言和，提倡联共反日的原则，并与苏联政府合作，寻求英国的帮助（英国不希望看到日本在中国市场的扩张和向南发展）并得到英国的经济支持。这一切恶化了中国人民对日本的感情（证据第 2514 号）。

1936 年绥远事件一发生，通过反日宣传，中国当局聪明地从中得利（证据第 2487 号）。换句话说，他们把它宣扬为中国赢得了一场对日作战的决定性胜利。中国人民很高兴听到胜利的消息。然而，事实上，它只是中国方面由德王领导的政党对自治政府的行动进行的武装干预。考虑到当时日本政治的变化，他们得出结论，认为日本政府内部意见不一，将无法向国外派兵，这使得蔑视日本以及反日运动有了很大的发展。中国的目标是，通过扩大战线，并充分利用其辽阔的领土和巨大的物质供应进行持久战，而日本经济很脆弱，军力有限，将首先在经济上破产，在经历了无休止的战斗后将精疲力竭，并在军事上被打败。

另外，他们说由于中国将一定会得到英国、苏联和其他列强的帮助，最终的胜利必将属于中国。绥远事件发生后，他们的自信陡增，并改变了他们行动的原则和训练的方法，并说中国军队总是被日本军队打败的原因，是他们采用了错误的战术。因此他们断定，如果改变消极被动的态度，而采取积极主动的战术，中国方面就会取得辉煌的胜利。

同时，1934 年 4 月，日本发表了与所谓的"天羽声明"有关的下列声明，并澄清了日本在东方的立场："日本真诚期望中国保持领土完整、统一和繁荣昌盛。但这一目标只能通过中国自己的觉醒和努力才能实现。日本尊重门户开放和机会均等的原则，并遵守与中国有关的协定和条约。然而，日本特别重视维持东方的和平与稳定。因此，日本不能容忍第三国挤压中国的企图，利用该国的各种问题，以实现私利，而不考虑前面提到的局势。"（证据第 3246 号）。

之后，外务大臣广田调整了中国和日本的外交关系，根据他在 1935 年 1 月国会演讲的精神（证据第 3241 号），通过外交谈判，建立了两国之间的友谊。在中国方面,行政院长汪精卫先生长期以来提倡孙中山博士的大亚洲主义,对广田的演讲做出了回应,在1935年2月强调中日合作的必要性,蒋介石将军也同意这一点(证据第3243号)。

中国政府对所有报纸和通信社发出命令,禁止反日运动和抵制日货。总政治委员会决定反日运动应该受到严格控制(证据第2506号),因此两国的外交关系在短期内有希望得到调整。但是不久以后,由于华北不断地发生反日事件,所有的谈判陷入僵局,令我们遗憾的是,在向行政院汪院长射击的案子发生后,其他努力也被放弃。

日本内阁竭尽全力建立中日之间和平外交关系,仍归于失败。中国共产党用高超的技巧和热情进行反日和仇日的宣传(证据第2490号)。西安事变作为一个重要的转折点,此后共产党与国民党达成一致,向全中国人民灌输反日和仇日思想,此后经常发生由中国政府和人民引起的反日恐怖事件,如在天津暗杀亲日的报人、成都事件等。最终在1937年7月7日,发生了卢沟桥事件(证据第2514号;证据第2507号;证据第2508号)。

一方面,日本政府决定采用不扩大的政策,并努力在尽可能短的时间里通过谈判就地解决问题;另一方面,外务省的官员争取与南京的国民党政府进行真诚的谈判,然而,对他们来说在日本和中国之间达成任何和谐的协定都是不可能的,最后,在这种不可避免的情况下,日本向华北派遣了军队(证据第3260号;证据第3237号)。

的确,日本真诚地希望避免考虑因中国问题带来的麻烦,而是迅速、友好地解决这一问题,并不断努力实现该目标(证据第2497号)。但是,中国爆发了反日怒潮,反日的怒火熊熊燃烧,由于过去20年的反日教育,它很快波及上海,同年8月9日发生了杀害海军中尉大山的事件。另外,中国当局误解了日本军队的态度,在上海周围集结大量的部队,违反了1932年的停火协定,日本被迫派遣军队到上海保护其国民和权利(证据第2547号)。

中国的计划是将战线扩大到上海,根据前面提到的反日政策,这一点非常清楚。很明显日本是出于自卫,派遣部队到上海,保护自己国家的人民和利益。

因此可以说,检方声称"目的是准备、开始和进行侵略战争",这个结论是没有任何依据的。松井将军在去前线时,向其上级要求至少5个师团的兵力,将上海周围的中国军队置于控制之下,速战速决,这样日本居民的生命和利益才可能得以保护,在双方没有留下根深蒂固的敌意的情况下,和平可能得以恢复。他的想法是有远见的。

没有派遣足够的兵力去上海,打一场持久战,是永远实现不了不扩大事态的目标的。迅速解决战斗将能够实现这一目标。由于敌方人数众多,并占据有利的地形,在非常困难的情况下试图以区区两个师团的兵力赢得胜利只会适得其反,导致双方无谓的牺牲,并且加剧敌对情感。

正如预期的那样,松井将军指挥的派遣军,由于兵力不足,陷入了艰难的战斗中,这刺激了中国军队、官员和人民不用害怕日本军队的信念,同时强化了反日精神。在经历了两个月的激烈战斗后,必要的援军到来,最终击退了中国军队,并援救了上海的日本军队和平民(证据第2488号)。然而在当时,情报显示中国方面从全国各地逐渐在南京集结了一支庞大的军队,并在上海到南京之间建立了防御阵地,中国方面正在重组其军队,目的是发动一场战役,一旦机会成熟,对上海的日军发动反攻,一举消灭所有的日军。

因此,日本政府和大本营命令松井将军用其指挥的军队立刻占领南京(证据第3498号)。

如果将此称为策划、发动和执行一场侵略战争,这种观点是错误的。因为它忽视了中国人的非正义、非人道的行为,即中国人违反了条约规定,并未维护商业、居住、交通和行动自由,并未保护他人的生命和财产(证据第57号,《李顿调查团报告书》第119页)。所有这一切违反了日本的自卫权。

检察长在开庭词中说，1937年12月12日对南京的进攻构成了一起非法行动，属于侵略行为，是没有提前通告对方且违反条约的袭击。

然而，对南京的进攻是占领上海后追击中国军队的最后一场战斗，因此，它并不是突然袭击。除此之外，松井希望南京实现和平交接，并命令飞机散发传单，劝告中国军队投降（证据第2577号）。

如果将此称之为没有事先告知的进攻，那么天下所有的进攻都是未经事先告知的进攻。

松井将军是根据上级命令占领南京的，他只是完成他的职责，并决心保护日本人的权利和利益而已，而这些权利和利益被中国方面的仇日和抵抗日本的行为所破坏。

尽管占领南京后他计划停止使用武力，并通过双方的和平谈判来恢复两国间的和平，他的上级的命令迫使他放弃这一想法。

他自信自己的行动忠实地履行了对国家的责任。通过考察上述各种情况，我们只能客观地承认他的自信是正确的，他占领南京的行动不应该作为准备、开始和进行侵略战争的犯罪而受到惩罚。

检方通过提交证据第3269A号，试图表明松井曾说通过与蒋介石打交道来拯救局势是错误的，并敦促中央当局制定对中国的国家政策。但是正如前面所说，松井试图让宋子文作为中国经济界的代表与日本经济界人士联系，以促进中日之间的和平气氛。

众所周知，蒋介石政府与宋子文的富豪集团属于同一个阵营，因为他们是郎舅。因此，推荐宋先生是与蒋先生打交道的第一步。另外，本文件的作者补充道，上述描述是根据传言，他无法证实其真实性。

2)"帕奈"号与"瓢虫"号案

第二个问题，关于"帕奈"号和"瓢虫"号遭到轰炸，松井将军有何责任。轰炸"帕奈"号是由海军司令官指挥的海军航空兵所犯的一个错误（证据第2526号）。松井将军作为上海派遣军司令官指挥所有的陆军部队,但是他无权指挥任何海军部队(证据第 3493 号)。海军是由一名与松井将军平级的海军司令官独立指挥的。

当然,陆军司令官和海军司令官有在上海周围地区消灭敌人这一共同目标,有必要就总的局势进行相互联络,但是作为陆军司令官的松井将军并不能干预海军飞机的使用,因此松井将军与轰炸"帕奈"号没有任何关系。然而,松井将军拜访了美国海军上将,并表达了他的遗憾(证据第 2577 号)。这一事件在当时由美国和日本政府妥善解决(证据第 2525 号)。日本认为美国政府从未有过再次提出这一问题的企图。

轰炸"瓢虫"号是一个无法预见的事件,它发生在日本进攻南京期间,中国士兵正在大批乘船渡江撤退。第十军的柳川中将,自作主张命令向这些船只开火并未得到过松井将军的许可。炮兵联队队长桥本大佐执行了这一命令,很不幸,"瓢虫"号是遭到攻击的船只之一。当日雾很大,不幸的是日本炮手没能认出"瓢虫"号在它们当中(证据第 2522 号;证据第 2523 号;证据第 2524 号;证据第 2525 号)。

"瓢虫"号出现在满载中国士兵的船只队伍中,如果就此声称英国军舰是在保护中国人撤退未免有点牵强。但是毫无疑问,英国军舰完全相信他们绝不会遭到炮击。英国人的这一理解和自信是正确的。如果日本人知道这是一艘英国战舰的话,他们原本是不敢炮击该船的,然而,尽管这对他们的军事行动可能会有不利的影响,在他们接受松井指挥的 10 天后,他们已完全理解了松井避免与外国军队产生矛盾的意图。因此,如果天气晴朗的话,日本军队本可以认出是英国军舰混杂在其他船只中,正如它所自信的那样,它本来是不会遭到轰炸的。不幸的是,由于当天大雾,不可能辨认出该船的国籍,因此"瓢虫"号这艘中立国的军舰航行到战区,并混杂在满载交战国敌方士兵的船只中,难道不是莽撞吗?有一句谚语说道,明智的人不会自寻危险。我们不能假定中立国的这艘船故意靠近,并在中国船只中航行。也许是中国船只为了避免日军的炮击接近该船而寻求掩护,无论如何,如果英国船只对有可能遭到炮击毫不在意,如果它在大雾中与中国船只一道航行,并过分相信日本军队不会炮击英国军舰,那么完全可以说,它愿意寻找危险。在这方面我们不禁得出英国军舰是粗心大意这样的结论。

当时松井将军正身处苏州,担任华中方面军司令官,手下管辖上海派遣军和第十军,并总体指挥军事行动。离苏州较远的芜湖及其周边地区主要是由第十军司令官柳川中将指挥。因此松井与那一事件没有任何关系。

在收到有关事件的消息后,松井将军命令进行调查,训斥了第十军的司令官,并责成他立刻向英国海军上将表示遗憾;他自己在从南京返回上海后拜访了海军上将利特尔,向他表示了深深的歉意,并寻求他的理解。

然后,日本政府就此事与英国政府进行了谈判,并对船只的损坏支付了相当大一笔赔偿金,达成了解决问题的协定(证据第 2527 号;证据第 2528 号)。一旦问题解决后,按照法律的公理,理应不再有被告起诉此事。我们认为,不能仅仅因为松井将军在发生这些事件时担任司令官职务,而让他对自己不了解的事或毫无关系的事情而受到惩罚。

3) 所谓的南京暴行

检察长在其开庭词里说,日军在占领南京的过程中,对成千上万妇女儿童进行了系统、残忍的侵犯和折磨,大规模摧毁房屋和财产,完全超过军事需要,这在现代战争中是史无前例的。毫无疑问,是存在着一些暴行,这在激烈的军事行动中总是存在的。然而检方的陈述似乎认为应该由日本承担暴行的所有责任。同时,证人说如果与日本主要的城市在战争中所遭到的破坏相比,日本在南京所造成的生命和财产损失是微不足道的。如果与日本无辜妇女、儿童和其他平民在广岛和长崎所遭到原子弹难以言表的恐惧相比,南京的遭遇更加微不足道。

然而,现在毫无必要沉溺于比较现代战争给双方平民所造成伤害的多寡。目前我们需要了解检方的指控是否属实。如果是,谁真正应该承担这一责任。在这方面,检方提交了一些证人和许多文件,然而其中有许多虚构和没有根据的故事、夸大事实的陈述或是耸人听闻的宣传话语。因此,在本审判中这些不应该被认为是可靠的。在我们看来,律师的责任之一是细察这些东西的证据价值。然而,正如我们认为的那样,在此详细地讨论这一问题是不恰当的,这一问题我们将在附件中讨论,该附件在本文件的后面,我们希望法庭阅读。

我们在"南京的陷落与松井将军"这一副标题下详细地阐述过,占领南京时松井将军事先通知过中国军队,要求他们迅速投降,并做了他所能做的一切,保护重要的文化目标和具有历史价值的纪念地,如中山陵和明孝陵;保护外国人利益;加速恢复公共秩序和安抚百姓。特别是他强调执行和维持军事纪律和公共道德。为了这一目的,他不止一次向其手下的官兵发出严格指示,并命令对已经造成的损失进行赔偿,严惩所有违法者(证据第 2577 号;证据第 2537 号)。一言以蔽之,松井将军作为日本华中方面的司令官,采取了所能采取的一切措施防止日本军队的不良行为,并将战争带来的恐怖和不幸降低到最小程度。他的参谋人员非常积极地解释、说明和传达松井将军的意志,他手下所有的人忠实地执行了松井将军的这些命令。然而,令人遗憾的是仍然有人——尽管人数很少——还是犯下了非法行为。

然而,检方却认为,日本军队犯下了大规模的非法行为,这是一种错误的指控。

首先,因为南京的中国守军拒绝松井将军和平投降的忠告,进行了顽强的抵抗,导致了一场激烈的战斗,造成了包括妇女和儿童在内的众多平民伤亡,检方说日本人的所有这些行为都是犯罪,是没有根据的指控。

另一件应该考虑的事是在中国存在着所谓的便衣兵。他们是残余的溃败之兵。他们丢弃了自己的军装,穿上便衣,并偷偷地接近日本士兵,向他们开枪。对日本军队来说,他们是一种严重的威胁。中国和日本军队发生武装冲突后,南京的混乱状态使日军对混杂在平民中的中国便衣兵怀疑和不安,导致了日本士兵可能误将平民当作是便衣兵进行射击或杀害。

这类不幸事件的发生只是一种可能性。然而,将这些事件的发生当作是经过策划的残暴行为是无根据的断言。实际上,为了在难民营里发现和找出中国士兵,特别建立了日中联合委员会。该委员会通过相互协商和联合调查来决定谁是士兵(证据第 3398 号)。

在以这种方式进行调查后,给中国平民发放了良民证,而士兵则被作为战俘带走,松井将军在与当地的日本外交代表协商后在上海建立了一个战俘营,并给他们恰当的待遇。松井将军希望中国战俘得到良好的待遇,优待俘虏的精神在官兵中广为传播。很难想像会发生系统屠杀和折磨战俘的情况,不过也确实有不谨慎的人做出来一些类似不良行为。

其次,让我们来讨论抢劫的问题。在中国的军事冲突中,被击败的一方迅速脱掉军装,抢劫平民的服装并穿上,这样就变成了便衣兵,或使用这些服装作为逃跑的手段。这些手段过去经常使用,现在仍然是普遍的。占领南京期间也发生同样情况。许多中国士兵脱掉他们的军装,穿上偷来的平民服装。在偷平民服装时他们犯下了谋杀和暴力行为(证据第 328 号)。这一现象在寄往华盛顿的官方电报中也有所描述。

据报道,当时 3/4 的南京居民都逃到城外避难,他们随身带走了所有可以带走的东西,而许多具有反日思想的人选择烧毁或是销毁家庭的东西,而不是将这些东西留下,给即将到来的日本士兵使用。

另外,所有负责南京秩序的官员都与其他人一道逃走。这样南京完全陷入混乱和无政府的状态,这给中国的游民从事各种犯罪提供了一个绝好的机会。

当日本部队进城后,他们发现该城遭到破坏,没有兵营、没有公共建筑可以被当作士兵的宿营处。所有官方和军队的建筑要么被烧为灰烬、要么被摧毁，由于后方的供给没有及时跟上，日本士兵被迫使用私人的房屋作为宿营地，并征用了许多私人的家庭用品。至于没有主人的房屋，日本人在屋内留下证明，房主以后可以凭借这些证明得到赔偿（证据第 3401 号）。

在我们看来，有人只看到日本士兵从中国居民家里将东西拿走的场景，并匆忙得出日本人是唯一的违法者这样的结论，他们的证词就是这么说的。然而，他们并没有看到前面描述的整个情况。日本军队使用的是一种公正、迫不得已的征用方法，而不是大规模的抢劫。

至于强奸的指控，我们承认，当时驻中国的部队中有一些不谨慎的年轻人，在激动的状态下犯下了可耻的罪行。然而在这些被报告的案件中，有一些是中国姑娘主动接近日本士兵的结果。当被发现后，她们反而指责日本人强迫她们（证据第 3400 号）。

日本军队对强奸妇女的惩罚是严格的，尽管可能有一些不谨慎的人，许多人有组织地进行强奸是难以想象的。

至于放火的指控，是中国军队在撤退时点燃了城外可以作为军营的房屋，在城内他们也烧毁了许多房屋。

与此相反，日本军队总是被告诫要防止失火。城内如果有火灾的话，那么他们的宿营处也处在危险中，因此如果他们看到失火，他们努力扑灭这些火（证据第 3396 号）。然而中国人由于充满了极端的反日情绪，对所有东西都实行了焦土政策。甚至一些姑娘也在南京沦陷后将住宅点燃（证据第 3399 号）。

毕竟，在所谓的日本士兵抢劫和强奸的事实中，有许多是由中国便衣兵和反抗的平民干的，这一点是无法否认的。当然，无法得知日本士兵和中国士兵及平民在这些罪行中各自所占的百分比。

由于上述考虑，将当时所有犯罪的责任都武断地完全归咎于日本军队是不公平的。那么为什么双方所犯的违法行为全被说成是日本人和日本军队所为？这是他们狡猾和夸大的宣传结果。他们的反日宣传的手段高超、有创造性。通过军队、政府和联合行动已经不间断地持续了20年。反日宣传工作刚开始时，就得到了与英美教会、学校、医院有关系的美国人和英国人的指导。中国人在处理发生在南京不光彩的事件时，非常有创造性地加以利用，将其与反日宣传工作相结合。他们设法很快将其传遍世界，他们恶意地夸大宣传发生在南京的不幸事件。

有一谚语这样写道：众口铄金。另一条谚语说：一犬吠形，百犬吠声。如果一个心怀仇恨的人来传播一句恶语，那么这句话很容易演变为一个真实的故事而广为流传。如果100个人看见了一具尸体，每个人都说："我看见了"，很有可能尸体的数量就会被虚假地传播为100具。

还有，像在南京那样混乱和骚动的情况下，所有的人都激动不已，极度恐慌。那时他们受到大众心理的控制，无法冷静对局势做出公正、精确的判断。在那种情况下，一般心智的人很容易成为情感的俘虏，由于错误的判断和听信谣言而误入歧途。中国人更容易这样，在过去20多年里，他们一直称日本人为敌人，并将所有可能的谩骂和诽谤用在日本人身上，现在他们突然发现自己的首都被日本军队占领。中国人和亲中国的第三方外国人充满活力地进行了针对日本人的恶意宣传，这样做与他们的目的是一致的。

因此发生在南京陷落时的所有行为被宣传为是由日本士兵独自干的，并在全中国乃至世界的每个角落传播。全世界都将其视为一个真实的故事。我们认为这在美国的远东政策中也有所反映。中国的以夷制夷的宣传外交获得成功。

首先应该澄清和确定华中方面军司令官的松井有什么责任和权力。日本华中方面军司令官的责任被定义为统一和指导上海派遣军和第十军，地位在两军之上（证据第2578号）。因此，实际上松井将军没有直接和实质的监督和控制参加占领南京部队的权力，他只能通过上海派遣军的司令官和第十军的司令官采取行动。他指挥两军的权力是间接的。实际上，在日本军队里，师团长有维持和执行纪律和公众道德的权力和责任，因此，任何军队出现纪律松懈和违反道德问题，师团长应当承担相应的全部责任。在日本没有军级指挥官因其下属的师团士兵不法行为而承担玩忽职守责任的先例。松井将军作为华中方面军司令官其责任只局限于统一他下属的两个军的军事行动，因此更没有这方面的责任。他没有就军队军纪和公共道德的问题，直接下命令或采取行动的权力，这些权力被认为不属于他。因此从日本陆军方面考虑，在法律上，华中方面军司令官是不可能就涉及日本在南京军队的不良行为而承担责任的。

松井将军希望确保，南京陷落时，日本人在长江以南地区的利益和权利得到保护，与此同时，这也成为日本和中国建立友好关系的一个转折点，通过促进中国人民就不明智的反日意识形态进行反省，两国之间建立他长期以来所期望的友好关系，并能够具体实现。

为了能实现这一崇高的目标，他觉得有必要使他属下的部队最严格地遵守军纪，不容忍任何不公正的行为和任何谋杀犯罪。他坚信只有如此严格地执行军事纪律，才能向全世界展示日本军队的真正的价值，加强全世界对日本的尊敬。

带着这一信念，作为方面军司令官的松井将军多次向其手下的部队发出指示，要求他们严格遵守军事纪律，尽管从法律上看，他并没有义务要这么做。然而，不幸的是在占领南京的当天，松井将军生了病，并留在了距南京140英里的苏州。因此在那一行动期间他不在南京。在他到南京的5天后，他又被迫到别处去指挥新的战役。

当松井将军被告知日本士兵的不法行为后，他非常痛惜，皇军的声望和荣誉将受到严重的影响。因此他发布了进一步指示要求严格军事纪律（证据第2577号）。

这位将军以如此严格的精神状态指挥手下官兵，很难想象他会如检方所声称的那样——命令、致使或允许他的手下非法屠杀成千上万的南京平民；或是命令、批准和允许违反战争法和战争习惯法的暴行。

简而言之，在我们看来，这样的断言是由于错误的观察和判断所造成的，这种错误是来自前面所说的恶意的反日宣传。当我们细察所谓的南京暴行和抢劫，我们发现这里面包括：中国官员的逃跑造成了南京的无政府状态，致使中国士兵和不良平民有机可乘，做出破坏和犯罪行为；中国部队和平民持续的反日意识形态和敌对情绪激怒了日本部队，促使日军匆忙行动；出于供给不足，日本军队征用物资的行为，以及不受国界影响的性行为。所有这一切造成了典型的战时的恐怖，导致头脑发热的中国人和一些支持反日活动的第三国人士夸大事实，将谣言散布到全世界。这就是为什么曾经参加过占领南京的前日本军官和士兵，作为本法庭证人在他们的宣誓证言中声称，当他们第一次从美国听说这类宣传报告时感到非常吃惊。

正如我们所说的那样，被告松井尽其所能防止和制止这种局势的产生。不幸的是，当时他在遥远的地方卧病在床。应该说明的是，他抵达南京后仅在那里逗留了5天。所有这一切都对他的愿望产生了不利的影响，遗憾的是，与此同时，日本士兵犯下了一些暴行。

然而，作为一个法律问题，正如我们所说，我们认为惩罚他是不公正的。为什么？因为出于强烈的责任感和人道精神，他已经采取了所能做的一切来应对局势。被告松井被指控的错误行为属于其正式职责之外的范畴。他既没有不良企图，也没有玩忽职守。当一个人没有犯罪意图，且对构成指控基础的事件毫不知情时，他是不应该承担刑事责任的。

检方声称被告松井在12月17日进城后就确认了先前收到的有关暴行的情报，并援引了证据第257号作为证明。但是，在该证据的审问中，我们发现在一个段落中，他明确地说："12月17日进入南京后，我第一次听说了这一情况。"他们的说法并没有得到证据的支持，该证据显示，实际上他并没有事先得知这类情报。

有关南京安全区的抗议,松井说他从未看过。证人中山的证词证实了这一点。证人饭沼守也作证说,他自己并不知道有很多这类案子发生,因此他没有报告给松井。所有这一切表明松井不知道检方所声称的事情。根据武藤的证词,当宪兵队长向松井汇报称发生了一些不光彩的事情后,松井非常生气,训斥了他的下属,并向军警发布命令制止这类活动,逮捕参与者。这就是松井的态度,如果他知道有检方所断言的这类事情的话,只要是在他的职权范围之内,他是会对此采取行动的。

至于松井与记者阿本德的会面,检方说在1938年1月松井寻求与记者阿本德会面,希望通过向阿本德提供事实来平息谣传,这次会面意义重大。检方这种说法是指松井希望对该记者施加影响。他与阿本德的会面并无任何特别的意义。松井寻求与阿本德先生的会晤的动机只是向他提供相关局势的真实情况,即他的下属向他报告的内容,别无他图。

松井将军得到的正式报告数量相对有限。他从宪兵处收到的所有报告都是在12月17日之后。至于其他的情况,他只是作为谣传听到的,还没有得到证实。然而即使对这些谣传,他也采取了行动。他立刻命令进行迅速调查和严厉惩罚。然而,在他收到对这些谣言调查的结果前,他被召回日本。1938年2月,他离开上海返回东京。到东京后,他被列入预备役的序列。

4)南京鸦片的销售

检方指控松井对南京陷落后南京鸦片销售增长负有责任。他们依据威尔逊医生的证词来支持这一断言。参阅上述庭审记录,威尔逊医生证词表明,当他被问及1937年12月13日日本占领南京后,南京鸦片的销售规模是否有任何改变时,他回答道:"大约在南京被占领后的一年之后,即1939年春,我沿着南京的一条主要街道骑车行走,在离神州路大约一英里的地方——在卫理公会教堂和唱经楼之间有21处公开开业的鸦片商店……有21处公开销售鸦片的地方。"

该医生没有向法庭说明当松井是司令官时南京鸦片的销售情况,甚至没有说明1938年时的情况。一直到1939年他才观察到鸦片的销售。

其次,许传音说只是在1937年12月后,才有许多鸦片馆。我们应该注意到证人将时间定在"1937年12月后",他没有说在1937年12月后多久。无论如何,本法庭知道在1937年12月21日松井将军从南京返回上海,不久以后便在东京退休。

另外应该指出,关于1937年南京的鸦片销售,该城市是在1937年12月中旬陷落的,占领一个大城市后常常会伴随着一些局势动荡,至少在1937年间是这样的,不能指望当时对贩卖毒品有严格的控制。没有证据显示当他是那里的指挥官时,松井将军了解、或涉及、或默许贩卖毒品。

4. 指控松井将军发动了对苏联的侵略战争

检方指控被告松井与其他人于1938年7月和8月在哈桑湖地区开始和发动了对苏联的侵略战争(罪状25和35),以及于1939年夏在哈勒欣河地区发动了战争(罪状26和36)。但是,这些战斗是两国边界地区的边防部队的冲突,日本政府和参谋本部也很快解决了这两个问题。被告松井当时已是预备役将军,在政府和参谋本部都没有担任重要的职务,因此与上述两个事件没有任何关系。检方也许要说他当时是内阁参议,因此他应该承担责任。然而,当时内阁参议院只是一个名义上的咨询机构,建立的目的只是给人留下政府在兑现承诺征求非政府人士意见的印象(证据第3403号)。被告松井从未被征求过意见,他也没有提供过任何建议。因此他与这些边界冲突毫无关系(证据第3498号)。

检方还声称松井1929年4月去柏林期间召集了日本驻欧洲的所有武官会议,目的是安排对苏联进行破坏活动,并提供了第733号证据。

正如被告松井和桥本所作证的那样，该证据本身自相矛盾。

1928年松井将军被解除了参谋本部第二课课长的职务。考虑到他服役多年，松井被命令到世界各地看看，增长见识。旅途中，当他在柏林时，柏林的一名资深武官尾村少将促成了欧洲所有日本武官的友好聚会（证据第3195号）。由于松井已被免除了其在参谋本部的职务，他并没有权力召集和主持日本武官会议。当时他只是一名预备役中将。

该会议是友好聚会，纯洁而简单，对任何问题都没有决议，也没有专题讨论。所有人都在谈论欧洲的局势。这就是所有的内容。因此没有做任何官方记录。被告松井在回国后也没有向任何人提交报告。当然，在那次聚会中他坐在首席，但这只是因为他来自祖国的一位知名人士。当时被告桥本是驻土耳其的武官，他谈论了一些那个国家的情况。但是据此声称该会议是针对苏联的，这只能是基于怀疑而作出的一种推测。检方就此对被告松井的指控并没有证据支持。

韦伯庭长：现在休庭至13:30。

（12:00开始休庭。下午13:30继续庭审）

法庭执行官：远东国际军事法庭现在复庭。

韦伯庭长：经法庭批准，被告东乡需与辩护律师讨论，因此他将缺席下午的全部庭审。马蒂斯先生。

马蒂斯辩护律师：关于我读过的一个问题，从第50页开始，到第51页上方结束，证人中山证实曾从上海将一辆汽车带至南京。目前我无法给出其在庭审记录中的具体页码，但我后面会将其补上。

韦伯庭长：有法官向我提出建议说，其中的一些陈述实在太琐碎，完全可以忽略。但是我认为这些陈述是真实的，你想借助它们的价值——至少你说过它们是真实的。

马蒂斯辩护律师：我从第123页开始宣读。

5. 论所有的指控

被告松井与其他被告被指控策划、发动了罪状 1～17 中提到的战争。然而，战争的责任是在国家本身，而不是在个人。退一步说，战争的责任如由某些个人承担，这一责任也应该由当时从事国家管理的那些人来承担。

将这一责任扩大到担任各种公职但不是国家政策决策者的人身上是毫无道理的。日本政府的组织体系和实际权力的运行方式与美国和欧洲国家是不一样的。我们从宪法条款中可以看到各种功能差异。特别应该注意日本军人需宣誓承诺绝对服从命令。在被称为军人勅语的宣誓中写道，军人应该绝对服从，而不能违抗命令或是不服从。即使他不赞同某些政策或是命令，无论对错与否，日本军人有义务严格服从国家政策和任何上级命令；否则他将受到不服从命令罪的严厉惩罚。考虑到有这样的纪律规定，那些不直接对制定政策负责的人，只是根据服从上级的义务行事，如果有共谋的话，那也只能存在于政策制定者之间，不负责制定政策的人是不被允许参加进来的。因此被告松井不应该承担任何政策制定的责任。

尽管在一定的时间内，松井连续在核心圈内担任重要的职务，但是他从未担任过负责重大问题决策的职务，这些问题是前面提到的罪状所涉及的。许多他担任的职务不在核心圈内，因此他对任何军事或政府计划的内情不太了解。的确，他在 1928 年 12 月以前担任过参谋本部第二课的课长。但是第二课是负责情报工作的，并不直接负责执行军事行动或任何政治计划。1929 年他到欧洲和美国进行了为期 4 个月的观光旅行，他一返回日本就被任命为善通寺的师团长，直到 1931 年 12 月卸任。因此他与当时发生在满洲的事件根本没有任何联系。

1932 年 12 月后的 8 个月内，他在日内瓦作为日本陆军的代表参加了裁军会议。他在 1933 年初返回日本，同年 3 月被任命为军事参议官。

但 5 个月后，即 8 月他被任命为台湾军的司令官，因此他与在这段动荡岁月中，发生在中央岗位上的任何事情都没有联系。1934 年他返回东京，担任军事参议官，但是在 1935 年 8 月他从现役退休。因此他的军事参议官的职务是短暂的，只持续了一年。另外，作为军事参议会的主席只是名义上的，是退休人员的职务，他并没有决策权，因此不承担在其担任主席期间任何决策问题的责任。1937 年下半年，他被从预备役召回，因此，到 1938 年 2 月为止，他在上海和相邻地区的新军事职位上仅待了 6 个月。当他于 2 月返回日本后，他被免除了华中方面军司令官的职务，同时，第二次被列入预备役。被告松井因此与之后发生的任何事件都没有关系。的确，1938 年 7 月他成为内阁参议，并一直担任到 1940 年 9 月，但参议只是顾问的职务，当他担任此职务时，他一次都没有被征求意见。

检方通过证人秦德纯和其他证据，以被告所支持的大亚洲主义运动为由，再次试图展示前述罪状中提出的所谓犯罪行为。实际上，被告的大亚洲主义与孙中山的大亚洲主义有着相同的主旨，只是一种"四海之内皆兄弟"或世界相互依存的信条。秦德纯本人也是大亚洲协会的支持者。被告松井之所以支持大亚洲主义，并非是为发动侵略战争做准备。检方根据前面所说的罪状对被告松井的指控是毫无根据的。

在罪状 19、25 和 26 中，松井将军被指控发动侵略战争。但是当中国事件爆发时以及哈桑湖和哈勒欣河事件发生时，松井只是预备役军官，这就意味着他是一位平民。因此他没有、也不可能参与发动这种战争或是武装冲突。由于这些原因，松井对任何这些武装冲突都没有责任。

被告松井也在起诉书第二组的罪状中被控犯谋杀罪。尽管 1937 年 8 月到 1938 年 2 月他是上海派遣军和日本华中方面军的总司令，但他在那段时间里从未与任何人就谋杀战俘及敌方人员制定任何共同计划或是共谋，他也没有命令或是允许日本部队这样做。他对其他时间所发生的事件一无所知。

松井在起诉书第三组罪状中被指控犯了普通战争罪和反人类罪（罪状53、54和55）。但是有关对待战俘和被拘留的平民，他从未担任过任何有权处理这类事务的职务。他从未命令、授权或是允许违反战争法和战争习惯法的行为。他也从未与其他被告一起建议日本政府放弃采取阻止前述违法行为的措施。尽管他无权处理战俘问题，这一点前面已经指出，但1937年8月至1938年2月期间，当他是上海派遣军司令官和日本华中方面军司令官时，他还命令他手下的部队保护战俘和被拘留的平民，这一命令得到了贯彻。

在其他时期，被告松井从未担任过能够发布这类命令的职务。他也没有被咨询过或是被通知过如何处理战俘。因此，在这段时间里，他与战俘的处理没有任何关系。

松井将军在起诉书所涵盖的时间段内从未担任过能够策划、准备或发动侵略战争的职务，他也没有为了这一目的有过任何的行动。他没有犯任何挑起和发动侵略战争以及与之相关的谋杀、战争犯罪和反人类罪。

6. 结论

当有关被告松井的所有辩护陈述完成后，他只在非常短暂的一段时间（1937年年中～1938年年初）与本案中证据所显示的各种问题有关联。在此期间，他被从退休中召回，指挥了日本在中国的军队。很自然，检方指望将其与所谓的南京暴行联系在一起。没有证据显示他指挥、支持、了解发生在那里的不幸事件，或在此之后批准或默许了那些事件。就所谓的南京暴行而言，他能够辩解他不在发生所谓罪行的现场。很明显，他不可能，也没有看到这些行为。证据表明，他当时不在南京，因生病被困在距南京140英里的苏州。

我们认为检方没有确定松井有罪的确凿证据。作为一名军人，松并相信武器的存在是为了阻止使用武器,也就是说,确保公正的和平。在他服役期间,他的愿望是促进中日友谊,提高亚洲地位,实现世界和平。退休后,他在热海伊豆山建立了一个小的纪念神龛,安慰战场上阵亡的日本和中国将士的灵魂,并奉献给观世音菩萨。他常常日夜祈祷,希望看到他的目标得以实现。然而,出乎意料的是他被指控为甲级战犯,并被迫在军事学院出庭受审,这里曾是他年轻时接受教育的地方。他内心深处的情感受到了何等的搅动!下面是他在狱中写的一首诗(翻译成英文):

朝暮念心经,
幽牢也法城。
明光天地盖,
虚空可恰生。

他也喜欢书法,这是日本绅士阶层的一种品位。下面是这些天他写的孟子语录:

自反而缩,虽千万人吾往矣。

毫无疑问,胜利属于强者,但是拥有正义的一方永远不会消亡。无畏,并沿着正义的道路勇往直前,将军的灵魂将永垂不朽。

韦伯庭长:马蒂斯先生,你还有一份附录,不打算宣读对吗?

马蒂斯辩护律师:我们不打算宣读。

韦伯庭长:你想把它作为庭审记录的一部分吗?

马蒂斯辩护律师:他们希望将复印件放入庭审记录中。

韦伯庭长:那就这样。

索 引

A

阿本德　226,227,229,245,250,446
阿利森　159,160,168,171
阿利森致美国大使的信　159
阿奇博尔德·斯蒂尔（斯蒂尔）　155
安徽　24,26,63
安庆　26
安全区国际委员会组成人员名单　131
安全区卫生委员会　133
盎格鲁-撒克逊邦联　404
奥村　247
澳大利亚　232,405,406

B

八卦洲　147
巴西　302
白鸟　370,414
柏林　197,208,447,448
柏林会议　233
板垣　367

宝山镇　341
宝泰街7号　167
鲍曼　77
北美　405,406
北平　158,159,201,208,209,412
北平路　119
北平路64号　145
北祖师庵　119
贝茨(M. S.贝茨，迈勒·瑟尔·贝茨)　41,53,54,58,59,96,132,134,135,140,142,155,168,181,187,190,193,194,222,252,260,284
本间　221,230,231,247,289,303,304,309,395
波茨坦公告　411
波德希沃洛夫　98
博恩顿　159
不扩大政策　347
布鲁克斯　4,17,34,37,41,54,57,66,81,94,99－104,113,121,153,154
步兵第一旅团　268

C

裁军会议　402,449

参谋本部　200,202,214,219,221,223,230,231,233,247,343,447-449

参谋本部第二部　202,208

蚕桑楼　111

草鞋峡　147,150,152,184

察哈尔路　84

柴山兼四郎　304,306

柴扬诺夫　413

昌开运　152

长谷川　235,251,272

长江　3,5,34,44,52,56,67,83,120,147,150,180-184,203,207,210,211,216,241,262,268,282,296,297,335,351,360,398,414,416,420,444

长崎　439

常州　205

巢鸭监狱　91,161,370,414

朝鲜　406,407,433

朝鲜人　432

朝香宫　201,218,220,221,268,273,323,334,335,337,424

陈福宝　37,38,184,189

陈贾氏　130,189

陈瑞芳（陈夫人）　108-110,136,187,188,288

陈士玉　142

陈仪　207

陈永清　152

成都　58

成都事件　435

崇善堂埋尸队　148

船板巷　123

淳化镇　362

村上　39,348

D

大阪教育协会　354

大阪主命小学　354

大本营　72-74,199,201,205,207,247,267,277,290,303,306,395,415-417,423,428,436

大藏　371,372,384-386,388-390

大场镇　353

大川　8,91,161

大东亚战争　74,75

大东亚主义　272

大都会饭店　349

大连　56,57,63

大茅洞　147,148

大内义秀　356,357,360

大山　202,412,435

大杉浩　315

大穗　152

大学（鼓楼）医院（大学医院） 3,36,90,134,139,141,142,146,180,184

大亚洲 400,402,425

大亚洲协会 208-210,402,403,410,411,450

《大亚洲主义》 209,401,403-405,407-409,411,412,420,433,435,450

大亚洲主义（"大亚洲主义"） 209,401,403-405,407-409,411,412,420,433,435,450

大亚洲主义运动（"大亚洲主义"运动，大亚洲运动） 450

大政翼赞会 209

丹麦 193

丹麦人 42,92,103

丹阳 3,268

德川 152

德川幕府时代 428

德国 42,46-48,85,92,129-132,171,173,175,187,188,190,191,193,197,208,216,275,291,308,367-369,416,421

德国大使馆 47,165,173

德国侨民 160

德国人 20,92,93,113,172-174,193,308,309

德国外交部（柏林外交部） 173,175,186,192,197,291,292

德雷克大学 104

德王 434

地方安全维持会 426

帝国大本营 268,276,290

帝国大学 381,382

帝国侨民 268

帝国政府 372,381

第八师团 325,335

第73次帝国国会预算委员会 396

第二联合航空队 238

第九山地炮兵联队第七炮兵小队 357

第九师团 325,327,334

第六师团 324,335

第三国侨民代表 302,305

第三舰队 238,239,241,242

第三炮兵联队第一大队 315

第三师团 212,268,325,341

第三十三联队 320

第十军（柳川平助军团） 199-201,204,210,213,217,218,220,234,236,255,267-269,271,272,275,276,278,324,325,327,334,335,339,344,414-417,419,420,424,438,439,443

第十军司令部 276,277,415

第十六师团 272,320,321,323-325,327,330,333,334,420

第十三师团 325,334,337

第十三野战重炮联队　294

第十一师团　202,212,268,325,334,341

第一次世界大战　404

第一复员局　341,359

第一届近卫内阁　209,410

第一〇一师团　200

东京　7,8,48,50,56,58,59,70,91,106,158,159,173,179,193-197,206,212,214,215,220,221,230-232,243,247,265,284,286,287,289,301,302,305,309,340,343,346,370,372,375,403,413,414,446,447,450

东条　379

东乡　448

东亚　212,302,346,399,412

毒品　9,26,53-56,447

毒品贸易　53,54

杜南　158

杜月笙　348

多摩部队　151

多田骏　69,70,75

E

俄国大使馆　47,93,178,190,191,262,285,286,293,329

俄国人　182

俄亥俄州　41

俄亥俄州海勒姆　41

二宫义清　267

二阶堂　354

《二十一条》　429

F

法国　42,165,211,216,234,250,332,354,368,426,430

法属印度支那　208,234,403

法租界　211,251,352

反第三国际协定(反第三国际协议)　368,369

反日协会　433

饭沼守　330,331,417,446

泛亚洲协会　403

范米特　331

芳贺　56,360

芳泽　158

防空委员会办事处　241

防空学校　359

房产委员会　137

菲律宾　411,413

冯·法肯豪森　175,191

夫子庙　177,192,343

弗雷泽　245

弗内斯(费内斯)　106,123,124

福建省　354,403

福建省"人民革命政府"("人民革命政府")　354

福井淳（福井） 48,58,135,145,168,
　194,260,283,284,302,306

福井县 363

福山 268,416

福斯特 83,85,86,90,98,114

福田笃泰（福田） 20,21,48,95,195,
　260,283,284

福州 207,354

富贵山 322

富士山 412

G

冈本尚一（冈本） 12,13,155,156,
　250

冈崎 245,250

冈田尚（冈田） 223,345,355,413,
　419,427

高冠吾 152

高斯（C·E高斯） 156,158

革命军 354

格蕾斯·鲍尔 135

格鲁 59,60,158,195,196,291,395

公平匡武（公平） 100,113,244,267,
　271,348,378,390,407,410,442

共谋罪 43,44,81,89

鼓楼 110,133,178,329

关东军 367

关西 408

关于目前形势的评论 146

"关于司法部事件的备忘录" 138

光华门 359,362,365,366,420

广岛 439

广德 268

广东 207,354

广田 59,60,195-197,247,251,
　291,303,309-313,370-374,
　376-378,380,381,395,396,434,
　435

广州市（广州） 57,296

贵池 25

贵族院 371,381,386-388,390

国本 64

国府路 142,177,192

国会 31,370-374,380-382,384,
　386,390,434

国会预算委员会 373

国际检察局（IPS） 1,14,33,35,110,
　370-372,375,390

国际联盟（国联） 402,404

国际委员会 16,18-20,32,36,42,
　44,46,51,86,105,107,132,133,
　135,144,160,161,163,165,167,
　170,173,176,181-183,187,193,
　194,250,252,259,260,273,288,
　305,306,308,309,393

国联成员国 404

国民党 47,213,214,431,432,435

国民党政府（国民政府） 16,271,

272,354,431,433,435
国民军 354
国旗事件 155,157,246
国务院 168,395

H

哈茨 139-141
哈笃信 125,185
哈佛大学（哈佛） 1,41,80
哈佛大学医学院 3
哈勒欣河 447
哈勒欣河事件 450
哈里斯 239,294,299,300
哈那尼拉 413
哈桑湖 447,450
海军部 235,242,343,438
海军航空队 238
海军陆战队 341
海勒姆大学 41
海洛因 26,53,55-57,62-64
《海牙条约》 52
汉口（汉口地区） 56,57,70,72,74,
　75,158,159,173,175,276,296
汉口路 135
汉口路23号 137
汉口路小学难民营 144
汉口战役 73
汉中路 392
汉中门区 152

杭州 159,200,204,220,246,268,
　277,339,424
杭州湾 204,249,267,268,339,415,
　416
航空局 241
和平门 117
荷兰 409
贺屋 309
红十字 67
红卍字会 16,19,21-23,38,147,
　148,153,192
红卍字会南京分会 149
湖州 268
沪东战役 396
华北 71,202,205,209,411,412,
　416,429,435
华北方面军 201
华北事件 399
华南 202,209,411,429
华南方面军 73
华盛顿 155,171,441
华盛顿特区 104
华中方面军 72-74,199-201,204,
　205,207,216,219,229,230,232,
　255,266-269,273,275,277-279,
　285,289,290,321,332,339,396,
　397,415-417,419,424,427,439,
　443,444,450,451
华中方面军法务部 277

华中方面军司令部 204,267,268,
273,416
华中(华中地区) 56,201,229,267,
289,416,440
皇军总部 416
黄江氏 123,124,185
霍奇 157

J

基督教教会 82
基督教男青年会 23,31,48,93,107,
142,143,190,191,196,285
基督教信徒教堂 93
基督教总会 159
基山云路 140
箕浦 152
吉尔曼 57
吉田 48,194
吉泽 60
季南 11,367,370,371,373,375,
377,378,380,384-387,389,390
嘉定 363
嘉兴 205,268,416
嘉兴机场 34
坚壁清野 200,361,419,422,424
铜银巷 134,135
江岸汽车站 113
江苏路 177
江苏省(江苏) 202,205,342,416

江塘街卫理公会教堂 10
蒋介石(蒋) 204,215,354,401,414,
425,427,433,435,437
蒋介石政府(蒋政权) 207,353,434,
437
交通银行 132
焦土政策("焦土"政策,焦土策略)
248,442
金大附中 111
金陵大学 6,15,42,43,45,46,48-
50,55,58,104,111,134,135,140,
141,155,163,168,181,182,186-
188,194,195,247,260,280,281,284
金陵大学紧急事件委员会 134
金陵大学桃园 140
金陵大学图书馆 134
金陵大学医院(大学医院) 3,36,90,
134,139,141,142,146,180,184
金陵女子文理学院 87,108-111,
113,141,186,188,280,281,288
金陵学院 92,136,142
近卫 353,367,368,427
近卫内阁 367,368
靖江 241
九儿园40号 128
九龙 352
九州 408
菊池 136
句容 199,268,316

句容航空部队　271

句容机场　272,288,419

句容路　348,419

军事委员会统计局　149

K

卡尔　76,305-310,313,314

凯纳　201

康涅狄格州纽黑文市　93

科尔　198,199

克拉夫特　325,387,433

克拉默　198,202,212-214,233,234,236,237

克莱曼　13,60-62,78,79

克勒格尔　139,140

"库特沃"号　173

昆山　366

L

拉贝　18-20,43,46,48,50,86,93,100,105,116,139,173,181,186,187,193-196,260,284,392

老王府　130

李涤生　118,120,185

李顿调查团报告书（李顿报告书）　429-432,436

李择一　347,352,354,427

里格斯（C.里格斯）　132,139

利特尔　211,276,426,439

联共反日　434

联合国善后救济总署　107

联合国善后救济总署中国湖南办事处　106

梁庭芳（梁）　66,67,180,184

粮食委员会　136,137

列文　1,2,14,75,104,153,154,325,419

林逸郎（林）　74

临时自治政府（自治政府）　31,53,169,174,178,434

灵谷寺　152

刘易斯·S.C.斯迈思（斯迈思）　42-44,48,93,99,104-106,131,133,135,140,143-145,168,194,195,252,260

刘子先　343

琉球　433

柳川平助（柳川）　76,201,204,210,213,218,276,295,299,300,334,339,414,438,439

六合　120

卢沟桥事变（卢沟桥事件）　302,435

鲁甦　147,152,184

陆军省军务局（陆军部军务局）　302,304

陆军省（陆军部）　8,91,107,232,247,286,289,302-304,312,313,343,347,370,402,413,437

陆沈氏　120,185

绿山　157

《伦敦时报》　245

罗伯茨　238—240,242

罗伯特·威尔逊（威尔逊）　1,3,10,11,26,36,115,139,142,180,184,187,193,252,446

洛根　36,58—60,78,79,106,172,173,236,237,264,373,375,376,378—380,384,389

珞珈路5号　140

麻醉品　7—10

M

马蒂斯　4,201,202,236,237,243,244,253—255,266,315,318—320,330,331,338—341,344—346,351,355—357,361,364,396—398,400,401,411,414,433,448,452

马吉　21,79,80,84,88,91,92,94,95,97—104,113,114,188,191,193,196,222,252,262,283,284

马萨诸塞州剑桥郡　80

马屋原　39

马歇尔　157

麦卡伦　90,110,117,168,183,189,191

麦克马纳斯　3,9,10,14,15,17,20,23,43,44,48,49,51,81,89

满洲　208,209,351,406—408,431—433,449

满洲事变（满州事件）　367

满洲问题　402

《曼彻斯特导报》　250

芒罗·福勒　131

梅津　379,414

美国　3,11,15,31,42,48,49,59—61,83,93,107,111,117,131,132,134—136,155—157,159—162,164,165,167,168,170,171,183,185,189,192,193,195,196,204,210,211,216,234,235,237,246,247,250,266,275,276,278,332,349,366,369,378,392,395,405,407,409,410,421,430,431,438,443,445,449

美国大使馆　38,48,59,92,129,154,156,158,160,161,170,171,188,190

美国德士古石油公司　166

美国规则　380

美国国务院　395

美国海军调查委员　239

美国舰队司令部　241,242

美国教会学校　157

美国侨民　160,161,163—165,167

美国人　68,86,87,98,134,135,157,158,160,164,165,167,172,182,189,208,209,286,395,405,443

美国政府　53,291,438
美国驻东京大使馆　395
美国驻华大使馆（美国驻南京大使馆）
　　105,154,160,195,291
美国最高法院（美国法院）　61
美军　206
美联社　250
美洲　301
美洲邦联　404
蒙古人　432
米尔斯　109,135,136,168
缅甸　234,302
名古屋北区船月街五二丁目　315
明孝陵　245,270,320,418－420,440
摩尔　162,300
磨盘山（磨盘山脉）　199,365
莫干路11号　140
木户幸一（木户）　236,367,369－
　　374,376,377,379,385,386－389
幕府山　122,147,184,185

N

纳尔逊·T.约翰逊（约翰逊）　159,
　　185
南昌　74
《南京安全区档案》　105,131
南京安全区国际委员会（安全区委员
　　会——国际委员会,国际委员会,安
　　全区国际委员会,南京安全区,国际

安全委员会,安全区）　16,19,36,
　　42,43,93,105,176,181,186,193,
　　194,260,273,284,288,290,392
南京白下路22号　37
南京保卫战　110
南京暴行（南京暴行事件）　106,110,
　　252,284,302,303,310,311,389,
　　429,439,445,451
南京部队　284,443
南京城南机场　285
南京崇善堂　147
南京慈善机构　328
南京大使馆　243,284
南京大屠杀　147,149,153,226,230
《南京地区战争灾祸——1937年12月
　　至1938年3月》　105
南京发电厂　163
南京公家房　66
南京攻击战　245
南京国际红十字会　93
南京国际救济委员会（救济会总部,国
　　际救济委员会）　62,105
南京浩劫　179,310
南京火车站　117,184
南京军事当局　306
南京（南京市）　3,4,6,10,12,15－
　　17,20,22－27,29－31,34－36,38,
　　39,41－48,50－53,55,56,58－60,
　　62,64,65,67,68,70－72,74－77,

79,80,83,84,86,91－96,98,100,
101,103－105,107－110,112,115,
117,120－130,132,137,141,143,
144,146,147,149,153－156,158－
162,164－167,170－187,189－
194,196,197,199,200,204－207,
210,211,214,215,217－231,233,
235,236,238,239,241,244－250,
252,255－262,264,265,268－285,
287－293,296,302－309,311,313,
314,316,317,320－328,330,332－
339,341－345,348－352,355－
357,359－366,371,372,384－388,
391－396,399,415－428,435－
448,451

南京上海路华新巷　34

南京尚书巷7号　118

南京升州路彩霞街　33

南京市党部　149

南京市工会　149

南京市农会　149

南京市商会　149

南京市政府　149

南京事件("南京事件")　31,221,
222,277,290,291,313

南京塘坊桥　35

南京外交使团　292

南京陷落　3,4,6,7,10,12,13,17,
18,24,29,36,42,68,76,106,118,
149,152,166,173,175,179,180,
185－194,206,207,217,222,226,
227,230,247,250,280,289,296,
324,327,333,336,338,344,351,
354,363,417,421－423,425,443,
444,446

南京占领军　247,253,303,305,306

南京战役(南京之役)　206,211,279,
332,412

南京政府　241,398,399,409

南京自治委员会(自治委员会)　169,
174,248,349

南满铁路　432

南门外花神庙　152

南市(南市地区)　204,211,250,316,
332,354,415

南市难民营　354

南市战役　316

难民营　6,16,19－21,32,34,36,38,
39,42,45,67,68,82,107,108,111,
116,117,127,130,134,136－139,
141,143,144,175,178,183,184,
187－189,223,263,321,322,328,
334,350,354,362,422,441

尼姑　90,114

尼姑庵　90,114

宁海路　139,141

宁海路5号　105

宁海路米店　134

纽伦堡法庭 11

纽瓦克 41

纽约基督教男青年会国际委员会 107

《纽约时报》 245,250

诺兰 212-215,224,233,234,318,319,323,326,329,334,335,337,338,344,345,356,357,397

O

欧洲 208,209,234,301,343,349,401,402,405,429-431,447-449

欧洲邦联 404

欧洲人 11,175-177,405

P

帕尔 232,370

帕金森 77-79

帕奈号("帕奈"号) 76,210,234,235,239,241,242,276,296,303,304,426,437,438

帕特里克 413

瓢虫号炮艇("瓢虫"号) 76,210,234,296,299,303,304,426,437,438

平沼内阁 368

平沼骐一郎(平沼) 91,161,369,370

普林斯 115

普林斯顿 1,3

普洛泊 115

Q

栖霞山 92,177

千佛山 178

千叶县馆山市 69

乔治·A.菲奇(菲奇) 18,19,106-108,114,135,140,144,145,167,181,182,191,252,262

桥本欣五郎(桥本) 74,76,210,239,276,294-299,438,448

秦德纯 208,209,411,450

青木武 237,238

清濑 10,70,72

清凉山 350

裘劭恒 120-124,126,127

R

热海市(热海) 273,345,353,427,452

日本 8,10,17-21,25,26,28,30,31,36,41-48,50-56,58-60,63,65,67,68,70,73-75,79-81,83-87,90-99,102,103,105,108-110,112-115,117-121,123,124,128,132,133,135,137,138,140,147,149,152,155-157,159-164,166-169,171,172,174-181,183-194,196-198,201-203,206-211,213,214,216,218-220,

224,229,230,232,234,236,237,240,244,246,248,249,251,253,255,257,259,260,263,266,267,269,270,272,273,284-287,289,291-294,299,300,308,310,311,316,321,332,337,340,341,345,347,349,350,352-355,362,363,370,371,374,378,384,386-390,393-395,397-399,401-403,405-419,421-423,426-452

日本大使馆　20,31,48,49,51,52,83,84,92,93,98,100,101,105,108,109,114,155,159,165,168-171,194-196,225,245,252,260,261,284

日本岛　406

日本帝国　398

日本法律　124

日本国会　372,396

日本军队（日本部队，日本皇军，日军）42,43,45,47,49-51,58,65,70,77,80,86,95,98,101,110,111,137,141,150,157,159,160,169,176,178-182,193-197,202,204,231,257,258,263,270,273,292,309,316,321,354,358,359,361,389,391,403,412,414,415,417,419-426,434-436,438-440,442-445

日本领事馆　58,142,188,195,218,259,273,284,349,353

日本陆军　70,155,159,401,402,444,449

日本内阁　20,312,435

日本派遣军　375

日本侨民（日侨）　202-204,248,266,388,398

《日本时报》　375

《日本时代邮报》　371,372,374,380,385,386

日本士兵　5,6,13,14,17-22,24,26-28,36,38-40,44-51,57,67,68,80,82-88,90,92,93,95,97,98,100-102,107-109,112-116,118-126,128-130,132-143,145,150,151,156,157,164-170,174,177,178,180-187,189,193-197,236,258,261,262,273,275,282,289,316,317,321,323,339,340,353,360,362,363,408,420,421,425,440-445

日本外交机构　194,195,197,271

日本武士道　235

日本移民　407

日本政府　9,60,159,179,193,202,203,212,311,398,407,409,412,416,434-436,438,439,447,449,451

日本驻南京领事馆　260,283

日俄战争 428

日高信六郎（日高） 155,156,171,
　220,222,224,225,243,261,284,
　288,421,423

日军兵营 117

日内瓦 402,449

日内瓦裁军会议 244

日清战争 428

日中联合委员会 321,441

芮芳缘 152

S

萨顿 1-3,5,7-10,14,15,17,18,
　21,24-27,33-35,37,41,48,54,
　58,66,79,80,82,84,91,93,102,
　104,106-108,110,114,117,118,
　120-131,147,148,151,152,154,
　155,157,159,161,162,169,172,
　173,239,254,256,259,260,262-
　264,274,278,282-284,286-288,
　292

赛勒 56

三并贞三 240

三民主义 404

三民主义青年团南京支部 149

三文字正平（三文字） 62,65

山本 152

山东 52

山冈 301,305,308,310,313-315,
　376,394

山西路 177

杉山 303,412

上海 3,42,43,48,52,55,58,67,
　70-72,74,75,77,79,131,155,
　157-159,175,178,193,194,197,
　199,200,202-207,210-216,
　219-221,223,224,226,227,230,
　235,236,238-240,243-245,
　247-252,255,257,258,266-268,
　270,272-274,276,277,280,289,
　292,293,302,316,332,340-344,
　346-348,351-357,361,371,
　384-388,398,412-418,420,421,
　423,424,426-428,435-439,441,
　446-448,450

上海安全区（饶神父安全区） 250

上海路 84,120,128

上海路100号 128,188

上海派遣军（上海的派遣军） 199,
　201,203-205,212,213,216-218,
　220,221,236,238,244,255,266-
　269,271-274,277,279,284,285,
　292,293,320,321,323-325,330,
　332,334,335,341,344,346,357,
　361,364,400,412,414-417,419,
　420,424,427,437,439,443,450,451

上海派遣军特务机关 284

上海日本租界 202

上海日军司令部　393

上海事件　70,71,203

上海陷落　3

上海闸北　166

上海战役（上海战争）　70,72,317,415,426

上海战争损失调查委员会　275

上海政治中学　346

上砂　340

上新河区　152

上元门（上元）　147,148,320

尚德义　33,34,183

神崎正义（神崎）　26,29,72,74

神学院　46,111,137,168,187

榊原主计（榊原）　340,344

圣公会教堂　80,93,191

圣公会学校　93

圣经师资培训学校　111,144

狮子山阵地　241

施佩林（E.施佩林）　20,85,132,139

石射猪太郎（石射）　301,305,310,314,394

《首都地方法院检察处敌人罪行调查报告书》　148

首都饭店　223,271,272,280,349

首都警察厅　149

首都律师公会　149

首都医师公会　149

枢密院　60,78,79

双龙巷11号　135

水野　152

司法院（司法部）　36,136,138－140,183,263

斯莫利特　426

松江　268

松井石根（松井）　13,29,39,45,51,79,91,161,179,193,199－201,212－214,216,224,226,227,230,231,233,234,237,244－246,249,251,253,255,257－259,265,267－276,279,280,283－285,288,289,292,293,303,313,318,322,323,326,327,332－337,339－356,361,363,364,366,392,396－398,400－413,415－428,436－441,443－451

宋子文　207,352,427,437

苏联　165,404,413,424,434,447,448

苏联共产党　431

苏联政府　434

苏州　3,107,159,199,205－207,217,249,268,269,271,272,344,345,348,356,358,364,367,416,417,419,439,444,451

苏州河　357

绥远事件　434

孙永成　117,184

孙中山（孙逸仙，孙文）　399,401,

403-405,407,411,425,430,433,
435,450

索恩 137,140

T

塔夫纳 242,252,253,296,299,394

台湾 202,354,403,406,433,450

太仓 316

太古洋行 83

太平路 38,107,112,177,191,192

太平门 322

太平洋 236,407

太平洋战争 210

泰国(暹罗) 208,234,302

汤姆逊 57

汤水镇 200,271,272,281,317,324,
344,345,356,360,365,366,417,419

唐朝 432

唐绍仪 347

陶德曼 173,175,197

特里默 3,132

特威纳姆 136,142,187

天谷 171

天皇 237,351,366,396,412

天皇训令 384

天津 57,63,209,412,435

天王寺 27

天文台 350

天羽声明 434

田伯烈 250

田中 48,83,84,94,95,99,141,194,
196,260

畑俊六(畑) 26,72,279,293

畑中 152

通济门(同济门) 362,366,420

土桥 354

W

外国侨民 160,166,203,246,247,
249,284,286,288

外蒙古 432

外务省(东京外务省,日本外务省)
48,56,59,60,78,195,223,247,289,
302,303,306,310,311,314,394,435

外务省联席会议 302

汪精卫 409,435

汪精卫政权 289

王陈氏 126,185

王潘氏 127,128,188

威尔逊 1,3,11,26,36,115,139,
142,184,187,193,252,446

韦伯 1-15,17,18,20-27,29,31-
35,37-41,43,46,48-50,52-54,
57,59-64,66,67,69-79,81,82,
84,89,91,94,99-103,106,108,
110,113,114,117,118,120-131,
146,148,151-155,157,161,162,
169,172,173,232,238-240,242-

244,251-254,256,259,260,263-266,274,277-279,282,284,286,291-294,296,298-301,303-310,313-315,318,319,323,325,326,329-331,334,337,338,340,344-346,351,355-357,361,364,369,370,373,375-380,385-387,389,391,392,394,396-398,400,401,411,414,433,448,452

维新政府　55,56,244,248

卫理公会传教团　157

尾村　208,448

魏特琳　87,109,136,142,187,188

文斯　157

沃伦　5,7-10,32

无锡　3,268,342,364,365

芜湖江域　275

芜湖码头　295

芜湖美国国旗受侮事件　252

芜湖（芜湖市）　25,26,76,91,155-159,178,210,246,247,268,272,276,294-296,420,439

吴经才　121,122,185

吴淞　244,341,364

吴淞口　203,216,357

吴张氏　129,188

吴着清　126,185

五台山小学　141

五台山小学难民营　144

五台山学校　111

五台山粥厂　141

五相会议　368

伍长德　5,7,34-36,148,152,180,183

武藤章（武藤）　12,193,198,252,253,267,271,272,276-278,283,287-289,446

X

西安事件　434

西奥多·罗斯福（罗斯福）　407

西藏　63

西岛刚　364,367

西方侨民　170

西门子公司　20

西南太平洋岛屿　406

下关　34,67,83,84,147,169,183,184,274,281,320,321,333,335,366

下关兴中门　119

仙府洼　140

宪兵　51,95,96,135,137,138,144,150,167,168,206,217,218,220,222,227-229,233,246,256,261,270,283,316-318,322,327,334,336,340,359,360,363,418,425,446

宪兵队　47,51,52,56,146,150,261,269,272,283,446

宪兵南京市区司令部　149

香港　131,348,352,427

向井部队桑田联队　38

小川关治郎　236,338,340

小幡实（小幡）　293,294,296-299

小矶　62

小矶内阁　210

小桃园　136

胁坂次郎　360,364

新教圣公会神学院　80

新开路　88,187

新开路7号　21

新开路6号　88

兴亚同盟　209,410,411

《星条旗》报　286

徐淑希　43,105,131

许传音　10,14,25,180,187,283,447

萱野　413

Y

鸦片　7-10,25,26,53-57,62-66,446,447

鸦片馆　447

鸦片交易　53,64,65

鸦片贸易　54,57,65

鸦片战争　64

雅坎诺（饶）　354

亚纳尔　201,210,211,234-236,276

亚细亚公园　275,281

亚细亚石油公司　117

亚洲　202,203,208-211,346,350,354,399,401-406,409-411,430,452

亚洲邦联　404

亚洲大陆　406

燕京大学社会学系　56

扬州　275

扬子江　210,248,290,295

杨广才　152

洋珠巷3号　124

洋珠巷1号　126

耶鲁大学（耶鲁）　41,80,93

伊豆山　211,273,345,353,427,452

伊朗　57,63

伊藤清（伊藤）　13,14,29,31,32,39,41,68,77-79,251-253,262-266,274,278,291,293,303,304,313,391,392,394,401,411

伊藤述史（伊藤）　13,14,29,31,32,39,41,68,77-79,197,251-253,262-266,274,278,291,293,303,304,313,391,392,394,401,411

义和团运动　430

意大利　234,368,369

意大利大使馆　165

阴阳营　127

阴阳营7号　142

印第安纳波利斯联合基督教传教协会　104

印度　208，232，370

英国　31，42，76，116，117，131，132，157，158，165，169，171，193，204，210，216，234，237，241，250，275，295，296，332，352，368，369，372，409，410，413，421，426，430，434，438，439，443

英国海军　210，211，234，276，439

英国和记洋行（"和记"洋行）　116，163

英国舰船　296

英国凯利-沃尔什出版公司　43

英国牛津大学　41

英国政府　210，276，439

《邮报》　375

雨花台　365，366

袁世凯　213

袁王氏　127，185

原田　347，381，382

原子弹　439

远东国际军事法庭　1，8，10，11，18，25，54，64，75，91，100，129，151，161，232－234，277，286，298，309，325，344，351，357，370，380，387，392，413，433，448

约翰·J.克劳利（约翰·克劳利）　120－124

约翰·拉贝（约翰 H.D.拉贝，拉贝）　42，131，139，141，145，146，175

约翰·G.马吉（约翰·马吉）　7，80，91，131，182

约翰逊　159，185

Z

斋藤良卫　269

詹姆斯·埃斯皮（埃斯皮）　160，168

《占领南京城作战方案》　269

占领区　24，53，57，73，207，248，342，400

战俘营　246，289，423，441

战争罪　50，114，149，155，451

张鼓峰　74

张鸿儒　152

张继祥　122，123，185

张学良　432

张作霖　432

掌玺官　237

浙江省（浙江）　204，205，207，220，229，414，416

镇江　3，317

镇江庙　400

芝加哥大学　104

《芝加哥每日新闻》　155

致福田先生的信　132

致日本大使馆的信　135，139，141－145，196

中村　295－297，299，300

中岛　121，152，330

中岛部队　34

中谷　403

中国法律　124

中国共产党(共产党)　431,434,435

中国红十字会(红十字会)　176,178

中国基督教年鉴　56,58

中国基督教总会　56

《中国记录》　58

中国舰队　295

中国军队　7,16,29-31,38,40,43,45,67,80,101,110,118,119,133,162,163,177-181,184,199,200,202-206,210,211,215,216,222,229,238,241,248-250,267-269,271,272,276,289,291,320-322,328,332,342,358-361,364,392,393,412,414-425,434,436,437,440,442

中国溃军　290

中国民众　269,351,397

中国木材进出口公司　169

中国农民　400

中国平民　19,25,42,80,105,119,127,152,156,161,167,172,174,180,182,186,193,262,275,282,391,421,432,441

中国人　18,19,30,31,43-47,49-51,54,63,80,82-86,88,90,99,108,119,122,129,134,135,137,150,154,157,163-166,168,170-172,174,177,178,180-184,186,195,204,205,215,219,225-227,244-248,250,251,271,275,292,314,316,317,321-323,329,346,352,354,355,358,361,363,366,386,388,389,393,395,398,399,401,403,407,412,413,415,417,421,423,426,429-431,434-436,438,442-445

中国士兵　19,30,32,44,45,82,84,91,94,101,103,136-138,156,157,162-164,166,172,174,177,181,183,184,204,206,210,211,225,238,248,263,269,270,275,289,290,292,295,296,316-318,322,339,349,353,360,362,392,393,421,423,427,438,441,442,445

中国事变(中国事件)　71,73,367,369,383,408,411,427,450

中国守军　279,440

中国死难者　272,273

中国问题内阁咨询委员会　312

中国战俘(中国被俘人员)　289,290,441

中国政府　116,119,138,163,351,393,399,400,415,432,435

中国(中华民国)　1,3,5,8-10,13-16,18-20,24,25,29,31,32-34,

41-43,45-48,51,52,54-56,58,60-65,67,68,73,77,80,82,86,87,90,96,100,104-107,109,123-125,133-135,138,147,155,158-160,163,167,168,173,174,176,179,182,185-187,197,200-216,221,223-227,229,231,233,235,238-241,244-248,250,251,255,269,271,275,276,278,280,294,295,301,309,314,317,320-323,326,328,330,332,338,339,343,346,347,349-354,359,360,362,363,365,366,372-375,387,388,396,399-403,407-409,411-417,419,423-426,428-432,434-445,451,452

中国中央军（中国中央军队） 216

中华路 112,168,191

中日冲突 289,290,412

中山东路 177,192

中山陵 47,245,270,320,348,418,420,425,440

中山路 92,110,321,366

中山门 271,282,320-322,348,419

中山宁人 264,267

中央党部指挥部 241

中央调查统计局 149

中原 241

中泽三夫 318

中正路457号 127

种族主义 404,405

塚本 236,253,254

朱勇翁 122,123,185

珠江路 177,192

猪木 152

驻南京日本部队 273

驻上海英国大使馆 159

紫金山 320,333,420

自治政府 31,53,169,174,178,434

最高法院 136,138

其 他

C. S. 特里默 132

G. 潘丁 131

I. 麦卡伦 90,110,117,168,183,189,191

J. V. 皮克林 131

J. 利恩 132

W. P. 米尔斯 132